# Treinando com a PNL

Dados Internacionais de Catalogação na Publicação (CIP)
(Câmara Brasileira do Livro, SP, Brasil)

O'Connor, Joseph
  Treinando com a PNL: recursos para administradores, instrutores e comunicadores / Joseph O'Connor, John Seymour; [tradução Denise Maria Bolanho]. – 3. ed. – São Paulo: Summus, 1996.

  Título original: Training with NLP.
  Bibliografia
  ISBN 978-85-323-0483-4

  1. Empregados – Treinamento 2. Programação neurolinguística I. Seymour, John, 1914-2004 – III. Título.

96-2703                                                    CDD-158.1

Índice para catálogo sistemático:
1. Treinamento: Programação neurolinguística:
Psicologia aplicada 158.1

Compre em lugar de fotocopiar.
Cada real que você dá por um livro recompensa seus autores
e os convida a produzir mais sobre o tema;
incentiva seus editores a encomendar, traduzir e publicar
outras obras sobre o assunto;
e paga aos livreiros por estocar e levar até você livros
para a sua informação e o se entretenimento.
Cada real que você dá pela fotocópia não autorizada de um livro
financia um crime
e ajuda a matar a produção intelectual de seu país.

# Treinando com a PNL

Recursos da programação
neurolingüística para administradores,
instrutores e comunicadores

Joseph O'Connor
John Seymour

summus
editorial

Do original em língua inglesa
*TRAINING WITH NLP: SKILLS FOR MANAGERS, TRAINERS AND COMMUNICATORS*
Originalmente publicado pela Thorsons, uma divisão da
Harper Collins Publishers Ltd.
Copyright © 1994 by Joseph O'Connor e John Seymour
Direitos desta tradução adquiridos por Summus Editorial

Tradução: **Denise Maria Bolanho**
Revisão técnica: **Gilberto Craidy Cury / Maria Amélia Valin de Oliveira**
Capa: **Carlo Zuffellato/Paulo Humberto Almeida**

**Summus Editorial**
Departamento editorial:
Rua Itapicuru, 613 – 7º andar
05006-000 – São Paulo – SP
Fone: (11) 3872-3322
Fax: (11) 3872-7476
http://www.summus.com.br
e-mail: summus@summus.com.br

Atendimento ao consumidor:
Summus Editorial
Fone: (11) 3865-9890

Vendas por atacado:
Fone: (11) 3873-8638
Fax: (11) 3873-7085
e-mail: vendas@summus.com.br

Impresso no Brasil

*Para aqueles que dedicam suas vidas à criação de um mundo melhor, transferindo habilidades para outras pessoas.*

# SUMÁRIO

*Prefácio por Judith DeLozier* ............................................................. 9
*Agradecimentos* ................................................................................ 10
*Introdução* ........................................................................................ 11

**PARTE UM — O DESAFIO AOS INSTRUTORES**
1. O contexto mutável do treinamento ........................................... 17
2. Treinamento e aprendizagem ...................................................... 24
3. Programação neurolingüística (PNL) .......................................... 37

**PARTE DOIS — ANTES DO TREINAMENTO**
    Resumo ............................................................................................ 51
4. Objetivos do treinamento ............................................................ 54
5. Os treinandos ............................................................................... 59
6. Princípios do planejamento ......................................................... 62
7. Planejando a aprendizagem ......................................................... 69
8. Elaborando o planejamento ......................................................... 74
9. Estruturas da atividade ................................................................ 79
10. Planejamento do exercício .......................................................... 89
11. Habilidades de apresentação ....................................................... 95
12. Crenças e valores ........................................................................ 105
13. Autogerenciamento ..................................................................... 111
14. O ambiente do treinamento ......................................................... 124

**PARTE TRÊS — DURANTE O TREINAMENTO**
    Resumo ............................................................................................ 131
15. Iniciando o treinamento .............................................................. 137
16. Estados emocionais dos treinandos ............................................ 145
17. Estilos de aprendizagem ............................................................. 150
18. Exercícios .................................................................................... 156
19. Lidando com pessoas difíceis ..................................................... 163
20. Perguntas ..................................................................................... 169
21. Metáforas ..................................................................................... 183
22. Encerramento .............................................................................. 190

## PARTE QUATRO — AVALIAÇÃO
23. Avaliando o treinamento .................................................................. 198
24. Avaliação ao vivo ........................................................................... 203
25. Avaliação do seminário .................................................................. 211
26. Avaliação da aprendizagem ........................................................... 215
27. Avaliação da transferência ............................................................. 226
28. Avaliação na organização .............................................................. 237

## APÊNDICES
Glossário de Termos de PNL e Habilidades de Treinamento ................. 248
QVN/E e treinamento ............................................................................ 258
Apoio ao treinamento ............................................................................ 262
Habilidades na escrita para material escrito no treinamento ................. 265
Bibliografia ........................................................................................... 267

# AGRADECIMENTOS

Gostaríamos de agradecer aos muitos amigos e professores que nos ajudaram e inspiraram, tornando possível a realização deste livro: Tony Coughlan, por seu trabalho sobre acesso universal; e aos instrutores do John Seymour Associates, Michael Neill e Peter McNab.

Nosso agradecimento a Ravi Lander e Neil McKee, pelos Mapas Mentais®.

Um agradecimento especial a Annie Dalton. Obrigado a Liz Puttick e Elizabeth Hutchins, nossas editoras na Thorsons.

Muito obrigado a Bob Janes, Brian Van der Horst e Steve Andreas pela leitura do manuscrito e pelas sugestões. Estamos gratos a todos os nossos primeiros instrutores, particularmente a John Grinder e Robert Dilts.

Finalmente, merecida e inevitavelmente, aos milhares de alunos dos cursos que ministramos em diversas áreas: saúde, educação, negócios e seminários públicos de PNL.

*Joseph O'Connor e John Seymour*
Setembro de 1993

# PREFÁCIO

## Uma Seleção Natural

Já foram publicados muitos livros sobre Programação Neurolingüística. Alguns, muito bem escritos, desenvolveram novos processos e estruturas na área de comunicação. Outros apenas apresentavam novas maneiras para se lidar com o mesmo assunto. De vez em quando, surge um livro que aborda a utilização da PNL em diversos níveis. *Treinando com a PNL*, de O'Connor e Seymour, utiliza técnicas úteis de modelagem que resumem o processo de treinamento.

Acho que este livro se aproxima bastante dos processos mentais e dos níveis de interação que utilizo no treinamento. Talvez o mais importante seja o fato de ele não estar repleto de jargões de PNL. Como resultado, mais pessoas têm acesso ao conjunto de padrões denominado PNL, sem precisar aprender sua linguagem. Aqueles que, como eu, estão envolvidos com a PNL e acreditam que o mundo deve ser abordado através de diversas áreas, reconhecem a importância da liderança na administração de empresas e na educação.

Acredito que este livro seja uma escolha natural para pessoas que atuam nas áreas de treinamento ou de ensino. Obrigada, Joseph O'Connor e John Seymour, por sua modelagem e apresentação clara.

*Judith DeLozier*
Co-responsável no
desenvolvimento da PNL

# INTRODUÇÃO

Se um homem começa com certezas, chegará ao fim com dúvidas; mas, se ficar satisfeito em começar com dúvidas, chegará ao fim com certezas.
*Francis Bacon, 1605*

Este livro apresenta dois temas: o desafio apresentado aos instrutores e a maneira de enfrentá-lo. Muitos instrutores estão ameaçados pelas mudanças ocorridas na organização das empresas e pelos avanços da tecnologia. Com o passar do tempo, haverá muitos outros. Está se tornando cada vez mais claro que outros recursos, particularmente a aprendizagem por computadores, são mais econômicos para transmitir habilidades e conhecimentos em diversas situações. O treinamento está sendo forçado a deixar sua confortável posição e ainda precisa encontrar o seu lugar na nova ordem.

Para enfrentar esse desafio, os instrutores deverão ser muito eficientes em suas áreas de atuação. Para tornar o seu treinamento mais eficaz, no nível *organizacional,* eles necessitarão, cada vez mais, das habilidades tradicionalmente associadas aos consultores organizacionais. Eles também precisarão da melhor apresentação possível e das habilidades de treinamento disponíveis para serem eficazes no nível *individual.*

A **Parte Um** apresenta uma visão abrangente do treinamento e das mudanças evolutivas que vêm ocorrendo:

• *Por que* o treinamento está mudando — as atuais mudanças organizacionais e o surgimento das empresas que aprendem, que habilitam e desenvolvem o seu pessoal.
• *O que* está mudando — nossa compreensão dos padrões de competência e os processos de aprendizagem a eles subjacentes.
• *Como* aumentar as habilidades de treinamento — parte da resposta é modelar as estratégias das pessoas cujo desempenho é excepcional relacionadas às habilidades de aprendizagem, comunicação e os métodos práticos para desenvolver habilidades mais eficazes de treinamento. A Programação Neurolingüística é a disciplina que possui o conhecimento para modelar ha-

bilidades complexas. A competência não é mais suficiente no mundo do treinamento.

Na **Parte Dois**, abordamos as habilidades para planejar o treinamento e as apresentações, assim como as crenças, os valores e a identidade dos instrutores, fatores negligenciados na maioria dos livros de treinamento.

A **Parte Três** explora as habilidades interativas da apresentação ao vivo. Quando bem formulado, o treinamento pode oferecer ao indivíduo os seis critérios para uma ótima experiência. Ele inclui a aprendizagem de habilidades, objetivos concretos, oferece *feedback*, deixa a pessoa sentir-se no comando, facilita a concentração, o envolvimento, e é diferente do mundo do dia-a-dia. Esta seção está fundamentada em três importantes habilidades de treinamento:

- Cuide do seu estado emocional. Quanto melhor o seu estado, melhor será o treinamento.
- O seu principal objetivo deve ser o de manter os treinandos num bom estado de aprendizagem. Isso é mais importante do que qualquer ensinamento.
- Ensine as mentes conscientes e inconscientes dos treinandos. Em outras palavras, permita que eles saiam da sala de treinamento sabendo mais e com mais habilidades do que imaginam ter ou percebam ter aprendido.

A **Parte Quatro** completa o ciclo, focalizando a avaliação e o desenvolvimento do treinamento.

Como cada parte é independente, é possível ler qualquer uma das seções, em qualquer ordem. Você pode ler o livro e, posteriormente, reler as seções que mais lhe interessem. Ao mesmo tempo, a coerência do livro e o entrelaçamento dos temas são como uma composição musical, que utiliza os mesmos elementos temáticos, embora possa ser dividida em diversos movimentos.

Há uma diferença nos estilos nas quatro partes principais. Isso é proposital. Nós tentamos tornar o estilo congruente com a área explorada.

Para aqueles que gostam de perceber diferenças, é exatamente isso o que este livro NÃO é. Ele não é um tratado acadêmico, embora esteja bem fundamentado em pesquisas atuais. Ele não propõe uma abordagem para o treinamento, a não ser até onde o treinamento é conduzido pelas necessidades de aprendizagem das pessoas que você treina e para quem você treina. Ele não é um ponto de vista especializado sobre mudança e desenvolvimento organizacional, é uma perspectiva do *instrutor*. Ele não é, essencialmente, um livro sobre habilidades de apresentação, apesar de conter muitas habilidades úteis. Diferente de um treinamento, este livro contém apenas palavras. Obrigado por trazer a sua imaginação para dar mais vida às nossas palavras.

*Mapas Mentais®*

Este é o primeiro dos seis Mapas Mentais que você encontrará neste livro. Ele resume todo o livro. O próximo resume o primeiro capítulo e os restantes resumem as quatro partes principais. Para ajudá-lo a organizar-se e lembrar-se dos elementos principais, sugerimos que você faça o seu próprio mapa mental enquanto lê o livro.

Se você quiser saber mais a respeito do Mapa Mental, leia *The Mind Map Book — Radiant Thinking*, de Tony Buzan (detalhes na Bibliografia).

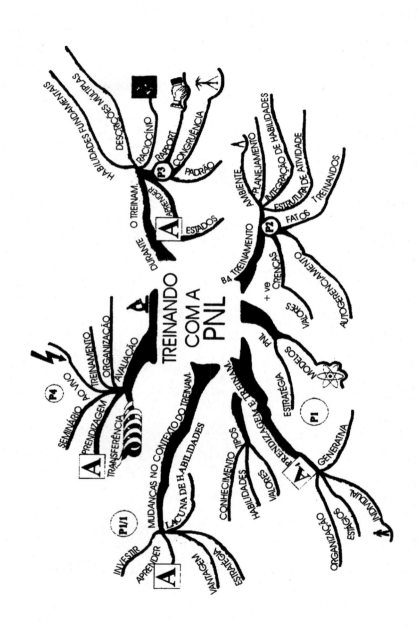

# PARTE UM
# O DESAFIO AOS INSTRUTORES

# CAPÍTULO 1
# O CONTEXTO MUTÁVEL DO TREINAMENTO

Que você possa viver em épocas interessantes.
*Antiga maldição chinesa*

O treinamento está em dificuldades. Ele enfrenta um desafio cada vez maior para justificar sua eficácia diante das grandes mudanças na organização das empresas e dos avanços na tecnologia. Para as empresas que procuram melhorar o seu desempenho e desenvolver o seu pessoal, o treinamento é apenas uma escolha entre muitas. Ao mesmo tempo, há oportunidades sem precedentes para instrutores habilidosos, que podem não apenas apoiar, mas também dirigir as mudanças que estão ocorrendo. Há duas escolhas: agarrar a oportunidade ou ser deixado para trás.

O treinamento é um grande negócio. Em 1987, rendeu 33 bilhões de libras esterlinas no Reino Unido. Os empregadores gastaram 18 bilhões de libras esterlinas, dos quais seis bilhões foram investidos em treinamentos no local de trabalho; as pessoas gastaram oito bilhões e o governo, sete bilhões. As indústrias têm provedores de educação superior e técnica, bem como quase três mil provedores no setor privado. É difícil saber quantas pessoas estão empregadas na área de treinamento e de desenvolvimento, mas 250 mil seria um palpite razoável. A elas podemos acrescentar gerentes, especialistas e instrutores de meio período que treinam outras pessoas como parte do seu trabalho.

Para permanecer em evidência, o treinamento deve ser eficaz — e ser visto como tal. Os treinamentos ao vivo, por exemplo, estão sendo preteridos por um número cada vez maior de ofertas de aprendizagem a distância, e pela aprendizagem interativa por computadores e, para ter sucesso, o instrutor deve ter excelentes habilidades de apresentação. Nas empresas, onde acontece a maioria dos treinamentos, estão se tornando raras as ocasiões em que o treinamento era considerado uma "coisa boa" em si mesma. O treinamento precisa se justificar — e ele pode. O treinamento pode ser uma das maneiras mais eficazes (e econômicas) de transmitir habilidades e uma poderosa força no desenvolvimento organizacional.

## Vantagem competitiva

Idealmente, o treinamento proporciona melhor desempenho nos níveis organizacionais, individual e de trabalho, que se traduzirá numa vantagem competitiva para a empresa.

Uma empresa pode buscar vantagens competitivas em três áreas principais. Primeiro, ela pode utilizar a melhor e mais avançada tecnologia. Contudo, a tecnologia, embora possa estar disponível e ser facilmente adquirida, pode ficar ultrapassada em questão de meses. Segundo, a empresa pode utilizar os sistemas de trabalho e de apresentação mais eficientes — mas seus concorrentes também.

Terceiro, há a questão da qualidade do seu pessoal. As pessoas inteligentes aproveitam ao máximo as máquinas modernas, encontram maneiras inteligentes de utilizá-las e inventam outras, ainda mais inteligentes. E são capazes de fazer isso de maneira constante. "A habilidade para aprender mais rápido do que os concorrentes pode ser a única vantagem competitiva constante": esta é é uma conhecida citação de Arie de Geus, chefe de planejamento da Royal Dutch/Shell. As empresas estão começando a seguir esta orientação, investindo mais em seu pessoal. E uma das maneiras de fazer isso é o treinamento eficaz.

## A empresa que aprende

...a corporação mais bem-sucedida dos anos 90 será algo denominado empresa que aprende.

Revista *Fortune*

Uma empresa que aprende é aquela que reconhece a importância das pessoas que nela trabalham, apóia o seu desenvolvimento total e cria um contexto no qual elas possam aprender. Esse novo tipo de organização de empresas é possível porque somos alunos inatos, apesar de um sistema de educação formal que, com freqüência, prejudica as nossas habilidades naturais de aprendizagem. É também nadar contra a maré, pois a cultura em que vivemos não é uma cultura de aprendizagem natural.

A empresa que aprende é uma inovação fundamental. Ela é tão diferente das nossas atuais empresas quanto estas o são de um povoado medieval. O objetivo, os valores e a maneira de trabalhar e pensar são diferentes. É uma experiência recompensadora fazer parte de um grupo de pessoas que confiam umas nas outras e compartilham um objetivo comum, em que você pode utilizar suas forças e contar com pessoas que compreendem as suas fraquezas. É surpreendente o que um grupo assim pode realizar.

A empresa que aprende e a sua cultura criativa são algo possível, apesar da dificuldade de criá-la à nossa vontade. Ela não pode ser imposta e deve ser desenvolvida organicamente, em todos os níveis. Nós ainda estamos buscando as disciplinas e as formas de desenvolvimento que nos permitirão efetivá-la.

A empresa que aprende pode parecer idealista e de difícil implementação, mas vejamos o exemplo da empresa brasileira Semco, descrito no livro *Maverick!* de Ricardo Semler. *Maverick!* conta como uma empresa respondeu à feroz concorrência do Extremo Oriente. Os trabalhadores da Semco determinam os seus dias de trabalho, muitos são encorajados a trabalhar em casa, a linha de montagem foi abandonada, um quarto do número de trabalhadores determina seus salários e, em breve, todos farão o mesmo. Os trabalhadores decidem quanto dos lucros será distribuído e quanto será investido. Eles também votam regularmente sobre o desempenho de seus chefes. Os gerentes que não têm um bom desempenho são afastados ou pressionados. É uma empresa que leva a sério a transferência de poderes e que também está sendo levada a sério, tendo sido visitada por 150 das principais companhias dos Estados Unidos, mencionadas na *Fortune*, que foram verificar o que estava acontecendo. Elas não teriam esse trabalho se a Semco não fosse bem-sucedida — e ela é. A Semco aumentou sete vezes sua produtividade e cinco vezes os lucros, levando-se em conta a inflação. As empresas que aprendem continuariam sendo apenas uma boa idéia se não fossem tão eficazes no mercado.

## *As qualidades da empresa que aprende*

Peter Senge, diretor dos sistemas inteligentes e do Programa de Aprendizagem Organizacional da Sloan School of Management, do Massachusetts Institute of Technology (MIT), descreve as qualidades de uma empresa que aprende em seu excelente livro, *The Fifth Discipline — The Art and Practice of the Learning Organisation*.

A singular contribuição de Senge é a modelagem computadorizada de sistemas dinâmicos, em que o MIT tem se destacado a partir do trabalho pioneiro de Jay Forester, na década de 70. Senge identifica cinco disciplinas principais necessárias à criação de uma empresa que aprende. A quinta disciplina a que se refere o título é o *raciocínio sistêmico*, muito diferente do nosso tradicional processo de pensamento linear. Raciocinar sistemicamente sobre uma empresa significa procurar a interação de suas partes e ver um processo de mudança, em vez de instantâneos separados. Geralmente, importantes conseqüências de decisões não são relacionadas à causa, porque as causas e os efeitos estão separados pelo tempo e lugar. Isso é verdade tanto para as empresas quanto para a medicina e para a previsão do tempo. O raciocínio sistêmico mostra como a estrutura de uma empresa pode criar problemas e como as conseqüências das decisões executivas surgem em algum outro lugar do sistema, às vezes reaparecendo para criar os problemas que pretendiam minorar. Se as empresas quiserem aprender no nível organizacional, o raciocínio sistêmico é uma habilidade essencial para o gerenciamento. A aprendizagem organizacional é diferente da aprendizagem individual porque envolve mudanças nos sistemas operacionais e nas estruturas da própria empresa.

As outras quatro disciplinas da empresa que aprende são: construção de uma visão compartilhada, aprendizagem em equipe, modelos mentais e domínio pessoal. Construir uma visão compartilhada é o processo de criar um propósito e uma identidade organizacionais que inspirem e motivem todos os membros da empresa. A aprendizagem em equipe é a maneira como as pessoas podem formar equipes efetivas. Os modelos mentais são as crenças inconscientes, dos indivíduos e dos grupos, que moldam seus comportamentos e suas decisões. Todos nós temos crenças que limitam nossa eficácia. Essa disciplina nos ensina como aprender a revelar essas crenças limitadoras e transformá-las em crenças mais poderosas, que levem a melhores decisões e ações. Enfim, há o domínio pessoal. Ele não diz respeito ao controle. Refere-se ao domínio, no sentido do artesão, que tem um compromisso de vida com o aperfeiçoamento de suas habilidades. Ele é pessoal porque faz parte do desenvolvimento pessoal. Ninguém pode adquiri-lo por você. A motivação e a satisfação vêm de dentro.

Todas as disciplinas de Senge envolvem a aprendizagem de habilidades de raciocínio, ação eficiente e contínuo aperfeiçoamento do que fazemos. Esse é o território do instrutor. E, mesmo assim, se quisermos obter resultados, precisamos das habilidades dos melhores entre nós. Precisamos explicitar essas habilidades e criar maneiras para transferi-las rapidamente.

## Lidando com mudanças

As empresas precisam preparar as pessoas para as mudanças. Os sistemas de gerenciamento de desempenho são implementados para administrar as mudanças, com freqüência, por meio de esquemas de preparação gerencial. Esses esquemas ajudam os indivíduos a lidar com as mudanças e ampliar suas capacidades básicas, geralmente dentro de competências definidas. As habilidades interpessoais são importantes; o comportamento dirigido às tarefas não é mais suficiente. Os gerentes precisam administrar pessoas, bem como informações. As habilidades de comunicação e relacionamento são fundamentais para que os esquemas de preparação e monitoração funcionem, revelando o que existe de melhor nas pessoas. O treinamento é necessário para melhorar as capacidades existentes e, mais importante, para a aprendizagem de novas habilidades, pois a tecnologia invadiu as estruturas de trabalho existentes, destruindo muitas delas e criando algumas novas. As pessoas estão sendo treinadas novamente para adquirir novas habilidades em funções totalmente novas ou para operar novas tecnologias. Não podemos mais esperar que alguém só saiba fazer uma coisa durante toda a sua vida. Ao contrário, precisamos de diversas habilidades, o que Charles Handy, em seu livro *Age of unreason*, chama de *"portfolio"* de diferentes funções e habilidades.

*A lacuna de habilidades*

O sistema educacional reage muito lentamente às mudanças, sem mencionar o ritmo cada vez mais rápido em que elas atualmente ocorrem. O que seu currículo propunha era relevante para a última geração e não acompanhava as mudanças porque precisava ser planejado muito antes de sua implementação. Quando começa a ser utilizado, o mundo já evoluiu. Isso significa que o sistema educacional não oferece treinamento de habilidades e conhecimentos atuais. Há uma lacuna. Por exemplo, muitos gerentes seniores, atualmente na casa dos quarenta, foram educados numa época em que não havia estudos por computador e a enorme difusão de computadores pessoais era apenas um vislumbre. Muitos deles não foram suficientemente treinados para compreender o papel e o potencial dos computadores. Só recentemente surgiram no mercado de trabalho pessoas que tiveram contato com computadores no curso primário.

*Treinando na empresa que aprende*

Qual o papel dos instrutores na criação e manutenção de uma empresa que aprende? O treinamento é uma parte inerente da cultura e do ambiente de trabalho numa empresa que aprende. É uma maneira de ajudar as pessoas a aprenderem a se desenvolver e, assim, é considerado um investimento contínuo e não uma despesa. Ele faz parte da estratégia de investimento nas pessoas, da empresa que aprende. As habilidades interpessoais e de comunicação são importantes em qualquer empresa e essas são as áreas nas quais o treinamento ao vivo é a escolha mais eficaz.

As oportunidades para os instrutores são grandes, mas o treinamento será um aspecto cada vez mais fundamental da política de uma empresa se, e somente se, os instrutores apresentarem os resultados necessários. Entretanto, ao aprenderem as habilidades para treinar com mais eficácia, os instrutores serão capazes de demonstrar mais claramente que o bom treinamento é um dos investimentos mais econômicos.

# O contexto mutável do treinamento

*Pontos-chave*

O DESAFIO AO TREINAMENTO
- O treinamento está enfrentando os desafios dos avanços tecnológicos e das mudanças na cultura e na organização das empresas. Há novas oportunidades — e perigos — para os instrutores.
- O treinamento deve ser efetivo e eficiente e ser considerado como tal.

- As empresas buscam uma vantagem competitiva em três áreas:
  1. A mais nova tecnologia.
  2. Os melhores sistemas empresariais.
  3. As habilidades do seu pessoal.

EMPRESAS QUE APRENDEM
- A habilidade para aprender mais rápido do que os concorrentes pode ser a única vantagem competitiva constante.
- Muitas empresas estão se tornando "empresas que aprendem". Uma empresa que aprende busca:
  1. delegar poderes ao seu pessoal;
  2. melhorar continuamente ela mesma e seu pessoal;
  3. aprender em todos os níveis, do corporativo ao individual;
  4. atender às necessidades dos clientes;
  5. apoiar o desenvolvimento total de cada pessoa dentro da empresa;
  6. criar uma cultura de aprendizagem.

## Criando uma empresa que aprende

- Ainda não está claro como implementar a empresa que aprende e sua cultura de aprendizagem.
- Peter Senge identificou cinco disciplinas necessárias à criação de uma empresa que aprende:
  1. Raciocínio sistêmico: pensar no relacionamento e nas conseqüências a longo prazo, em vez da causa e efeito lineares de curto prazo.
  2. Construir uma visão compartilhada: criando propósito e identidade organizacionais.
  3. Aprendizagem em equipe.
  4. Modelos mentais: revelando as crenças inconscientes, dos indivíduos e dos grupos, as quais moldam todos os comportamentos e decisões.
  5. Domínio pessoal: o compromisso de aperfeiçoar continuamente as habilidades no trabalho.

A LACUNA DE HABILIDADES
- As pessoas precisam de habilidades para lidar com mudanças.
- Sempre há uma lacuna de habilidades entre o currículo educacional, o conhecimento e as habilidades realmente necessários. O treinamento preenche essa lacuna.
- O treinamento é uma técnica importante e econômica para criar e manter uma empresa que aprende, desde que aproveite ao máximo os recursos de que dispõe e que os instrutores sejam suficientemente habilidosos para apresentar os resultados desejados.

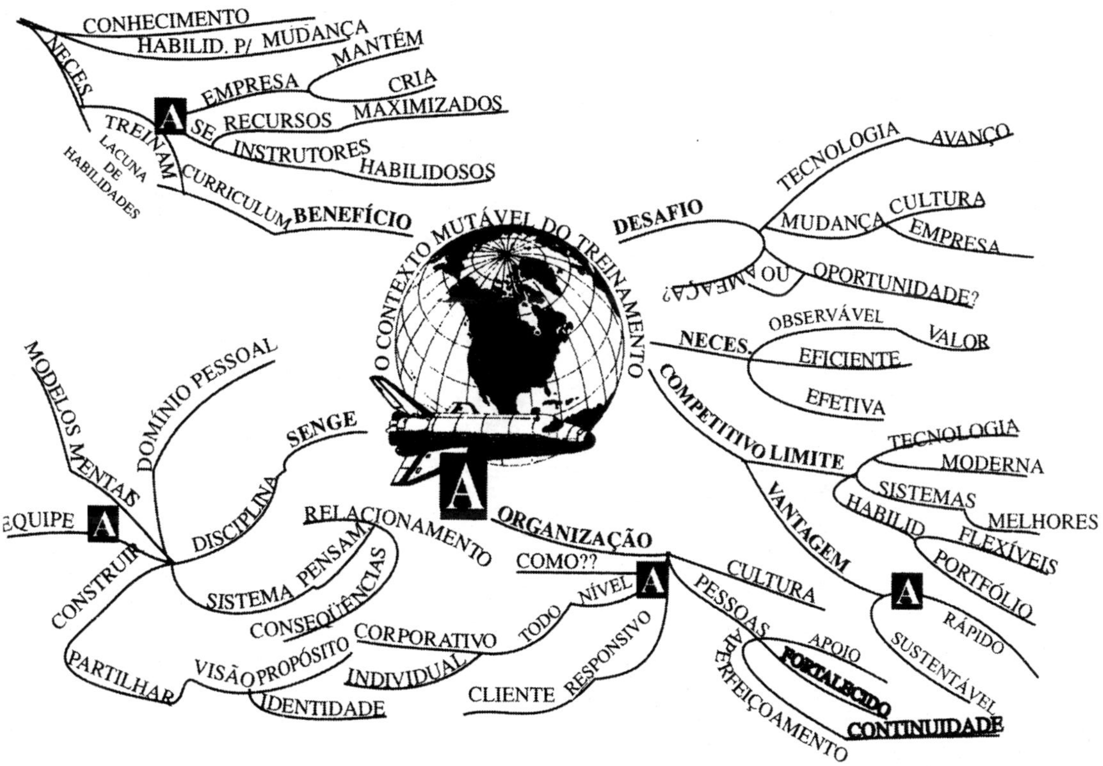
O CONTEXTO MUTÁVEL DO TREINAMENTO
DESAFIO
TECNOLOGIA
AVANÇO
MUDANÇA
CULTURA
EMPRESA
OPORTUNIDADE?
OU
AMEAÇA?
NECES.
OBSERVÁVEL
VALOR
EFICIENTE
EFETIVA
COMPETITIVO
LIMITE
TECNOLOGIA
MODERNA
SISTEMAS
MELHORES
HABILID
FLEXÍVEIS
PORTFÓLIO
VANTAGEM
RÁPIDO
SUSTENTÁVEL
CONTINUIDADE
ORGANIZAÇÃO
COMO??
CULTURA
PESSOAS
APOIO
FORTALECIDO
APERFEIÇOAMENTO
NÍVEL
TODO
CORPORATIVO
INDIVIDUAL
RESPONSIVO
CLIENTE
SENGE
DISCIPLINA
DOMÍNIO PESSOAL
MODELOS MENTAIS
EQUIPE
CONSTRUIR
SISTEMA
PENSAM
RELACIONAMENTO
CONSEQÜÊNCIAS
PARTILHAR
VISÃO
PROPÓSITO
IDENTIDADE
NECES.
CONHECIMENTO
HABILID. P/ MUDANÇA
TREINAM
LACUNA DE HABILIDADES
EMPRESA
MANTÉM
CRIA
SE
RECURSOS
MAXIMIZADOS
INSTRUTORES
HABILIDOSOS
CURRICULUM
BENEFÍCIO

# CAPÍTULO 2
# TREINAMENTO E APRENDIZAGEM

O que é treinamento? O que ele significa para você? O que ele faz? Provavelmente, esta é uma pergunta que você já se fez e para a qual não tem uma resposta "certa". Treinamento significa coisas diferentes para pessoas diferentes. Como o treinamento trata da aprendizagem humana, o campo é tão complexo quanto nós mesmos.

Treinamento é o processo que amplia e proporciona um contexto para a aprendizagem em três áreas principais. Em primeiro lugar, está o conhecimento e como aplicá-lo. A solução de problemas é um exemplo desse tipo de aprendizagem, embora alguns considerem-na uma habilidade. A segunda categoria é a da aprendizagem de habilidades. A experiência real é essencial para o desenvolvimento de habilidades, das experiências físicas, como datilografar, às interpessoais, como treinar. A última área é a da aprendizagem no âmbito dos valores e das atitudes. Esse tipo de treinamento é, provavelmente, aquele que, tecnicamente, exige mais do instrutor e o mais difícil de ser avaliado.

O que é aprendizagem? Segundo o dicionário, aprender é "o processo de adquirir conhecimento, habilidades ou capacidades por meio do estudo, da experiência ou do ensino". Embora seja difícil definir o *processo* de aprendizagem, seus *resultados* são claros: melhor desempenho, novas habilidades, novos conhecimentos e novas atitudes. Quanto mais pudermos descobrir sobre como as pessoas aprendem, melhor poderemos planejar nosso treinamento para estimular a aprendizagem. A aprendizagem trata da *mudança* no conhecimento, habilidade ou experiência dos treinandos. Talvez a principal tarefa do instrutor seja demonstrar que as mudanças são possíveis. Há uma tendência para os treinamentos voltados às experiências dos alunos e não àquelas do professor, porque eles são mais eficazes. Treinamento e aprendizagem são os dois lados de uma mesma moeda. O instrutor cria um contexto no qual os indivíduos possam aprender.

### *Tipos de treinamento*

O treinamento abrange um amplo espectro de possibilidades. A maioria dos treinamentos acontece dentro de uma estrutura organizacional. No local de trabalho, há o treinamento vocacional e o treinamento experimental. Neste livro, focalizamos principalmente o treinamento e a aprendizagem em grupo. Este é o território dos instrutores, dos cursos de treinamentos, seminários e *workshops*. O treinamento em grupo, quando bem realizado, é uma das maneiras mais econômicas de transmitir as habilidades necessárias a um desenvolvimento contínuo dentro de uma organização.

Há o treinamento para o trabalho, iniciado e mantido pela empresa, para o seu pessoal, como parte do desenvolvimento profissional, e as pessoas também freqüentam cursos de treinamento para desenvolvimento pessoal.

As pessoas aprendem com a experiência do treinamento ao vivo. Num treinamento público, elas levam os novos conhecimentos e habilidades para suas vidas. Numa empresa, os treinandos levam os novos conhecimentos e habilidades para o local de trabalho. Os resultados de um treinamento eficaz melhoram o desempenho na função. O melhor desempenho na função conduz ao melhor desempenho organizacional. O treinamento é parte da maneira como uma empresa aprende. Há um padrão e uma semelhança entre a maneira como os indivíduos e as empresas aprendem.

## Aprendizagem organizacional

No nível organizacional, a realização do treinamento faz parte de um ciclo mais amplo relacionado à maneira como as empresas aprendem e se desenvolvem. O ciclo se inicia com a identificação e o estabelecimento dos objetivos para o treinamento. Há o treinamento em si, que é o processo sistemático de compartilhar conhecimentos, habilidades, atitudes e mudanças de comportamento, seguido por um processo de avaliação para estabelecer até que ponto os objetivos foram atingidos.

### *O ciclo de treinamento*

1. Identificar as necessidades do treinamento em três diferentes níveis: as da empresa como um todo; as de cada uma das diferentes funções na força de trabalho; e as de cada indivíduo na força de trabalho. Esta é a Análise das Necessidades do Treinamento (ANT).
2. Estabelecer objetivos para o treinamento em termos de habilidades, valores e atitudes, conhecimento e recursos. Isso é feito pela avaliação dos níveis de habilidades presentes e da identificação das habilidades desejadas.
3. Planejar o treinamento para satisfazer necessidades e objetivos.
4. O processo do treinamento ao vivo.
5. Avaliar a eficácia do treinamento na realização dos seus objetivos e utilizar os resultados para aperfeiçoar o ciclo de treinamento.

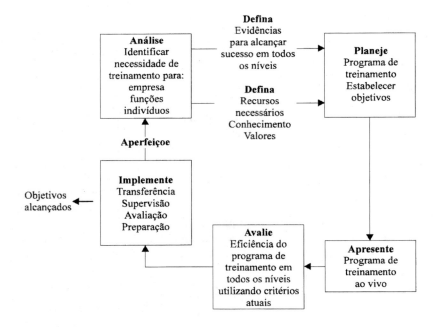

*Figura 1.1. O ciclo de treinamento*

## A empresa

Do ponto de vista da empresa, o propósito do treinamento é torná-la mais eficaz e bem-sucedida, melhorando o desempenho dos indivíduos que nela trabalham. A avaliação final verificará se o treinamento aumentou a eficácia organizacional, e uma das evidências de que isso aconteceu pode ser o aumento de lucros. A empresa quer que o treinamento transfira habilidades para as pessoas que precisam delas, quando precisam delas e a um custo aceitável, para que todo o processo seja econômico. Sob esse ponto de vista, o treinamento é parte do desenvolvimento organizacional.

## A função

Na empresa existem funções específicas e tarefas a serem realizadas. Idealmente, a Análise das Necessidades do Treinamento determina as funções que precisam ser focalizadas para melhorar o desempenho e, após serem identificadas, como especificamente devem ser melhoradas e como você pode avaliar os avanços. Os gerentes devem estar ativamente envolvidos nesse processo. Haverá uma avaliação no final do treinamento, para cada tarefa específica, formando um parâmetro de perfeição que, quando bem planejado, é muito eficaz.

## O treinando

Quase todas as pessoas têm necessidade de crescer e se desenvolver no nível pessoal e profissional. Geralmente, esses dois níveis não estão separados. A pessoa que está sendo treinada avaliará seu sucesso de diversas maneiras: quanto ela apreciou o treinamento e quão útil e prático ela o considerou. Uma importante questão é saber se as habilidades aprendidas no treinamento são transferidas para o ambiente de trabalho. Nesse nível, o treinamento é uma aprendizagem para o desenvolvimento pessoal e profissional.

## O instrutor

O instrutor é a pessoa-chave no ciclo. Ele ou ela trabalham com um grupo de pessoas cujo propósito é aprender. O instrutor pode ir até uma empresa, realizar um único treinamento e ir embora ou, em outro extremo, envolver-se totalmente no nível organizacional. Nesse caso, ele precisa de um conjunto de habilidades especializadas para planejar, apresentar e avaliar o treinamento. O instrutor tem um ponto de vista pessoal e, para que o treinamento se torne parte efetiva do sistema global e não um acontecimento isolado, ele deve avaliar e se envolver com outros pontos de vista.

O instrutor enfrenta a difícil função de combinar as necessidades organizacionais e individuais. No cenário organizacional, um bom instrutor deve conhecer bem a área e possuir habilidades para transmiti-las ao grupo. Para isso, são necessários conhecimentos especializados, habilidades de apresentação, compreensão da aprendizagem individual e de grupo, e da dinâmica do grupo. Finalmente, como se isso não fosse suficiente, é também necessário contar com as habilidades de um consultor organizacional para se envolver na Análise das Necessidades do Treinamento e consultar os gerentes de linha para analisar o desempenho na função. O instrutor também deve ser capaz de avaliar os resultados do treinamento nos níveis de desempenho individual, de trabalho e organizacional. O treinamento específico em uma empresa será eficaz se for parte totalmente integrada do ciclo de treinamento total.

## Aperfeiçoamento contínuo

A aprendizagem organizacional envolve o aperfeiçoamento contínuo e, aqui, as idéias do Movimento de Qualidade Total (TQM — *Total Quality Movement*) foram amplamente difundidas. A pessoa mais influente nessa área é o Dr. W. Edwards Deming, instrutor e consultor americano, que primeiramente apresentou essas idéias aos japoneses, nos anos pós-guerra. A sua influência foi tão grande que, no Japão, o Prêmio Deming anual é, provavelmente, o prêmio nacional mais cobiçado na área dos negócios.

Deming formulou uma filosofia total de aperfeiçoamento contínuo de cada processo de planejamento, produção e serviço para empresas. O TQM visa a criação de uma cultura de aprendizagem organizacional incorporando a qualidade ao processo da empresa, estabelecendo métodos modernos de treinamento e realizando um vigoroso programa de educação. Um de seus objetivos é eliminar o medo dentro da empresa, porque pessoas assustadas não podem trabalhar bem nem assumir responsabilidades. Acabaram-se os dias imortalizados na citação atribuída a Samuel Goldwyn: "Eu não quero nenhum bajulador perto de mim; quero que todos me digam a verdade, mesmo que isso lhes custe o emprego". A filosofia de Deming também exige a eliminação de metas de vendas, comissões e marcadores competitivos, como as classificações anuais de mérito. O argumento para essas medidas é o de que os problemas estruturais no trabalho provocam a maior parte dos fracassos individuais e, se estiverem fora do controle individual, qualquer recompensa por mérito é arbitrária e contraproducente.

Para criar uma empresa que aprende, pelo aperfeiçoamento contínuo, é preciso começar com uma liderança nítida e uma visão global compartilhada. Muitas vezes, o TQM foi considerado uma panacéia e imposto nas empresas. Os resultados foram desapontadores. Deming é muito claro ao afirmar que, a não ser que a filosofia do TQM seja visivelmente *aplicada no topo*, ela terá poucos efeitos.

## Aprendizagem individual

*Padrões e competência*

Não pode haver aprendizagem organizacional sem aprendizagem individual, e um dos objetivos do treinamento é a melhora contínua do desempenho individual. A melhora no desempenho surge com a aquisição de novas habilidades ou com o desenvolvimento das habilidades já existentes.

Para definir o que é um nível de desempenho aperfeiçoado são necessários alguns padrões. Esses padrões podem ser avaliados quantitativamente, por exemplo, numa linha de montagem, em termos de quantidade de itens produzidos por hora, embora não seja fácil definir padrões na área é habilidades interpessoais.

No Reino Unido, o sistema de Qualificações Vocacionais Nacionais (QVN) e de Qualificações Vocacionais Escocesas (QVE) foi instituído como um conjunto de padrões de competência, para facilitar a análise de habilidades mais efetivas de aprendizagem nas principais indústrias. Competência é a habilidade para executar uma tarefa dentro de um padrão definido. A abordagem das QVN considera as habilidades, dividindo-as em elementos menores relacionados a padrões de desempenho. Os níveis de habilidades podem, então, ser avaliados como um composto de elementos. Um instrutor pode analisar a habilidade em detalhes, cada vez mais precisos, e verificar os padrões de competência exigidos e os critérios pelos quais serão julgados.

A estrutura das QVN é analisada mais extensivamente no apêndice, à página 258. Ela é importante para os instrutores, sob dois aspectos. Primeiro, como análise estruturada da tarefa e como forma de considerar a avaliação de competência nas áreas em que eles treinam. Cada vez mais, o treinamento está sendo incorporado aos padrões adequados das QVN. Segundo, oferece um mapa de competências para treinamento, definido pelo *Training and Development Lead Body* (TDLB), no Reino Unido, e assim tenta responder a essa interessante pergunta: "O que é um instrutor competente?".

## *Motivação*

Para que as pessoas adquiram novas habilidades, independentemente do seu papel na empresa, algumas condições devem ser preenchidas. Primeira, elas precisam desejar aprender as habilidades. Precisam considerá-las significativas e valiosas para si mesmas. A aprendizagem exige motivação. Mandar as pessoas para cursos, adquirir habilidades que alguém supõe que elas precisam aprender, não funciona. Infelizmente, isso ainda acontece em muitas empresas (e é quase universal na área da educação, até os 16 anos de idade). Uma idéia melhor é oferecer às pessoas diversos cursos e esclarecer os benefícios deles decorrentes. O que os instrutores querem que os treinandos conheçam ou realizem, traduzem os objetivos do treinamento. Em contrapartida, para os treinandos, referem-se àquilo que eles querem conhecer e realizar. O verdadeiro treinamento será uma mistura e uma combinação desses dois objetivos com o propósito de aprender.

## *Quatro estágios de aprendizagem*

A aprendizagem de uma habilidade tende a se encaixar em quatro estágios gerais. À medida que prossegue a leitura, pense em como a aprendizagem de uma habilidade, por exemplo, dirigir, se encaixa nessa estrutura. O primeiro estágio é conhecido como *incompetência inconsciente*. Além de não saber o que fazer, você também não possui nenhuma experiência. Esse é o estágio da "alegre ignorância". Para uma criança, dirigir um carro é um mistério.

O segundo estágio é o da *incompetência consciente*. Você começa a fazer e logo descobre os problemas. Nesse ponto, a tarefa exige toda a sua atenção consciente. Embora seja desconfortável, esse é o estágio no qual você aprende mais. Por ser desconfortável, é importante que os instrutores apoiem totalmente os alunos deixando-os saber que esse desconforto é uma evidência da aprendizagem. Se o estágio de incompetência consciente for muito longo ou muito desconfortável, os participantes podem perder o estímulo e, assim, é importante dividir a habilidade em segmentos viáveis.

A seguir, você atinge o estágio da *competência consciente*. Você pode fazê-lo, mas é preciso atenção e concentração.

Finalmente, há a *competência inconsciente*. A habilidade torna-se uma série de hábitos fáceis e sua mente consciente está livre para ouvir rádio, observar a paisagem ou conversar enquanto dirige.

## Criando um ambiente para a aprendizagem

Os treinandos precisam ter a chance de adquirir habilidades. Isso levanta a questão de saber como aprendemos. O conceito do instrutor sobre o que é a aprendizagem e como ela acontece irá influenciar muito o planejamento e a apresentação do curso de treinamento. Se você recapitular as coisas importantes que aprendeu em sua vida, provavelmente descobrirá que, inconscientemente, juntou peça por peça. As suas experiências e conhecimento se juntaram como novos *insights*, sem que você "tentasse" fazer isso acontecer. A nossa mente consciente é muito parecida com um *iceberg*. A maior parte de nossos processos mentais é inconsciente, nós apenas nos tornamos conscientes dos resultados. Esse não é um fato surpreendente, pois nossa atenção consciente limita-se entre cinco e nove fragmentos de informação. O importante é a maneira como compreendemos a informação e as conexões que fazemos.

Uma vez que a maior parte da aprendizagem é inconsciente, a questão é saber como criar um ambiente que maximize as oportunidades para que ela ocorra, um ambiente que possa ser explorado e experimentado com segurança e abertura, no qual as pessoas possam ser elas mesmas; um ambiente onde os treinandos sejam responsáveis pela própria aprendizagem, enquanto, progressivamente, assumem a responsabilidade pelo próprio desenvolvimento pessoal e profissional. À medida que amadurecemos, aumenta nossa necessidade e habilidade para nos tornarmos alunos autônomos, juntamente com nossa habilidade para usar a experiência para aprender e organizar a aprendizagem nos problemas de nossa vida. Os adultos não aceitarão aprender passivamente o conteúdo, o que geralmente ocorre no processo formal de educação, a menos que haja um contrato explícito a esse respeito e os benefícios sejam claros. Os adultos tendem a comportar-se de conformidade com suas próprias motivações e buscam seus padrões mais dentro de si mesmos do que fora. Eles não precisam de tanto apoio quanto as crianças. Têm também um forte impulso de buscar a aprendizagem, e podem recorrer a diversas experiências como um recurso da aprendizagem. Qualquer treinamento deve utilizar isso.

## O ciclo de aprendizagem

Há um ciclo de aprendizagem que pode ser aplicado a um nível organizacional e individual. Você começa com um estado atual, digamos, um nível de habilidade ou desempenho. Você tem em mente um objetivo ou um estado desejado, um nível de desempenho melhor. Você precisa de critérios e evidências sobre aquilo que ver, ouvir e sentir para saber se alcançou o estado desejado. Assim, você compara aquilo que tem e aquilo que deseja. Isso lhe mostrará uma lacuna, portanto, você faz alguma coisa, treina, lê ou aprende de alguma maneira, para diminuir a lacuna. Então, você compara novamente e continua agindo até alcançar o estado desejado, de acordo com os seus critérios e evidências. Depois, você identifica o próximo objetivo da aprendizagem.

No nível individual podemos aperfeiçoar o modelo utilizando o ciclo adicional, formalizado por David Kolb, em meados da década de 70, em seu trabalho sobre estilos de aprendizagem.

1. A aprendizagem começa com uma experiência concreta.
2. O indivíduo pensa na experiência e reúne informações.
3. O aluno começa a generalizar e a internalizar o que aconteceu na experiência.
4. Finalmente, há uma fase de teste, na qual as novas idéias são testadas.

Esse modelo é bom porque pode ser realizado sistematicamente. Cada ciclo tem outro embutido, como num jogo de encaixar. Isso significa que um modelo pode ser amplamente aplicado.

### Aprendizagem generativa

Esses ciclos de aprendizagem simples são apenas um primeiro passo. Da mesma forma que há ciclos embutidos, eles também fazem parte de um ciclo mais amplo: *aprendizagem generativa* ou aprendendo a aprender. Agora, se o instrutor for capaz de transferir essas habilidades, pode começar a trabalhar. A aprendizagem generativa realmente melhora todo o ciclo, tornando-o mais rápido e mais efetivo. Geralmente, a educação nas escolas pára no primeiro nível de aprendizagem: a lembrança de fatos ou habilidades. Normalmente, não aprendemos a aprender. Dizem-nos para lembrar, mas não como lembrar. Essa é a diferença entre dar um peixe para uma pessoa e ensiná-la a pescar.

A Programação Neurolingüística (PNL) tem o seu lugar neste livro porque fala sobre aprender a aprender, como usar o que você sabe para aprender mais e mais rápido. Isso a torna extremamente útil para o instrutor em seus papéis de consultor, analista e apresentador. A PNL oferece uma estrutura unificadora e muitas poderosas habilidades de comunicação para o treinamento, as quais podem aumentar intensamente a eficácia. Além disso, a PNL é

31

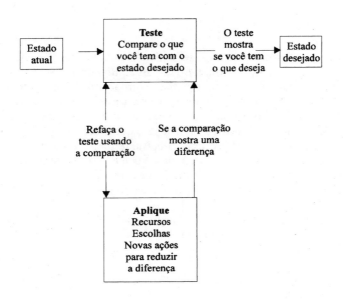

*Figura 1.2. Ciclo de aprendizagem*

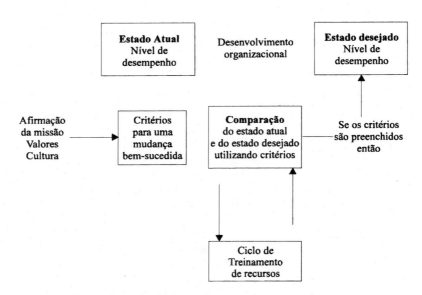

*Figura 1.3. Ciclo de aprendizagem organizacional*

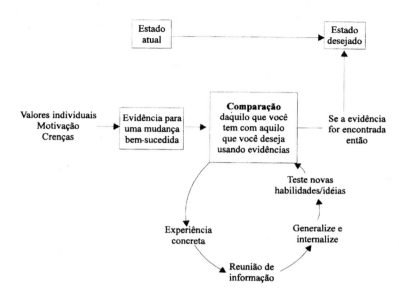

*Figura 1.4. Ciclo de aprendizagem individual*

extremamente valiosa para os treinandos, no sentido de ampliar sua capacidade de aprendizagem em qualquer área.

Os instrutores precisarão das próprias habilidades para aprender a aprender, para enfrentar o desafio dos tempos, e aqueles que puderem treinar as habilidades para aprender a aprender valerão o seu peso em ouro para qualquer empresa. O seu trabalho ultrapassará a sala de treinamento. Eles nunca ficarão sem emprego.

No nível organizacional, a aprendizagem generativa criará empresas que aprendem; no nível individual, ela conduzirá à melhora contínua do desempenho e à crescente satisfação pessoal.

Há uma história que ilustra com precisão a diferença entre a aprendizagem simples e a generativa. Gregory Bateson, que escreve sobre comunicação e teoria dos sistemas, em seu livro *Steps to the ecology of mind*, conta a sua experiência ao estudar os padrões de comunicação dos golfinhos no Instituto de Pesquisas Marítimas, no Havaí.

Bateson trabalhou com os instrutores enquanto eles ensinavam os golfinhos a se apresentarem em espetáculos públicos. O processo começou com um golfinho não treinado. No primeiro dia, quando o golfinho fez alguma coisa diferente, como saltar para fora da água, o instrutor usou um apito e, como recompensa, deu-lhe um peixe. Sempre que o golfinho se comportava daquela maneira, o instrutor usava o apito e jogava-lhe um peixe. Logo, o golfinho aprendeu que o seu comportamento lhe garantia um peixe; ele o repetia continuamente, sempre esperando uma recompensa.

No dia seguinte, o golfinho surgiu e executou o seu salto, esperando um peixe. Não o teve. Durante algum tempo, ele repetiu o seu salto, inutilmente. Irritado, fez alguma outra coisa, como uma viravolta. O instrutor, então, usou o apito e deu-lhe um peixe. Sempre que o golfinho repetia aquela nova proeza, na mesma sessão, recebia a recompensa. Nenhum peixe para a proeza de ontem, somente para alguma coisa nova.

Esse padrão foi repetido durante 14 dias. O golfinho surgia e realizava a proeza que aprendera no dia anterior, sem nenhum resultado. Muitas vezes, executava as proezas de alguns dias atrás, só para conferir as regras. Mas, só era recompensado quando fazia alguma coisa nova. Provavelmente, isso foi bastante frustrante para o golfinho. Contudo, no décimo quinto dia, de repente, ele pareceu ter aprendido as regras do jogo. Entusiasmou-se e apresentou um espetáculo surpreendente, incluindo oito novas formas diferentes de comportamento, quatro das quais jamais haviam sido antes observadas na espécie. O golfinho parecia ter compreendido não apenas como gerar o novo comportamento, mas também as regras sobre como e quando gerá-lo. Os golfinhos são inteligentes.

Um último detalhe: durante os 14 dias Bateson observou que o instrutor jogava peixes para o golfinho fora da situação de treinamento. Bateson ficou curioso e questionou essa atitude. O instrutor respondeu: "Ah! isso. É para manter as coisas em termos amigáveis, naturalmente. Afinal, se não tivermos um bom relacionamento ele não vai se dar ao trabalho de aprender alguma coisa".

## Treinamento e aprendizagem

### *Pontos-chave*

TREINAMENTO E APRENDIZAGEM
- Treinamento é o processo que aumenta e oferece um contexto para a aprendizagem em três áreas principais:
  - conhecimento e como aplicá-lo
  - habilidades
  - valores e atitudes
- Aprendizagem é o processo de adquirir conhecimento, habilidades ou capacidades por meio do estudo, experiência ou ensino.
- Treinamento e aprendizagem são dois lados de um mesmo processo. O instrutor cria um contexto no qual os indivíduos possam aprender.
- Quanto mais descobrirmos a respeito do processo de aprendizagem, melhor poderemos planejar os cursos de treinamento tornando-os mais efetivos.

## TIPOS DE TREINAMENTO
- O treinamento abrange muitas possibilidades: treinamento vocacional, treinamento experimental no local de trabalho, cursos de treinamento em grupo, seminários e *workshops*.
- O treinamento em grupo, quando bem realizado, é uma das maneiras mais econômicas para transferir as habilidades necessárias à melhora contínua dentro de uma empresa.

## O CICLO DE TREINAMENTO
- A aprendizagem individual e organizacional são expressões diferentes de um padrão subjacente comum.
- Em uma organização, o ciclo de treinamento envolve:
  - a identificação das necessidades e a definição dos critérios por meio dos quais avaliar o progresso;
  - o estabelecimento dos objetivos da aprendizagem em termos de habilidades, valores e conhecimento;
  - o planejamento do treinamento para atender às necessidades e objetivos
  - o evento do treinamento/aprendizagem;
  - a avaliação dos resultados e sua utilização para aperfeiçoar o processo.
- Esse ciclo de treinamento pode ser observado a partir de três níveis:
  1. A empresa: desenvolvimento organizacional.
  2. A função: eficiência nas tarefas.
  3. O treinando: progresso e satisfação individual.
- O instrutor junta os níveis.

## MQT
- Os conceitos de Deming sobre MQT visam criar uma cultura de aprendizagem numa empresa. O MQT focaliza-se mais na melhora do sistema do que na realização pessoal.

## QVN/Es
- O sistema de Qualificações Vocacionais Nacionais e Escocesas (QVN/Es) foi instituído como um conjunto de padrões baseados na competência para facilitar a aprendizagem de habilidades mais efetivas em todas as principais indústrias.
- O *Training and development lead body* estabelece padrões nacionais e administra QVN/Es para instrutores.

## TREINAMENTO SIGNIFICATIVO
- Os treinandos devem desejar participar do treinamento. Eles precisam considerar o que estão aprendendo como algo significativo e valioso para si mesmos.

- O que os instrutores querem que os treinandos conheçam e realizem traduzem os objetivos do treinamento. Em contrapartida, os treinandos referem-se àquilo que eles querem conhecer e realizar. O verdadeiro treinamento precisa conciliar esses dois objetivos.

ESTÁGIOS DE APRENDIZAGEM
- Existem quatro estágios de aprendizagem:
  1. Incompetência inconsciente
  2. Incompetência consciente
  3. Competência consciente
  4. Competência inconsciente
- A maior parte da aprendizagem ocorre no nível inconsciente.
- A aprendizagem é fortemente influenciada por nosso estado emocional. O instrutor deve ser capaz de criar um ambiente seguro no qual os treinandos possam assumir responsabilidades por sua aprendizagem.

APRENDIZAGEM DE ADULTOS
- Os adultos são participantes autônomos. Eles não aceitarão uma aprendizagem passiva sem responsabilidade.
- Os adultos têm diversas experiências para compartilhar e utilizar no treinamento.

CICLO DE APRENDIZAGEM SIMPLES
- Há um ciclo de aprendizagem que envolve:
  1. Conhecer o seu estado atual
  2. Conhecer o seu estado desejado
  3. Conhecer a evidência para atingir o seu estado desejado
  4. Valores e critérios sobre a aprendizagem
  5. Agir para diminuir a diferença entre o estado atual e o estado desejado
  6. Continuar a percorrer o ciclo até ter evidências de que atingiu o seu objetivo

APRENDIZAGEM GENERATIVA
- Aprendizagem generativa é aprender a aprender e criar o aperfeiçoamento contínuo e a auto-realização dos indivíduos.
- A aprendizagem generativa é necessária para criar uma empresa que aprende.
- A Programação Neurolingüística (PNL) é um método de aprendizagem generativa.
- Os instrutores que podem treinar as habilidades para aprender a aprender terão maior influência e sucesso.

# CAPÍTULO 3
# PROGRAMAÇÃO NEUROLINGÜÍSTICA (PNL)

*Modelando o comportamento*

Existem apresentadores, professores, instrutores e facilitadores que são verdadeiramente excepcionais naquilo que fazem. Se você já teve a oportunidade de estar com uma dessas pessoas, sabe o impacto que elas podem ter em sua vida. A PNL é o estudo de como as pessoas se destacam em qualquer área, e de como ensinar esses padrões a outras pessoas para que elas também possam obter os mesmos resultados. Denominamos esse processo de *modelagem*. A PNL abrange não apenas a modelagem, mas também os modelos que são criados. Esses padrões, habilidades e técnicas estão sendo cada vez mais utilizados nas áreas de aconselhamento, educação e negócios para se obter uma comunicação mais efetiva, uma aprendizagem acelerada e desenvolvimento pessoal e profissional. A PNL evita perguntar *por que* algumas pessoas se destacam, pois a idéia do talento inato não leva a lugar nenhum. Ao contrário, ela procura saber *como* essas pessoas se destacam e como ensinar outras pessoas a se destacarem utilizando esses padrões.

*Raciocínio, linguagem e comportamento*

A PNL trata da nossa experiência subjetiva: a maneira como pensamos em nossos valores e crenças, e como criamos nossos estados emocionais. Assim, ela é a chave para o treinamento experimental. Com a PNL podemos criar experiências que se relacionam às crenças e criar estados emocionais. Nossas crenças e estados emocionais geram nosso comportamento. Com a PNL podemos descobrir de que maneira criamos nosso mundo subjetivo.

A Programação Neurolingüística abrange três áreas:

- *Neuro* refere-se à nossa neurologia, nossos processos mentais.
- *Lingüística* é a linguagem, como a utilizamos e como somos influenciados por ela.
- *Programação* refere-se aos padrões do nosso comportamento e os objetivos que estabelecemos.

Portanto, a PNL relaciona nossas palavras, pensamentos e comportamento aos nossos objetivos. Programação é uma metáfora de computador, mas aqui ela não é utilizada como o antigo modelo de inteligência artificial dos computadores, e sim como modelo da rede neural. A PNL é uma psicologia generativa eclética e sistêmica que considera as relações e influências das diferentes partes de nossa personalidade. Ela não é um modelo linear de comportamento. O behaviorismo é a psicologia da inteligência artificial, na qual o estímulo conduz a uma resposta em linha reta.

**O que, por que, como**

Para modelar pessoas excepcionais, precisamos explorar *o que* elas fazem: seu comportamento, suas ações e sua fisiologia. Precisamos descobrir *por que* elas fazem dessa maneira: as poderosas crenças e valores por trás do comportamento. Habilidades são ações consistentes mantidas e apoiadas por crenças. Nós também precisamos saber *como* elas fazem: seu processo de raciocínio e suas estratégias mentais.

*Níveis neurológicos*

A aprendizagem pode acontecer em diferentes níveis. Esse modelo foi desenvolvido por Robert Dilts, instrutor americano de PNL.

- O primeiro nível é o do *ambiente*: o contexto, tudo o que nos rodeia e as pessoas com as quais nos relacionamos.
- O segundo nível é o do *comportamento*: nossas ações específicas.
- O terceiro nível é o das *habilidades* e *capacidades*: aquilo que podemos fazer.
- O quarto nível é o das *crenças* e *valores*: aquilo que acreditamos e que é importante para nós.
- A seguir, vem a nossa *identidade*: nossa autoconsciência básica, valores essenciais e missão na vida.
- Além disso, a maioria das pessoas se relaciona com alguma coisa *além* de si mesmas (espiritual).

Aplicando isso ao treinamento, pode-se afirmar:

- No *nível do ambiente*: "É fácil treinar com ótimos recursos e um departamento de apoio".
- No nível do *comportamento*: "Naquele treinamento você escreveu de forma bastante clara no *flip chart*".
- No *nível de capacidade*: "Você desenvolveu algumas habilidades impressionantes".
- No *nível de crenças*: "O divertimento facilita a aprendizagem".
- No *nível de identidade*: "Você é um bom instrutor".

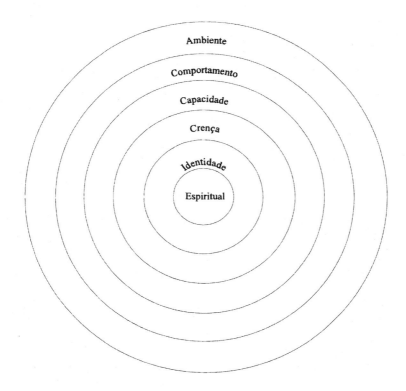

**Figura 1.5.** *Níveis neurológicos*

Muitos cursos e livros sobre treinamento enfocam o nível do ambiente: como arrumar a sala e quais recursos utilizar. Alguns livros sobre habilidades de apresentação focalizam o nível comportamental daquilo que você faz para apresentar a matéria. Com freqüência, os níveis mais elevados são esquecidos: como as habilidades funcionam e quais as crenças e valores que as ampliam e lhes dão poder. As habilidades não fluirão sem crenças e valores poderosos para sustentá-las. As suas crenças e valores também afetam fortemente seus pensamentos e seu estado emocional. A ansiedade pode arruinar uma apresentação, independente da competência normalmente demonstrada pelo realizador.

Quando seu treinamento flui da autoconsciência e da sua missão na vida, ele é poderoso e congruente. O treinamento com a PNL oferece ferramentas para modificar não apenas o comportamento e as habilidades, mas também as crenças e valores, uma área que o treinamento tradicional considera difícil de ser influenciada. Particularmente, a PNL focaliza a área de habilidades: como as crenças se relacionam às ações. Uma de nossas principais motivações para escrever este livro é a de lidar com esse desequilíbrio e focalizar esses níveis mais elevados de treinamento.

## Modelos de linguagem

A PNL surgiu na metade da década de 70, nos Estados Unidos, quando John Grinder, um lingüista, e Richard Bandler, um estudante da ciência da computação e matemática, começaram a modelar excelentes comunicadores no campo da psicoterapia. Inicialmente, exploraram padrões de linguagem e perguntas para criar um modelo de linguagem que ficou conhecido como Metamodelo: a arte de usar a própria linguagem para esclarecer a linguagem. (*Meta* vem do grego, e significa acima ou além.) Geralmente, a falta de comunicação ocorre porque as palavras significam coisas diferentes para pessoas diferentes. Se você duvida, pergunte a dez pessoas o que as palavras "treinamento", "competência" ou "aprendizagem" significam para elas. Algumas vezes, as diferenças são pequenas e sem importância; em outras, elas são muito importantes. Metamodelo é a arte de fazer perguntas-chave para descobrir o que as palavras significam para um indivíduo. Dessa forma, você obtém informações específicas, de alta qualidade.

O contrário de Metamodelo foi chamado de Modelo Milton, em homenagem a Milton Erickson, hipnoterapeuta mundialmente famoso. É a arte de utilizar uma linguagem propositalmente vaga, para que as pessoas tenham a liberdade de dar um significado próprio às palavras que você diz.

Os instrutores precisam das duas habilidades. Algumas vezes, é preciso ser muito específico, por exemplo, ao se dar instruções. Com freqüência, é necessário fazer boas perguntas a um treinando para compreender (e, freqüentemente, para ele compreender) o que exatamente quis dizer. Se você não fizer isso, acabará respondendo à pergunta que você acha que ele fez, em vez de responder à pergunta que ele acha que fez. Em outras ocasiões, você deseja falar em termos gerais e, assim, cada pessoa pode recorrer a uma experiência particular, mais adequada a si mesma.

## Experiência interior

A partir do primeiro trabalho de John e Richard, sobre linguagem, tornou-se claro para eles que a linguagem era a representação de alguma coisa mais profunda. As palavras que usamos e a maneira como as utilizamos baseiam-se em nossa experiência individual. Do que é formada a experiência interior? As primeiras indicações vêm da observação de frases curiosas como: "Eu vejo o que você quer dizer", que nos fazem imaginar se poderiam ser consideradas literalmente verdadeiras. A experiência interior poderia ser formada por representações internas da experiência sensorial?

John e Richard ficaram fascinados com o que as pessoas realmente faziam quando estavam pensando. Eles não foram os primeiros a perceber os

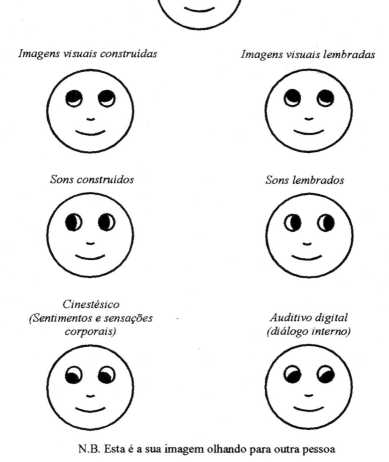

N.B. Esta é a sua imagem olhando para outra pessoa

*Figura 1.6. Padrões dos movimentos oculares*

padrões dos movimentos oculares que fazemos quando pensamos, mas foram os primeiros a associá-los, sistematicamente, ao raciocínio e à linguagem. Quando as pessoas visualizam, tendem a desfocalizar o olhar, olhando para a frente ou para cima, para a direita ou para a esquerda. Quando conversam consigo mesmas, o que chamamos de diálogo interno, tendem a olhar para baixo e para a esquerda. Quando evocam sensações, tendem a olhar para baixo e para a direita. Portanto, a maneira como movimentamos nossos olhos reflete nossa maneira de pensar.

## Sensações internas

Sensações, sons e imagens formam nosso mundo interior de experiências, exatamente como o mundo exterior. Assim como somos diferentes quando utilizamos nosso sentidos no mundo exterior, também somos diferentes em nossa maneira de pensar. Algumas pessoas podem conversar muito consigo mesmas, outras pensam mais por meio de imagens, sensações ou sons. Sabemos o que o pensamento é para nós mesmos e supomos que ele seja igual para todos, porém, cada um de nós é único.

Algumas vezes, a PNL é definida como "a estrutura da experiência subjetiva" — como criamos nosso mundo único para nós mesmos, pela maneira como pensamos, sentimos, vemos e ouvimos. As nossas crenças e interesses também determinam aquilo que percebemos, as coisas às quais prestamos atenção e aquelas que ignoramos. Agora que você já conhece os movimentos oculares, talvez perceba que as pessoas os fazem o tempo todo. Elas já os faziam antes, só que você não tinha prestado atenção.

A nossa maneira de pensar também se reflete em nossa linguagem. Algumas pessoas descreverão suas perspectivas a respeito dos acontecimentos, como por exemplo o futuro brilhante que vêem para si mesmas. Outras poderão ouvir atentamente e entrar em sintonia. Entretanto, outras, ainda querem entender o que você faz para se sentirem confortáveis. É razoável supor que as palavras da primeira pessoa reflitam imagens mentais, a segunda está descrevendo os sons que ouve mentalmente e a terceira está evocando as suas sensações.

Aqui, a aplicação óbvia do treinamento é diversificar sua linguagem, utilizando maneiras diferentes para dizer a mesma coisa, para que os visualizadores possam ver o que você está dizendo, os auditivos possam ouvi-lo claramente e os cinestésicos possam acompanhar a sua matéria.

## Estratégias mentais

Uma estratégia é uma seqüência ordenada de pensamentos que resulta numa seqüência ordenada de ações. Por exemplo, as pessoas utilizam estratégias para se sentirem motivadas, para comprar, tomar decisões, escrever e aprender. As estratégias envolvem diferentes maneiras de pensar: por meio de imagens, sons e sensações. Diferentes tarefas necessitam de diferentes maneiras de pensar. Por exemplo, a estratégia para projetar um edifício, provavelmente, envolverá muita visualização. A estratégia para compor uma música incluirá mais audição interna. Diferentes estratégias de pensamento terão seqüências definidas de imagens, sons e sensações, e a forma exata de cada uma delas pode ser importante.

Tente essa experiência. Forme a imagem de um treinamento que você fez. Se você acha que não pode criar essas imagens, imagine apenas por um instante que você pode.

Faça a imagem brilhante, com movimento e em cores...
Agora, escureça a imagem, tire a cor e o movimento...
Como isso modifica sua reação à lembrança?

Da mesma maneira, é possível mudar o volume ou a direção de sons ou vozes internas. Na PNL, essas qualidades das imagens, sons e sensações internas são conhecidas como *submodalidades*.

Pessoas diferentes têm diferentes estratégias para aprender. Quando você tiver as técnicas de modelagem da PNL, poderá descobrir como as pessoas aprendem, sugerir possíveis melhoras e planejar estratégias de aprendizagem para elas. Isso é a aprendizagem generativa — elas aprendem a aprender.

## *Aprendizagem consciente e inconsciente*

Na PNL, alguma coisa é consciente quando está na percepção presente, como estas palavras, neste momento. Qualquer outra coisa, que não esteja na percepção presente, é inconsciente. Você usa a atenção consciente na aprendizagem, apesar de ser mais habilidoso quando age inconscientemente, utilizando a prática ou os hábitos. Por isso, é difícil as pessoas dizerem, conscientemente, como elas fazem as coisas bem-feitas. Elas se esqueceram dos estágios de aprendizagem. Da mesma maneira, é difícil ver como um edifício foi construído depois da retirada dos andaimes. Uma das qualidades para se fazer alguma coisa bem-feita é, precisamente, o fato de não precisarmos pensar a respeito.

Agora, com as técnicas de modelagem da PNL, você pode descobrir essas estratégias de aprendizagem invisíveis e bem-sucedidas, nas palavras e na linguagem corporal, para que outros se beneficiem.

## *Habilidades de comunicação*

A boa comunicação se origina no bom *rapport* e na valorização da realidade única da outra pessoa. O *rapport* pode ser alcançado por meio da sintonia da sua linguagem corporal, tom de voz e palavras com os da outra pessoa.

Considerando o *rapport* inicial, a PNL tem um modelo simples na essência da boa comunicação:

1. Saber aquilo que você deseja, o seu objetivo ou meta em qualquer situação, para que a comunicação tenha um propósito.
2. Ficar alerta às reações que está obtendo. Manter sua atenção voltada para fora, para ver, ouvir e sentir como as outras pessoas estão reagindo.

3. Ter flexibilidade para continuar mudando aquilo que você faz ou diz, até conseguir aquilo que deseja.

Esse modelo de Objetivo-Acuidade-Flexibilidade é bastante diferente daquilo que geralmente acontece em situações difíceis: fazer a mesma coisa — e, quando não funciona, fazer com mais empenho.

## Perspectivas diferentes

Uma maneira poderosa para ser flexível em seu raciocínio é adotar perspectivas diferentes. No treinamento, por exemplo, existe a visão organizacional, existe o treinamento para determinada função, e também o que ele significa para o indivíduo. Dependendo do seu enfoque, haverá diferentes idéias e prioridades a serem consideradas. Quanto mais pontos de vista você puder obter, mais ricas serão as informações, tornando-se mais fácil descobrir qual a melhor maneira para agir em seguida. Na PNL isso é conhecido como *descrição múltipla*.

Existem três pontos de vista básicos, três maneiras de considerar qualquer comunicação:

1. Há a sua própria realidade. Aquilo que você pensa como indivíduo a partir de sua experiência pessoal, que é conhecido como *primeira posição*.
2. Então, há a realidade sob o ponto de vista da outra pessoa: essa é a *segunda posição*. Muitas pessoas não gostam dessa idéia, achando que compreender e concordar são a mesma coisa, isto é, que se considerarmos alguma coisa a partir de outro ponto de vista, precisamos concordar com ela. Entretanto, embora seja necessário compreender o ponto de vista do outro, não é preciso concordar com ele. De qualquer modo, a não ser que compreendamos, não saberemos se concordamos com ele.
3. Finalmente, há a chamada *terceira posição* ou *metaposição*. Essa é a visão sistêmica, que considera o relacionamento do lado de fora.

Eis um exemplo de treinamento. Um treinando faz uma pergunta. Do seu ponto de vista (primeira posição), a resposta é tão óbvia que você fica imaginando por que ele a fez. Se, por um instante, você se imaginar no lugar dele (segunda posição), perceberá que ele não compreendeu uma parte importante e, por isso, fez a pergunta. Assim, você responde para essa parte importante. Então, mentalmente, você se afasta de si mesmo (terceira posição) e percebe que o treinando está satisfeito com a sua resposta e que você aumentou o *rapport* com o grupo.

Essa é uma visão geral resumida da PNL que, esperamos, tenha sido suficiente para introduzir alguns conceitos básicos e indicar o potencial dela. A PNL proporciona o elo que faltava para criar a empresa que aprende. Ela explora os modelos mentais por meio de estratégias e crenças, e a excelência pela modelagem. Ela está ligada às competências das QVN/Es, por meio da exploração de maneiras para desenvolver habilidades com a modelagem e as estratégias. É também uma valiosa fonte de habilidades para instrutores, criada pela modelagem de instrutores e comunicadores habilidosos. Na parte principal do livro, desenvolveremos as aplicações práticas no treinamento.

## Programação neurolingüística (PNL)

*Pontos-chave*

PNL
- A PNL trata da modelagem: estudando, compreendendo e transferindo as habilidades de excelentes realizadores em qualquer área.
- A PNL relaciona nossas palavras, pensamentos e comportamentos aos nossos objetivos e propósito.

MODELOS DA PNL
- Um modelo completo consiste de crenças, ações e estratégias mentais.
- A aprendizagem pode ser considerada a partir de diferentes níveis neurológicos:
  - ambiente
  - comportamento
  - habilidades e capacidades
  - crenças e valores
  - identidade ou missão
- A PNL surgiu nos Estados Unidos, na metade da década de 70, quando John Grinder e Richard Bandler modelaram comunicadores excepcionais.
- A PNL desenvolveu dois modelos de linguagem:
  - O Metamodelo: como fazer perguntas-chave para alcançar a estrutura profunda da experiência subjacente às palavras.
  - O Modelo Milton: como usar palavras de forma propositalmente vaga para abranger todos os possíveis significados individuais.
- As palavras e a linguagem corporal estão relacionadas à nossa maneira de pensar.
- Existem três principais maneiras de pensar:
  - imagens (visual);
  - sons/palavras (auditiva);
  - e sensações (cinestésica).

ESTRATÉGIAS
- Uma estratégia mental consiste de:
  - maneiras de pensar: visual, auditiva e cinestésica;
  - qualidades dessas imagens, sons e sensações internas (submodalidades);
  - seqüência desses pensamentos.

- A modelagem e as estratégias proporcionam as habilidades para "aprender como aprender".
- A maior parte da aprendizagem e das habilidades ocorre no nível inconsciente.

## COMUNICAÇÃO
- O modelo simples da boa comunicação envolve:
  - conhecer o seu objetivo;
  - ser sensível ao *feedback*;
  - ser flexível e ter diferentes maneiras para atingir o objetivo.

## PERSPECTIVA
- Adotar perspectivas diferentes é uma importante habilidade analítica e de comunicação:
  - a primeira posição é a sua própria realidade;
  - a segunda posição é a realidade do outro;
  - a terceira posição é a visão geral, sistêmica, de ambas.
- Quanto mais perspectivas você tiver, mais informações valiosas obterá.

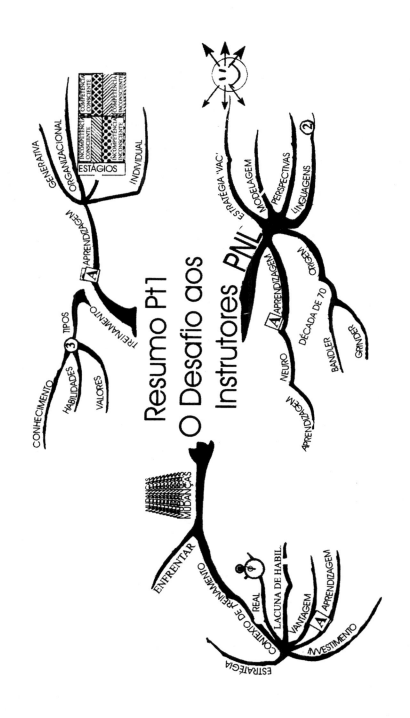

# PARTE DOIS
# ANTES DO TREINAMENTO

# Resumo

Para um realizador habilidoso, qualquer atividade parece fácil. Talvez você tenha ligado a televisão no meio de um programa de atletismo e tenha observado os corredores na pista avançando com dificuldade. Uma das melhores indicações para saber quem será o provável vencedor é observar qual deles faz a corrida parecer fácil e demonstra estar se esforçando menos. Isso vale para qualquer área — atletismo, teatro, esportes, discursos em público, ensino ou gerenciamento. O treinamento não é uma exceção. Embora essa facilidade seja o sinal externo da excelência em diferentes áreas, ela oculta o tempo, o trabalho e a disciplina utilizados durante a preparação. Quanto melhor a prática e a preparação, mais fácil será a tarefa. O esforço empregado somente durante a realização não é suficiente, e praticar movimentos ineficientes apenas os tornam mais fáceis.

Esse resumo destaca 11 importantes áreas na preparação de um treinamento para torná-lo mais fácil, mais agradável e bem-sucedido. Nessa parte do livro, há um capítulo dedicado a cada área.

1. *Objetivos do treinamento*
   A preparação do treinamento começa com o estabelecimento dos objetivos. O que você deseja para o grupo? O que você deseja para si mesmo? Se você estiver trabalhando numa empresa, desejará ter instruções sobre o treinamento baseadas na Análise das Necessidades do Treinamento, com os objetivos nitidamente identificados e priorizados. Antes de iniciar, pense como você saberá se já os atingiu. Os objetivos devem ser considerados sob todos os pontos de vista — do instrutor, dos treinandos e do patrocinador organizacional, se houver algum.
2. *Os treinandos*
   Você desejará saber quem são as pessoas que treinará, bem como as suas necessidades. Elas já se conhecem? Qual é o seu nível de confiança, otimismo e quais são as suas motivações? Quais os seus níveis de habilidades? Quais as suas expectativas?

3. *Princípios do planejamento*
   O conteúdo e a estrutura do treinamento devem ser minuciosamente planejados, compreendidos e, algumas vezes, memorizados. Você deseja elaborar o melhor planejamento para atingir os objetivos do treinamento e, além disso, quer ser suficientemente flexível para incluir improvisos, espaço e experimentação. O planejamento do treinamento é uma habilidade que pode ser aprendida em qualquer nível, dos exercícios individuais à estrutura total.
4. *Planejando a aprendizagem*
   Para aumentar a aprendizagem, essa seção considera o planejamento mais a partir do ponto de vista dos treinandos.
5. *Planejando o planejamento*
   Introduz a estratégia Disney, uma estratégia de criatividade que você pode aplicar em qualquer aspecto do planejamento.
6. *Estruturas da atividade*
   Descreve as principais atividades estruturadas que você pode utilizar, como o *role playing* (desempenho de papel) e o estudo de casos, para alcançar os seus objetivos.
7. *Planejamento do exercício*
   Além de utilizar as atividades estruturadas existentes, você também precisa utilizar diversas maneiras para planejar os seus próprios exercícios experimentais para a aprendizagem das habilidades. Isso é abrangido aqui.
8. *Habilidades de apresentação*
   Depois de estabelecido o conteúdo e a estrutura do treinamento, há a importante habilidade para transmiti-los. Dois instrutores diferentes podem apresentar a mesma matéria e, no entanto, a experiência do grupo com relação ao treinamento — e os objetivos alcançados — podem ser profundamente diferentes. Essa seção trata da integração das habilidades de apresentação para aperfeiçoar seu estilo natural individual.
9. *Crenças e valores*
   O treinamento vai além daquilo que você faz e do lugar em que você o faz. As suas crenças e valores como instrutor afetarão o treinamento. Para apresentar um ótimo desempenho, você deseja que os objetivos do treinamento estejam alinhados com os seus valores e crenças. Crenças poderosas lhe conferem poder. Crenças limitadoras o limitam. Valores são as coisas que são importantes para você.
10. *Autogerenciamento*
    Finalmente, e talvez o mais importante, existem as habilidades para cuidar do seu estado físico e emocional. Antes de treinar, é importante que ambos estejam bem. As suas habilidades fluem de um bom estado emocional, enquanto um estado emocional ruim as torna inacessíveis.
11. *O ambiente do treinamento*
    O aspecto prático e a adequação do ambiente do treinamento são importantes para oferecer uma base segura para o instrutor e para os treinan-

dos. A arrumação da sala, as facilidades para o conforto do instrutor e dos participantes, e a diversidade de equipamento e materiais que você vai utilizar devem ser verificados com antecedência.

Com essas habilidades e princípios, você estará igualmente preparado para apresentar um tema durante meia hora, para um pequeno grupo, ou um treinamento experimental para um grupo grande, durante vários dias.

## Parte dois — resumo

*Pontos-chave*

Existem 11 áreas importantes na preparação de um treinamento.

1. Objetivos do treinamento
2. Os treinandos
3. Princípios do planejamento
4. Planejando a aprendizagem
5. Planejando o planejamento
6. Estruturas da atividade
7. Planejamento do exercício
8. Habilidades de apresentação
9. Crenças e valores
10. Autogerenciamento
11. O ambiente do treinamento

# CAPÍTULO 4
# OBJETIVOS DO TREINAMENTO

Mesmo que você seja um instrutor experiente, a primeira pergunta a se fazer é: "O que eu desejo alcançar nesse treinamento?" Sem objetivos claros você não tem nenhum lugar para onde ir. Os objetivos são o centro do seu planejamento e a estrutura do treinamento será construída em torno deles. Você não pode construir em volta do vácuo. Por isso, a qualidade da Análise das Necessidades do Treinamento é tão importante: ela oferece objetivos a serem alcançados. No outro extremo do treinamento, a avaliação de acompanhamento demonstrará os resultados que você obteve.

Há dois tipos principais de objetivos:

1. Objetivos finais. O *que* você deseja alcançar.
2. Objetivos do processo. *Como* você deseja alcançar os objetivos finais.

Aqui existem quatro distinções:

- Os objetivos finais do instrutor para os treinandos: o que ele deseja que os treinandos alcancem.
- Os objetivos do processo do instrutor para os treinandos: como ele deseja que os treinandos alcancem esses objetivos. (Esses objetivos estão incluídos no planejamento do treinamento, às páginas 69 a 73.)
- O objetivo final do instrutor para si mesmo: o que ele deseja obter do treinamento.
- Os objetivos do processo do instrutor. (Esses objetivos serão tratados posteriormente, na seção sobre autogerenciamento, nas páginas 111 a 124.)

*Objetivos finais para os treinandos*

Esses objetivos são aquilo que os treinandos irão aprender, alcançar ou serão capazes de fazer e não o que os instrutores desejam realizar.

Por exemplo: *"Os participantes aprenderão a perceber a diferença entre perguntas abertas e fechadas e a identificar a hora adequada para formular cada uma delas"* é um objetivo de treinamento bem expresso.

*"O instrutor ensinará a diferença entre perguntas abertas e fechadas e como identificar a hora certa para formular cada uma delas"* é um objetivo muito diferente e não especifica que alguém aprenderá alguma coisa. O ensino não implica, automaticamente, aprendizagem, ao contrário da visão ingênua do nosso sistema educacional, que presume que se uma matéria faz parte do currículo e está sendo ensinada, os alunos irão aprendê-la e, caso não a aprendam, a culpa será deles. O treinamento desafia muitas das suposições do sistema de educação formal.

Para estabelecer objetivos viáveis, siga estas orientações:

1. *Os objetivos devem ser apresentados de forma positiva.*
Especifique o que você deseja que os participantes alcancem ou aprendam, e o conhecimento e habilidade que levarão com eles. Não estabeleça objetivos sobre aquilo que eles *não* irão fazer, aquilo que *deixarão* de fazer ou aquilo que não irão levar com eles. Você não pode aprender como não fazer alguma coisa. O treinamento trata do que fazer e não sobre os problemas existentes. Portanto, se você descobrir um objetivo negativo que contenha aquilo que você não deseja, desvie-se dele perguntando: "O que eu quero em vez disso?".

2. *O instrutor deve participar ativamente na realização dos objetivos.*
A finalidade do treinamento é a aprendizagem e, embora os objetivos sejam determinados em função daquilo que os participantes irão aprender, o seu plano de treinamento estará centralizado naquilo que você faz. Você não pode depender dos outros, nem de circunstâncias fortuitas. Planeje o que você vai fazer diretamente para influenciar as pessoas.

3. *Pense nos objetivos tão especificamente quanto possível em termos de quem, o que, quando, onde e durante quanto tempo.*
Muitos desses objetivos já estarão claros. Você terá informações sobre os treinandos, sobre o local e a hora do treinamento. A duração do treinamento estabelecerá limites definidos, assim como o número de treinandos e as suas habilidades. É inútil esperar ensinar uma abordagem completa sobre comunicação em vendas, numa aula de duas horas. O motivo mais comum para o fracasso dos instrutores na realização dos seus objetivos é que eles superestimam aquilo que pode ser feito num período de tempo limitado.

4. *Os objetivos precisam ser mensuráveis em termos comportamentais.*
É preciso haver evidências de que o objetivo foi alcançado; caso contrário, o treinamento não tem sentido. Essas evidências são apresentadas por aquilo que você vê, ouve e percebe os treinandos fazendo. Por exemplo, a evidência da habilidade para fazer perguntas abertas ou fechadas pode assumir a forma de um exercício de *role playing*, onde o programador alterna perguntas abertas e fechadas. O observador do exercício acompanha, verifica e dá informações para o programador. Então, os treinandos podem discutir o efeito dos dois tipos de perguntas, tanto como entrevistadores quanto como entrevistados.

A evidência comportamental para uma habilidade pode observar padrões de competência específica e o conjunto das Qualificações Vocacionais Nacionais (QVN). Em primeiro lugar, as habilidades podem ser divididas em competências específicas, que são avaliadas pelo comportamento de um treinando. Por exemplo, a liderança é uma habilidade de alto nível e consiste de habilidades como: formar equipes, preparar, resolver problemas e formular perguntas bem elaboradas. Em segundo lugar, as habilidades e competências não são, em si mesmas, realizações do tipo tudo ou nada, mas estão associadas a padrões de desempenho. Os padrões de desempenho são estabelecidos para atingir determinados níveis de competência específicos em uma habilidade. Esses níveis também especificarão determinadas condições para o sucesso, em termos de números, recursos utilizados ou duração.

Empresas que patrocinam treinamentos podem apresentar padrões específicos a serem atingidos em seu programa de TQM ou o treinamento pode ocorrer de acordo com os padrões de competência das QVN. Os padrões incluem determinado nível de competência e evidência, que são alcançados. Essas orientações especificarão os objetivos do treinamento focalizando-os com bastante precisão, oferecendo evidências qualitativas específicas que o instrutor deve ver, ouvir ou perceber para avaliar os objetivos do treinamento e ter a certeza de que os resultados foram alcançados.

Toda essa área de evidência e avaliação é importante, desde o treinando, individualmente, até o nível organizacional, e é analisada em detalhes na Parte Quatro.

5. *Recursos adequados.*
Esses recursos incluem as suas próprias habilidades, fitas gravadas, livros, colegas, planejamentos e *feedback* de treinamentos anteriores, bem como o apoio do ambiente de treinamento durante sua realização.

6. *Verifique as conseqüências.*
Apesar de podermos formular objetivos muito bem, podemos deixar de perceber o *que mais* pode acontecer. Por exemplo, se você estiver ensinando técnicas psicoterapêuticas, certifique-se de que elas são seguras. Se você estiver ensinando a utilização precisa da linguagem, certifique-se de que, fora do treinamento, os participantes não irão afastar amigos ou namorados, fazendo perguntas inadequadas nesses tipos de relacionamento. Verifique como os participantes perceberão as habilidades, a partir do ponto de vista deles. Em que situação eles irão usar a habilidade? Quando ela será usada? Há ocasiões em que não seria correto usá-la?

### *Revisão a partir de perspectivas diferentes*

Analise os objetivos do treinamento a partir de três importantes perspectivas: a sua visão como instrutor, a visão dos treinandos e a da empresa patrocinadora, se houver alguma. Quando eles estiverem claros para *você*, coloque-se no lugar do treinando. O que você percebe a partir do ponto de vista deles?

Então, assuma a posição organizacional, caso você esteja trabalhando em uma empresa. Reveja a Análise das Necessidades do Treinamento e esteja pronto para avaliar os objetivos em termos de economia.

## Tamanho dos objetivos

O processo de estabelecimento do objetivo total irá deixá-lo com uma série de objetivos de diversos tamanhos. Geralmente, é mais fácil começar com objetivos elevados e, então, desenvolver uma série de objetivos menores, encaixando uns nos outros.

O planejamento final lhe permitirá alcançá-los. A separação inicial dos objetivos não significa que eles devam ser apresentados em seqüência ou individualmente no treinamento.

Por exemplo, o objetivo total do instrutor é fazer os participantes aprenderem a obter *rapport* com os clientes. Isso pode ser dividido numa série de objetivos menores:

- Os participantes aprenderão a sincronizar a sua postura corporal com a das outras pessoas.
- Os participantes aprenderão a combinar o tom e o volume de voz com os das outras pessoas.
- Os participantes aprenderão a perceber as palavras-chave utilizadas pela outra pessoa na comunicação e utilizar essas palavras em suas respostas.

Por sua vez, esse último objetivo pode ser dividido em:

- palavras relacionadas à visão (visual);
- palavras relacionadas à audição (auditivo);
- palavras relacionadas à ação (cinestésico).

Após a especificação dos objetivos, você pode começar a planejar uma série de exercícios para alcançá-los.

## Prioridade dos objetivos

Após ter planejado os objetivos, você precisa colocá-los em ordem. Os objetivos do treinamento podem ser incluídos em três categorias:

- Primeiro, as informações ou as habilidades que os participantes *precisam* conhecer como resultado do treinamento.
- Segundo, as habilidades ou as informações que os participantes *deveriam* conhecer.
- Finalmente, as habilidades e informações que os participantes *poderiam* conhecer como resultado do curso. Essa última categoria de objetivos proporciona alguma flexibilidade. Portanto, não será um desastre se não

houver tempo ou se circunstâncias imprevistas impedirem que eles sejam atingidos durante o treinamento.

## Objetivos do treinamento

*Pontos-chave*

- O treinamento começa com o estabelecimento de objetivos, tanto para o instrutor quanto para o treinando.
- Há dois tipos de objetivos:
  - objetivos finais (o que é alcançado);
  - objetivos do processo (como é alcançado).
- Os objetivos finais dos instrutores devem ser expressos em função daquilo que os treinandos irão aprender.
- Os objetivos devem seguir determinadas orientações para serem viáveis:
  - expressos de forma positiva;
  - sob o controle do instrutor;
  - em termos específicos de quem, o que, onde, quando e durante quanto tempo;
  - evidência sensorial comportamental específica: o que o instrutor verá, ouvirá e perceberá, para saber que o objetivo foi alcançado;
  - os recursos são adequados;
  - possíveis conseqüências negativas foram verificadas;
  - examinados sob três perspectivas diferentes: a do instrutor, a do treinando e a da empresa;
  - avaliados — verifique a dimensão dos objetivos e como você irá priorizá-los e seqüenciá-los.

# CAPÍTULO 5
# OS TREINANDOS

*Tamanho e composição do grupo*

As pessoas vêm para um treinamento com desejos, necessidades, objetivos e expectativas diferentes, e alguns deles podem moldar seu planejamento. Se você estiver apresentando um seminário público, os treinandos podem pertencer a ambientes diferentes, unidos por interesses comuns pela sua matéria. Você pode usar o formulário de matrícula do seminário para descobrir quais são os interesses e as profissões dos participantes. A divulgação pela imprensa e o marketing também determinarão o perfil das pessoas que você terá no treinamento. O treinamento também pode ser realizado na empresa e, nesse caso, antes de começar, você terá uma boa idéia do grupo.

O tamanho do grupo é importante e influenciará seu planejamento. Um grupo pequeno, provavelmente, terá mais discussões e as pessoas compartilharão suas experiências. Você poderá dedicar mais tempo ao treinamento individual. Num grupo grande, as pessoas tendem a falar menos sobre si mesmas e perguntar menos, a não ser que você tenha um bom *rapport*. O tamanho do grupo também influenciará sobre os tipos de exercícios que você poderá fazer.

*Nível de treinamento*

O treinamento será estabelecido num determinado nível de conhecimento e habilidade, do introdutório ao avançado. Você pode descobrir, antecipadamente, se os treinandos estão familiarizados com o assunto ou perguntar ao grupo no início do treinamento. Se o treinamento não for específico, algumas pessoas poderão apresentar dificuldades e precisar de uma preparação extra, enquanto os treinandos experientes talvez precisem de mais tarefas e desafios. Quando uma variedade muito ampla de treinamentos é realizada nas empresas, significa que eles não foram bem planejados.

*Dinâmica de grupo*

Outra questão que deve ser considerada é saber se os treinandos já se conhecem. Isso afetará o *rapport* e a dinâmica do grupo. Um grupo formado por pessoas que trabalham na mesma empresa pode ter dificuldade para falar abertamente a respeito do trabalho. O fato de o treinamento ser voluntário ou obrigatório também faz uma grande diferença. Os treinamentos obrigatórios terão uma atmosfera diferente e alguns treinandos podem estar ambivalentes ou ressentidos. Não tente ignorar esse fato. Deixe isso claro desde o início, dizendo algo como: "Eu sei que vocês não puderam decidir se iriam ou não fazer esse treinamento. Por enquanto, vamos deixar isso de lado e descobrir como poderemos aproveitar ao máximo nosso tempo juntos". Essa atitude demonstra que você reconhece as preocupações do grupo e o exclui da conspiração que os obrigou a comparecer.

*Sexo*

Quando o grupo é formado por pessoas do mesmo sexo, é mais provável que surjam preocupações específicas. Por exemplo, num treinamento sobre habilidades de comunicação, as mulheres podem levantar questões diferentes das dos homens e o instrutor deve estar preparado. Podem surgir assuntos como assédio sexual, como se sair bem num ambiente predominantemente masculino e serem considerados agressivos ou tendenciosos. A idade, o estado civil e o grupo étnico dos treinandos também podem influenciar seu planejamento e sua maneira de conduzir o treinamento.

*Prática antidiscriminatória*

No treinamento, a discriminação dirigida aos grupos minoritários pode surgir sob diversas formas, e seria inútil tentar apresentar uma extensa lista. Existem livros muito bons a respeito da conscientização de oportunidades iguais e de prática antidiscriminatória. Nossa posição pessoal, que se reflete em nosso treinamento, é a de que todos são igualmente valiosos e dignos. E todos são diferentes. A diferença deve ser valorizada. É inaceitável não tratar bem algumas pessoas só porque você as considera diferentes ou porque elas pertencem a um grupo diferente daquele com o qual você se identifica. Todas as pessoas merecem todas as oportunidades para aprender e se desenvolver no próprio ritmo e à sua maneira e valorizar totalmente sua diferença.

É preciso ter cuidado com a linguagem. Coloque-se no lugar da outra pessoa para compreender como as suas palavras poderiam ser interpretadas. Tudo isso faz parte de receber bem as pessoas e valorizar o seu mundo. A linguagem politicamente correta pode ser útil em determinadas circunstâncias, mas também pode soar falsa ou distorcida e ser muito aborrecedora.

Como regra, os grupos gostam de saber qual a sua posição e irão prestar atenção às suas atitudes, mais do que às suas palavras. A linguagem politicamente correta sobre grupos minoritários é inútil se eles perceberem que estão sendo tratados com arrogância. Seja congruente, transmitindo a mesma mensagem naquilo que você diz e naquilo que você faz. Qualquer incongruência entre as suas palavras e as suas ações irá transparecer e o grupo perceberá.

Qualquer observação ou ação de um participante que desrespeite outra pessoa, quer ela seja ou não de uma minoria, deve ser levada a sério, embora seu significado vá depender do contexto e do relacionamento entre as pessoas. Algumas observações podem ser muito ofensivas num contexto, e uma piada em outro. Pode ser difícil decidir de que maneira lidar com essas questões, especialmente se o ofensor afirmar que elas são apenas uma piada e a pessoa atingida estiver ofendida. Você poderia utilizar essa observação no grupo, como exemplo de um padrão de linguagem ofensivo. Você pode conversar em particular com a pessoa e dizer que o seu comportamento foi inaceitável. Se um participante insistir, você pode chamá-lo de lado e dizer que, se continuar, você lhe pedirá para deixar o treinamento. Esse é o último recurso. Um desafio direto na presença do grupo pode ser efetivo, mas pode, facilmente, desencadear uma confusão emocional. As discussões raramente são construtivas, pois os preconceitos não são razoáveis e, assim, não podem ser modificados apenas pela razão.

### Crenças dos treinandos

Poderemos nos perguntar até que ponto os sistemas de crenças dos treinandos afetam o treinamento. A reação de uma pessoa a novas experiências é influenciada pela sua identidade social, étnica, religiosa e política. Respeite os sistemas de crenças dos treinandos. A não ser que o treinamento seja sobre crenças, você não tem o direito de tentar mudar crenças ou opiniões. Em alguns de nossos seminários introdutórios colocamos uma caixa, na entrada da sala, perto do cabide para roupas, e convidamos os treinandos a, metaforicamente, deixar lá as suas crenças, juntamente com seus casacos e chapéus (reais). Nós lhes prometemos que suas crenças estarão perfeitamente seguras naquele lugar e que, se necessário, poderão ser novamente recuperadas, inalteradas, no final do seminário.

## Os treinandos

### Pontos-chave

- O planejamento do treinamento será influenciado pelos seguintes fatores:
  - desejos, necessidades, objetivos e expectativas do grupo;
  - tamanho do grupo;
  - familiaridade com o material;
  - sexo;
  - presença obrigatória ou voluntária.
- A prática antidiscriminatória é importante.
- Respeitar as crenças individuais.

# CAPÍTULO 6
# PRINCÍPIOS DO PLANEJAMENTO

## Conteúdo e processo

Um instrutor administra duas partes interligadas de um treinamento. A primeira é o conteúdo do seminário para alcançar o objetivo final dos treinandos. O instrutor possui habilidades e conhecimento em determinada área e transmite informações com a maior clareza e concisão possíveis. Ele também esclarecerá informações aos treinandos, apresentando-as sob diferentes ângulos; dará exemplos, elaborará e sintetizará idéias. E, ainda, demonstrará determinadas habilidades que fazem parte do conteúdo do seminário e será um modelo influente.

O conteúdo do treinamento abrangerá três importantes áreas:

*Conhecimento.* As idéias que o grupo vai aprender e lembrar. Essas idéias podem ser apresentadas por meio de palestras, apostilas, *slides* e vídeos.

*Habilidades.* As capacidades práticas que formam a essência da maior parte dos treinamentos.

*Valores e atitudes.* As idéias subjacentes às habilidades e ao conhecimento.

Em segundo lugar, o instrutor organizará o processo do seminário: de que maneira o conhecimento, as habilidades e os valores serão transmitidos. O instrutor deve certificar-se de que o tempo disponível é adequado para atingir os objetivos do treinamento. Ele avalia constantemente o progresso dos treinandos.Talvez seja necessário utilizar habilidades de negociação para resolver diferenças entre os treinandos ou entre os treinandos e ele próprio.

Ele precisa de habilidades de facilitação para assegurar-se de que todos os treinandos sejam ouvidos. Algumas vezes, isso é feito diretamente, interferindo para que algumas pessoas parem de falar ou encorajando outras a se manifestarem. Com mais freqüência, seu envolvimento é indireto — como um modelo, ele cria um clima receptivo, de apoio. Ele cria a cultura do treinamento pelas regras que estabelece explicitamente, e por aquelas que cria implicitamente, como um modelo.

O instrutor acompanha o grupo durante todo o treinamento. Ele pode perguntar abertamente como eles estão se saindo e reunir pistas a partir das suas perguntas. Ele perceberá quando o grupo está desanimando e precisando de um intervalo ou quando está ficando entediado com um assunto e precisando seguir adiante. Essas habilidades de acompanhamento fazem parte do processo de treinamento.

## Princípios do planejamento

O objetivo do processo é a forma pela qual você atinge os objetivos finais para os treinandos; em outras palavras, o planejamento do treinamento. Que tipo de planejamento você deseja? Considerando o conteúdo do treinamento, quais são as qualidades globais de um bom planejamento? O princípio mais importante é manter-se, assim como ao grupo, num bom estado de aprendizagem.

Para isso, uma das melhores maneiras é tornar o treinamento divertido e envolvente. A aprendizagem é criativa e excitante, embora os treinandos possam ter idéias fixas, formadas nos tempos de escola, de que a aprendizagem é um assunto sério e exige muito trabalho. Essa é uma crença que eles ficarão felizes de perder.

Uma outra maneira para manter um bom estado de aprendizagem é incluir no planejamento do treinamento uma série de experiências variadas. Varie a duração dos exercícios. Mais importante ainda, varie o meio de comunicação. Diversifique as estruturas que você usa — *role play* (desempenho de papel), estudos de caso e debates livres, por exemplo. Varie o foco das estruturas, abordando os aspectos mentais, físicos, emocionais ou espirituais. Finalmente, varie os métodos para que haja uma combinação de atividades em grupo, interpessoais e individuais. Essas variações serão analisadas em detalhes.

### *Estruturas temporais*

O tempo é uma questão importante. É necessário um pouco de prática e experiência para avaliar qual o tempo necessário para transmitir habilidades e conhecimento para um grupo. Até mesmo instrutores experientes podem enganar-se com um grupo muito falante e argumentador. Algumas vezes, se o treinamento estiver lidando com áreas emocionais como o aconselhamento, questões importantes que estão sendo abordadas de passagem precisam ser resolvidas naquele momento.

Desenvolva a flexibilidade. Quando estiver planejando, reserve algum tempo para imprevistos, pois é improvável que a explicação da matéria leve o tempo exato pretendido. Tenha em mente seus objetivos, materiais extras preparados ou tenha autoconfiança para esboçar rapidamente um novo exercício para preencher o tempo, que seja adequado ao fluxo do treinamento, e reforce seus objetivos. Em outras ocasiões, parte do material será resumida. Talvez seja necessário modificar ligeiramente seus objetivos ou acrescentar novos, dependendo das questões levantadas pelos treinandos. Nesse caso, elas podem ser mais importantes do que os objetivos planejados. Se você perceber que o grupo está ficando cansado, aborrecido ou desatento, esteja preparado para improvisar e desviar-se do seu plano para trazê-los de volta à aprendizagem.

## Intervalos

Os intervalos fazem parte do treinamento, tanto quanto qualquer outro elemento. Todos precisam deles para descansar e eles proporcionam uma pontuação natural para o fluxo do dia, separando diferentes matérias e exercícios. Os intervalos também estão sob o controle direto do instrutor. Eles fazem parte da aprendizagem e são fundamentais para manter o grupo num bom estado de aprendizagem.

Você também pode dar intervalos informalmente, a qualquer hora. Há o intervalo livre, onde você basicamente diz ao grupo para relaxar e fazer o que quiser durante cinco minutos, para recarregar as baterias. Há o intervalo físico, quando você pode usar exercícios rítmicos, como bater palmas, exercícios de cinesiologia e alongamento físico informal. Em terceiro lugar, há o intervalo para o relaxamento ou transe. Aqui, você sugere que todos fiquem confortáveis e os conduz através da visualização orientada, e termina sugerindo que voltem para a sala, sentindo-se revigorados e fortalecidos. Essa não é uma boa idéia após o almoço, quando a queda natural dos níveis de energia pode fazer as pessoas dormirem. O sono não é o melhor estado de aprendizagem.

Algo que deve ser considerado é o ritmo fisiológico natural básico em nosso dia, controlado pelos sistemas automático e endócrino. Esse Ciclo de Intervalo-Descanso-Atividade dura de 90 a 120 minutos e é uma parte importante da nossa vida diária. Esse ciclo pode ser observado mesmo quando estamos dormindo, nos padrões de sonhos que se alternam durante o sono profundo. Na prática, a cada hora e meia, até duas horas, precisamos de um intervalo para continuarmos funcionando bem. Para manter o grupo interessado e envolvido, duas horas é o limite para um ciclo de trabalho, independente da combinação das atividades realizadas nesse período. Uma boa regra a ser seguida é fazer um intervalo formalmente, a cada hora e meia, no máximo.

Os intervalos também são essenciais para assegurar uma boa memorização do assunto. As pesquisas mostram que a memória diminui drasticamente após cinqüenta minutos ou uma hora. Um intervalo de dez minutos no final de uma hora melhora muito a memorização do grupo. Os treinandos também precisam de tempo para integrar o assunto que estão aprendendo. Se o grupo estiver clamando por um intervalo, então você deixou passar muito tempo. Geralmente, é melhor deixar as pessoas querendo mais do que deixá-las exaustas. Se possível, dê um intervalo quando o grupo estiver bastante animado, pois assim a memorização será boa e, além disso, será uma lembrança de experiências boas. A lembrança é mais forte no início e no final de uma sessão de aprendizagem, portanto, apresente assuntos importantes imediatamente após um intervalo.

O que se aplica ao grupo também é válido para o instrutor. O instrutor também precisa de um intervalo!

## Seqüência

A seqüência da matéria deve atender ao seu objetivo: qual a melhor maneira para tirar os treinandos do lugar em que se encontram e levá-los para onde você quer? Como diz o ditado, toda viagem começa com um passo e todo treinamento tem uma introdução, por menor que seja, seguida pela parte principal, quando é realizada a maior parte do trabalho e, finalmente, há o encerramento, quando o grupo pode integrar o que aprendeu e levar o treinamento a uma conclusão natural. O treinamento é mais ou menos como um sanduíche — embora a parte importante seja o recheio, ele se desmancha sem o pão para mantê-lo inteiro.

O início do treinamento, basicamente, apresenta o instrutor e permite que os treinandos se conheçam. Ele avalia expectativas, trata de questões práticas e, resumidamente, informa o grupo sobre o assunto a ser tratado no treinamento. A parte principal do treinamento apresentará o assunto mais importante.

A parte final do treinamento pode incluir um exercício de integração e recapitulará os pontos essenciais, oferecendo um senso de totalidade e permitindo o *feedback* dos treinandos. Um treinamento que acaba porque o tempo se esgotou jamais proporciona a mesma satisfação daquele que chega a uma conclusão natural, uniforme.

Há alguns princípios sobre a seqüência adequada de idéias e exercícios incluídos na parte principal do treinamento. Ensine e peça aos treinandos para praticarem as habilidades menos arriscadas antes de passar para as mais arriscadas. Por exemplo, pode ser melhor praticar técnicas de gerenciamento numa situação, envolvendo uma pequena quebra de disciplina, antes de praticá-las numa situação de maior confronto. Quanto mais a pessoa se expõe, mais arriscada é a habilidade.

## Conceitos versus experiência

Agora, chegamos a uma escolha fundamental no âmago da seqüência de um treinamento. O que a torna tão interessante é o fato de não ser apenas uma questão teórica, pois temos crenças e valores importantes a seu respeito, geralmente relacionadas à maneira como fomos ensinados. Eis a escolha: você ensina primeiro os conceitos, para que os treinandos possam compreender a experiência subseqüente? Ou primeiro lhes dá a experiência, para que eles tenham alguma coisa sobre a qual conceituar?

O treinamento tradicional tende a dar os conceitos em primeiro lugar. Há uma conversa *sobre* as habilidades e a experiência. Então, há o exercício, para praticar as habilidades. Depois, há uma integração.

O procedimento alternativo, preferido pelos treinamentos da PNL, atua em direção oposta. Primeiramente, vem a experiência sensorial, na forma de exercícios. Depois que os treinandos passaram pela experiência, eles têm alguma coisa sobre a qual falar. Sem a experiência, os conceitos terão pouco significado.

Em segundo lugar, os conceitos serão inevitavelmente apresentados com os filtros perceptivos e as tendências do instrutor. Não há nada de errado nisso, mas, por que sobrecarregar o grupo com as suas próprias tendências? A educação não é apenas a transmissão do conhecimento acumulado, mas também das tendências acumuladas, de geração para geração. Em nossa opinião, é muito mais respeitoso e justo com os treinandos dar-lhes uma estrutura mínima para que eles possam obter o máximo da experiência. Assim, poderão apreender mais coisas da sua matéria, que você nem sabia que estavam lá. Eles enriquecerão e ampliarão a teoria e as aplicações da matéria e até mesmo lhe ensinarão alguma coisa.

É mais difícil ter sucesso com essa técnica porque as pessoas gostam de ter um mapa do lugar para onde estão indo. Os treinandos irão se sentir mais desconfortáveis sem um mapa e, voltando à nossa metáfora introdutória sobre o golfinho, a recompensa do peixe deve ser maior e mais abundante.

Como acontece com tantas questões, a melhor resposta é usar as duas, não uma ou outra. Algumas técnicas podem ser ensinadas da maneira tradicional: primeiro o conceito, depois a experiência. Outras podem ser ensinadas ao contrário: primeiro a experiência e depois os conceitos. Não seja um escravo de qualquer uma delas. Somos mais a favor da utilização da segunda, porque o treinamento está bastante voltado para o modelo tradicional.

### *Simples* versus *complexo*

O treinamento tradicional começa com idéias simples, passando para as mais complexas. Ele também se desenvolve tomando pequenas partes e juntando-as para formar a estrutura mais ampla. Existem bons argumentos a favor desse método, e a abordagem das QVN às competências é desenvolvida nessas condições. As habilidades baseiam-se umas nas outras, portanto, ensine primeiramente os componentes menores. Uma das vantagens de "segmentar para baixo" habilidades complexas é que você pode apresentá-las em partes suficientemente pequenas, permitindo que os treinandos experimentem sucessos repetidos.

Entretanto, existem três obstáculos para se apresentar habilidades complexas em pequenos segmentos. Primeiro, os treinandos podem perder a noção do objetivo final e jamais conseguir juntar as partes. O segundo perigo é que você pode apresentar muitas partes e sobrecarregar a mente consciente do grupo, que só consegue lidar com sete, dois a mais ou a menos, segmentos de informação ao mesmo tempo (ou dois, dois a mais ou a menos, num domingo de manhã). O terceiro perigo é o de as partes nunca se encaixarem para formar um todo integrado, como se fossem partes de um Frankenstein. Os treinamentos Frankenstein são bastante comuns.

A alternativa ao método tradicional vem da forma como adquirimos habilidades realmente complexas, como a linguagem. Aqui, assimilamos naturalmente a estrutura completa, que contém as habilidades menores e as idéias contidas nelas. Em outras palavras, aprendemos inconsciente e implicitamente muitas das estruturas, idéias e regras. Sabemos quais elas são, mas não sabemos que sabemos. A linguagem é uma habilidade surpreendente que todos dominamos em poucos anos, antes que o processo formal de educação interfira em nossos circuitos de aprendizagem. As crianças começam imitando a linguagem e depois a utilizam para dizer aquilo que querem dizer. Elas também passam por um estágio quando parecem falar sem parar, a não ser quando estão dormindo. Elas praticam como loucas e não conhecem o significado da palavra "fracasso". Quando aprendemos a gramática formalmente, conscientemente aprendemos aquilo que já estávamos fazendo. Mesmo as crianças que não compreendem a gramática ainda conseguem falar perfeitamente bem. O interessante é que elas aplicam as regras gramaticais corretamente para expressar o que desejam. Aprendem as regras e aplicam-nas inconscientemente, e à medida que o fazem aumentam o conhecimento das exceções. Se tivéssemos aprendido a falar da mesma maneira como aprendemos outras matérias na escola, seríamos todos gagos.

Assim, uma outra escolha no treinamento é decidir entre ensinar primeiramente segmentos amplos ou partir de pequenos segmentos. A primeira leva à aprendizagem acelerada. O seu complemento, o treinamento acelerado, é a capacidade para transferir habilidades e conhecimento para a mente inconsciente dos treinandos em apenas um passo, sem passar pelos estágios conscientes. Falaremos mais a esse respeito na Parte Três.

# Princípios do planejamento

*Pontos-chave*

- O instrutor apresenta o conteúdo para atingir os objetivos finais do treinamento. O conteúdo consiste de:
  - conhecimento;
  - habilidades;
  - valores.

- Ele também é responsável pelo processo; como o conteúdo é apresentado.
- O instrutor acompanhará as estruturas temporais e usará habilidades de facilitação para explicar o conteúdo do treinamento.
- Os princípios mais importantes de um bom planejamento são:
  - Manter os treinandos e o instrutor num bom estado de aprendizagem.
  - Ser divertido e envolvente.
  - Oferecer uma série de experiências variadas.
- Os intervalos adequados são importantes para manter um bom estado de aprendizagem:
  - Os intervalos melhoram a memorização da matéria.
  - Os intervalos revigoram os treinandos.
- O planejamento cria uma seqüência para a matéria do treinamento.
- Há uma importante escolha: apresentar os conceitos antes da experiência ou dar primeiro a experiência aos treinandos, antes de introduzir os conceitos para codificá-la.
- A segunda escolha importante é decidir se você constrói as habilidades parte por parte. Esse é o método da aprendizagem tradicional. A alternativa é apresentar a habilidade total com os pequenos segmentos nela contidos.
- Aprendizagem acelerada é aprender a habilidade total sem desenvolvê-la parte por parte.
- Treinamento acelerado é a habilidade de ensinar a mente inconsciente dos treinandos, para que eles não precisem desenvolvê-la conscientemente a partir de suas partes constituintes.

# CAPÍTULO 7
# PLANEJANDO A APRENDIZAGEM

## Estado de aprendizagem

Uma das diferenças fundamentais entre a técnica de treinamento com a PNL e a técnica tradicional é que a PNL considera prioritário o estado de aprendizagem dos treinandos. Os treinandos, num bom estado de aprendizagem, aprendem o que você lhes oferece e terão boas associações com o conhecimento, tornando mais fácil a sua aplicação. As crianças adoram aprender, mas quase sempre terminam a educação formal tendo aprendido a detestar aprender. A PNL estuda a nossa experiência e os nossos estados emocionais. A escolha emocional é possível. O princípio do planejamento mais importante é criar um contexto no qual os treinandos possam experimentar seu melhor estado de aprendizagem. Você está planejando uma estrutura para o grupo todo, mas cada pessoa é diferente e aprende de maneira diferente. De que maneira o seu planejamento pode utilizar essas diferenças, bem como as qualidades comuns, como recursos para a aprendizagem?

### *Qualidades comuns*

Num nível profundo, todos compartilham qualidades comuns. Todos possuem uma parte física, emocional, intelectual e espiritual. Essas partes são aspectos da pessoa como um todo — se você tocar uma delas, todas as outras serão tocadas. Elas formam uma unidade: um ser humano. Quanto mais o treinamento envolver a pessoa inteira, mais duradoura e generativa será a aprendizagem. As pessoas aprendem melhor quando todo o seu ser está envolvido no processo.

1. A parte física de uma pessoa é o seu corpo. Um treinamento precisa incluir movimentos físicos, seja como parte de exercícios ou como uma quebra de estado entre os exercícios. Como músico, gosto de utilizar movimentos rítmicos e jogos. Outros instrutores usam exercícios de cinesiologia ou ioga. Use aquilo que achar melhor. Alguns minutos de exercícios físicos podem, paradoxalmente, dar mais energia ao grupo.

2. Um treinamento despertará emoções: seja sensível aos sentimentos do grupo. Por mais desinteressante que seja o conteúdo, os treinandos terão sentimentos a respeito de si mesmos como alunos. Os bons exercícios de treinamento permitem que os treinandos se sintam bem a respeito de si mesmos como alunos, independente do que estiver acontecendo. O conteúdo do treinamento pode trabalhar diretamente com as emoções, por exemplo, aconselhamento ou treinamento de assertividade.
3. O treinamento tradicional enfatiza o intelecto, e a parte cognitiva, intelectual, do treinamento deve ser considerada, pois se as idéias não forem intelectualmente satisfatórias, as pessoas geralmente rejeitarão todo o treinamento. Contudo, esse é apenas um dos aspectos. Com freqüência, há uma pressuposição, originada do modelo de treinamento da escola tradicional, de que a compreensão consciente é um pré-requisito para o sucesso da aprendizagem. Entretanto, pense nos momentos significativos de aprendizagem em sua vida; naquele momento, é improvável que tenha havido uma compreensão consciente dos acontecimentos. Geralmente, ocorre o contrário: primeiro a experiência e, só mais tarde, a integração e a compreensão. A "Universidade da Vida" utiliza técnicas de aprendizagem acelerada. Não aparece nenhum guru para prepará-lo para o que vai acontecer.
4. O espiritual é a parte que nos une aos outros de uma forma que transcende os nossos egos individuais. Podemos considerá-la de diversas maneiras. Muitos treinamentos não atingem esse nível, enquanto outros proporcionarão a sensação de estarmos ultrapassando as limitações individuais percebidas e nos unindo a alguma coisa maior.

## Treinamento como parceria igual

O treinamento é um ciclo, no qual primeiramente o instrutor é mais ativo e os treinandos reagem. Então, o instrutor responde às informações dos treinandos e o ciclo total impulsiona o treinamento. Instrutor e participantes desempenham papéis iguais.

Os treinandos não são recipientes vazios a serem preenchidos com conhecimento e habilidades por um instrutor onisciente. Esse modelo é outro remanescente da escola, embora muitas pessoas ajam como se ele fosse verdadeiro. É um tremendo alívio poder finalmente dispensá-lo. O instrutor não precisa carregar a pesada carga da responsabilidade pelo sucesso do treinamento. Ele não precisa assumir toda a culpa, caso os treinandos não aprendam. Nem pode culpar os treinandos se eles não "chegarem lá". A culpa é irrelevante numa parceria de trabalho entre pessoas iguais. O treinamento é uma aventura circular, cooperativa, e o instrutor tem a importante responsabilidade de criar um contexto no qual as pessoas possam aprender com facilidade. Todos são responsáveis pela própria aprendizagem.

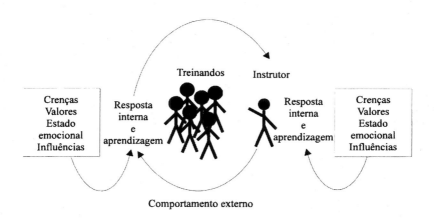

**Figura 2.1. Comunicação no treinamento**

O instrutor também aprende. Ele pode aprender aspectos da matéria que jamais lhe haviam ocorrido ou aprender mais sobre a apresentação de um tema. Ele poderia descobrir as próprias forças e fraquezas pessoais. Se o instrutor não estiver aprendendo, provavelmente, os treinandos também não estarão.

As crenças que temos sobre a aprendizagem podem ajudar ou impedir a formação do ciclo do treinamento. Acreditar e agir como se todos tivessem ou pudessem criar os recursos que precisam para aprender é transferir poder. As crenças agem como profecias auto-realizadoras, criando expectativas sutis que retornam para o instrutor. Na pesquisa educacional realizada por Rosenthal e Jacobsen ("Teachers Expectancies: Determinants of Pupils'IQ Gains in" em *Psychological reports* 19 (1): 115-18), uma classe de crianças foi dividida em dois grupos de igual capacidade. Os professores foram levados a acreditar que o primeiro grupo era mais inteligente do que o segundo e, assim, esperava-se que ele se destacasse. O primeiro grupo realmente teve um desempenho melhor do que o segundo. Isso é conhecido como o Efeito Pigmaleão e foi confirmado por estudos realizados na área de negócios, política e medicina. As crenças e expectativas podem conduzir o ciclo da aprendizagem em qualquer uma das direções. Acreditar que as pessoas são excelentes alunos lhes confere esse poder.

Considerando que a maioria dos treinamentos é voluntária e que o grupo está motivado, mesmo assim, o instrutor precisa se envolver e manter o interesse dos treinandos. O grupo desejará que a matéria seja relevante e significativa e utilizará o conhecimento existente como base para o treinamento. O grupo desejará que o treinamento seja divertido. O divertimento é um dos elementos mais difíceis de ser definido num treinamento.

***Treinando para se divertir***

Pense um pouco em suas próprias experiências de treinamento e aprendizagem, na escola, talvez numa situação de treinamento ou num contexto totalmente diferente. Agora, faça uma lista daquilo que você viu, ouviu e sentiu e que tornou essa experiência divertida.

|  | *Experiência divertida* | *Experiência não divertida* |
|---|---|---|
| O que eu ouvi? |  |  |
| O que eu vi? |  |  |
| O que eu senti? |  |  |
| Como era o ambiente? |  |  |
| Como era o instrutor/professores? |  |  |
| Como eram os outros alunos? |  |  |
| Como era o conteúdo? |  |  |

Pode ter sido a personalidade do instrutor. Podem ter sido as piadas, as experiências envolventes, o assunto do treinamento. Pense naquilo que estava lá.

Agora, pense numa experiência de aprendizagem que tenha sido expressivamente pouco divertida. O que aconteceu lá? O que você viu, ouviu e sentiu nessa situação? Faça uma segunda lista.

Agora você tem duas listas:
Enquanto examina as listas, quais são as principais diferenças?
O que você pode fazer para criar um contexto no qual você possa se divertir?

O que você pode fazer como instrutor, para criar um contexto no qual o grupo possa se divertir? Provavelmente, você já descobriu nas suas listas que, se o professor não estiver se divertindo, é muito difícil os estudantes se divertirem. Walt Disney é citado como o autor da frase: "Prefiro divertir as pessoas na esperança de que elas aprendam, do que ensinar as pessoas na esperança de que elas se divirtam".

## Planejando a aprendizagem

### *Pontos-chave*

- O planejamento do treinamento deve manter os treinandos num bom estado de aprendizagem, no qual as diferenças possam ser um recurso.

- O planejamento do treinamento pode atingir as pessoas em quatro níveis:
  - físico;
  - emocional;
  - intelectual;
  - espiritual.
- O treinamento é uma parceria igual entre treinandos e instrutor e um ciclo de influência mútua:
  - o instrutor e os treinandos aprendem;
  - os treinandos não são recipientes vazios;
  - não existe culpa numa parceria igual;
  - todos são responsáveis pela própria aprendizagem.
- As crenças influenciarão fortemente o ciclo de aprendizagem.
  - Aja como se os treinandos tivessem todos os recursos necessários para aprender bem.
- Encontre maneiras para tornar seu treinamento divertido.

# CAPÍTULO 8

# ELABORANDO O PLANEJAMENTO

*Planejamento criativo*

Há muitos anos, uma importante empresa petrolífera, finalmente, percebeu que o que lhe dava vantagem competitiva era a criatividade de seu pessoal, em lugar da tecnologia que utilizava, pois, afinal de contas, poderia ser e estava sendo copiada por seus concorrentes no mercado. A empresa contratou uma equipe de psicólogos para descobrir a diferença entre os engenheiros mais e menos criativos. Basicamente, era um projeto de modelagem. Ela esperava que, ao saber o que diferenciava as pessoas criativas das não-criativas, poderia levar todos os seus engenheiros a serem criativos.

Os psicólogos permaneceram durante três meses trabalhando na empresa, utilizando uma bateria de questionários, observando os engenheiros no trabalho e fazendo perguntas. A principal diferença encontrada entre os dois grupos surpreendeu a todos, e era muito simples. As pessoas criativas consideravam-se como tal, e as menos criativas não se consideravam. Raramente, a criatividade tem algo a ver com a descoberta de uma enorme diferença, mas com a percepção e combinação de diversas pequenas idéias. Você é criativo quando começa a deixar sua mente combinar muitos fatos, idéias e processos diferentes. Quanto menor o número de restrições durante o processo, melhor.

Para um treinamento, você já pode ter elaborado alguns planejamentos que funcionaram bem. Você talvez queira experimentá-los e modificá-los para evitar que se tornem repetitivos. Ou, talvez, esteja planejando um treinamento a partir do zero. Seja qual for a sua tarefa, você desejará uma estratégia para criar as partes principais de um planejamento. Há uma boa estratégia, modelada de Walt Disney pelo instrutor americano Robert Dilts, conhecida como "a estratégia Disney". Disney a utilizava para idealizar seus filmes. Você pode usá-la para ter idéias criativas, aperfeiçoar e avaliar seus planejamentos.

## A estratégia Disney

- Comece pensando no treinamento que você deseja planejar. Pode ser qualquer coisa, desde um pequeno exercício até o treinamento total. Talvez você prefira começar com um segmento bem pequeno, até ficar familiarizado com o processo.

## Sonhador

O primeiro estágio consiste em sonhar criativamente, simplesmente gerar possibilidades sem considerar se elas são realistas. Disney chamava essa parte de "o sonhador". Escolha um lugar à sua frente, no qual você possa entrar e tornar-se o sonhador. Aqui, você está completamente livre para fantasiar, para criar sem qualquer inibição. Você pode desejar marcar esse ponto no chão, talvez com um pedaço de papel colorido. Pense num momento em que você realmente fez algumas escolhas criativas, em qualquer área. Não precisa ser alguma coisa relacionada a treinamento. Entre no lugar que você escolheu e reviva a experiência tão plena e imediatamente quanto puder. Ao fazê-lo, você associa, ou ancora, o sonhador, a parte criativa de sua mente, a esse lugar. Saia do lugar quando tiver terminado.

## Realista

Em seguida, escolha um lugar diferente à sua frente e marque-o. Esse lugar é para o "realista". Os sonhos são bons, mas chega a hora em que você precisa analisá-los cuidadosamente, organizá-los e agir de acordo com eles. Portanto, você precisa saber como os sonhos são transferidos para o mundo real.

Pense num momento em que você teve uma idéia, de forma realista e construtiva, e concebeu um plano de ação efetivo. Quando tiver encontrado um bom exemplo, entre no lugar marcado para o realista e reviva aquela experiência. Ancore sua parte realista àquele lugar e, quando estiver satisfeito, saia novamente.

## Crítico

Agora, escolha um terceiro lugar à sua frente, para o "crítico" ou "avaliador". Então, pense num momento em que você foi capaz de criticar um plano de maneira construtiva. A palavra "criticar" tem má reputação; ela tende a sugerir um comentário negativo e destrutivo. A boa crítica é construtiva, identificando o que está faltando e o que mais precisa acontecer. Sua intenção positiva é aperfeiçoar o plano.

Quando você tiver um bom exemplo, entre no lugar do crítico e deixe sua mente livre para encontrar os pontos fracos. Quando tiver terminado, saia do lugar.

- Agora, você tem três lugares que são âncoras para determinado processo de pensamento. O primeiro para o sonhador, o segundo para o realista e o ter-

ceiro para o crítico ou avaliador. Assim, você está pronto para pensar no planejamento do seu treinamento.
- Entre no lugar do sonhador e comece a explorar livre e criativamente. Você pode fantasiar à vontade. Não precisa pensar se está sendo realista ou quais os problemas existentes — as outras posições cuidarão dessa parte. Deixe a sua mente vagar e criar as idéias que puder antes de sair. Sonhar acordado pode ser uma maneira útil e poderosa para passar o tempo. O melhor exemplo disso foi quando um jovem físico chamado Albert Einstein imaginou como seria viajar na ponta de um raio de luz. As suas especulações revolucionaram a Física moderna, a mais "difícil" e, aparentemente, a mais objetiva das ciências, e criaram a Teoria da Relatividade.
- Agora pegue as especulações que você criou e entre na posição do realista. Comece a organizar suas idéias e a criar um plano. Provavelmente, você abandonará algumas idéias e elaborará outras. De que maneira essas idéias podem ser reunidas para formar uma série de ações realistas? Quando estiver satisfeito, saia do lugar.
- Finalmente, entre na posição do crítico e avalie o plano. Pergunte o que está faltando e o que é necessário. Assuma o ponto de vista dos participantes. Eles podem estar pagando uma boa quantia por esse treinamento. O treinamento vale a pena a partir do ponto de vista deles? Como ele poderia ser

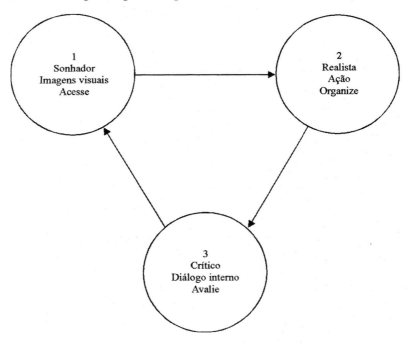

*Figura 2.2. A estratégia Disney*

melhorado? Você pagaria para freqüentá-lo? Esse estágio envolve, basicamente, o diálogo interno.
* Agora você tem um plano razoavelmente desenvolvido. Volte para a posição do sonhador e verifique se é capaz de criar mais algumas idéias para modificar o plano criativamente, utilizando as informações fornecidas pelo realista e pelo crítico. Saia da posição quando tiver terminado.
* Talvez você queira entrar novamente nas três posições, até ficar satisfeito. Você pode entrar em qualquer uma das posições, em qualquer ordem, até que o plano esteja o mais completo possível.

Talvez seja mais fácil acessar uma das posições do que outras. Isso mostra em que área está sua força. Para criar um plano realmente bom, você precisa de todas as três funções e elas precisam estar separadas para funcionar sem interferência. O que geralmente acontece é que você começa a sonhar e a criar um plano e, então, o crítico interrompe com um comentário negativo ou o realista afirma que aquilo é impossível. Você nunca tem uma oportunidade para realmente deixar sua mente livre.

O crítico não é mais realista do que o sonhador, ele apenas tem uma outra maneira de organizar idéias. O crítico critica o plano, não o sonhador.

Você pode planejar o seu treinamento juntamente com outro instrutor. Vocês podem utilizar a estratégia Disney juntos ou cada um pode representar suas diferentes partes. Procure usar as diferenças entre vocês para criar uma sinergia, apresentando um planejamento melhor do que se cada um de vocês planejasse sozinho.

## *Trabalhando com grupos*

A estratégia Disney é uma boa técnica de planejamento para ensinar a um grupo. Ela contém muitas partes diferentes e complementares e utiliza os três principais sistemas representacionais: o sonhador trabalha principalmente com imagens mentais, o realista utiliza as sensações corporais dos planos de ação e o crítico normalmente utiliza o diálogo interno.

Quer você esteja utilizando essa estratégia para si mesmo ou para um grupo, certifique-se de que cada uma das três posições tenha uma fisiologia clara, não sendo afetada pelas outras duas. Os lugares diferentes ajudarão a separá-las. O sonhador, o realista e o crítico terão uma postura corporal diferente, bem como padrões de respiração e gestos diferentes. Num grupo, você pode precisar de um observador para acompanhar a pessoa que está fazendo o exercício e interferir quando observar a mesma fisiologia em duas posições diferentes.

## Elaborando o planejamento

### *Pontos-chave*

* A criatividade depende muito do quanto você se considera criativo.
* A estratégia Disney oferece uma técnica para elaborar o planejamento.

- O sonhador tem idéias criativas.
- O realista pensa na maneira de colocá-las em prática.
- O crítico observa como elas podem ser aperfeiçoadas.
- Essas funções funcionam melhor quando são mantidas separadas umas das outras.
- Planeje com um amigo ou um colega para criar sinergia.

# CAPÍTULO 9

# ESTRUTURAS DA ATIVIDADE

Todas as pessoas têm seus métodos de aprendizagem preferidos e, ao combiná-los, você pode contentar a todos e abranger o assunto de forma multi-sensorial. Existem os métodos auditivos, como debates, preleções e fitas gravadas. Há também os métodos visuais, como filmes, vídeos e demonstrações e, ainda, métodos físicos, como desempenho de papéis, grupos experimentais e exercícios envolvendo movimentos físicos. Alguns assuntos prestam-se mais a determinado método do que a outros. Os bons planejamentos incluem muitas variações.

## Role playing

É a simulação de uma situação que utiliza o conhecimento e as habilidades ensinadas no treinamento. Os treinandos representam as partes envolvidas e chegam a uma conclusão. O desempenho de papéis não precisa ser realista e os treinandos não precisam considerá-lo relevante. O seu sucesso envolve a obtenção do equilíbrio certo entre uma situação estruturada com um problema bem definido, embora permitindo que os treinandos improvisem. O desempenho de papéis, geralmente, funciona melhor na metade de um curso, quando o grupo já estabeleceu um *rapport* e as inibições iniciais já foram superadas. Deve haver instruções claras de que as habilidades teatrais não são importantes e que qualquer pessoa que não queira participar está livre para observar, sem ficar constrangida.

O desempenho de papéis pode ser útil para diferentes propósitos. Ele pode ser usado para que as pessoas aprendam as diferentes estratégias para lidar com situações difíceis, para desenvolver a percepção do papel oposto ao nosso, durante a prática da habilidade, e, simplesmente, para desenvolver as habilidades para um novo papel, até a pessoa sentir-se confortável nele. Você pode usá-lo para criar uma nova resposta específica ou para adaptar habilidades existentes a um nível maior de competência ou qualidade. Portanto, seja claro sobre seus objetivos e planejamento. Pergunte a si mesmo: o que, exatamente, desejo que as pessoas consigam com isso? O que deve acontecer para que elas aprendam? Como vou demonstrar esse desempenho de papéis? Como eu poderia preparar as pessoas?

O desempenho de papéis é bom para treinar habilidades de negociação e, com freqüência, os atores devem trocar de papéis no meio da atividade, a um sinal do instrutor. Então, cada uma das partes deve discutir o caso oposto àquele que acabaram de apresentar. O desempenho de papéis também é particularmente útil para ensaiar novamente as habilidades num ambiente pior, após o treinamento. Todas as antigas pressões estarão lá fora, esperando para levar os treinandos de volta às antigas respostas. Esse ensaio, das novas maneiras de agir e de pensar fora do treinamento, é conhecido como *ponte ao futuro* e é uma parte essencial de qualquer treinamento. Sem ele, as habilidades não serão transferidas para fora da sala de treinamento.

O treinamento da assertividade é uma outra área na qual o desempenho de papéis é útil. Uma pessoa pode representar um estereótipo, como um garçom, um balconista ou qualquer outra ocupação. Todos podem aprender com o desempenho de papéis, não apenas a pessoa que, supostamente, se encontra na difícil situação de praticar a habilidade. Desempenhar um papel em qualquer parte da ação é uma oportunidade para revelar recursos, flexibilidade e, talvez, um talento teatral oculto para lidar com a situação.

Após um exercício de desempenho de papéis é importante que todos os envolvidos modifiquem o seu estado, levantem e se movimentem e façam alguma coisa diferente durante alguns minutos, para voltar a ser eles mesmos. Eles precisam livrar-se do papel (algumas vezes literalmente), antes de continuar o treinamento. Lembro-me de um treinamento em que o instrutor negligenciou esse fato após um exercício de desempenho de papel que lidava com uma difícil situação de negociação, cheia de conflitos. O treinamento terminou e, no dia seguinte, houve muitas queixas de que o grupo se envolvera em discussões e que todos ficaram aborrecidos e insatisfeitos durante o resto do dia.

Geralmente, o desempenho de papéis é memorável e agradável. Ele envolve ação, participação, e permite que o grupo experimente uma nova habilidade numa situação de baixo risco: um desafio num ambiente seguro e de apoio.

*Palestras*

Verifique sua reação à palavra "palestra". No contexto do treinamento, uma palestra é simplesmente uma apresentação verbal para um grupo, mas, geralmente, é interpretada como uma transmissão de informações complexas, tediosas e de mão única, do especialista para o aluno. De mãos dadas com essa interpretação, vem a suposição errada de que a pessoa que sabe mais sobre um assunto também está mais preparada para ensiná-lo aos outros.

As palestras são mais fracas quando contam apenas com as palavras. Um orador deve utilizar exemplos, metáforas, humor, linguagem corporal e o espaço disponível. O assunto deve deixar transparecer um pouco da pessoa real, caso contrário o grupo poderia apenas ouvir uma fita gravada.

Para estimular o progresso do grupo, o instrutor pode usar todas as suas habilidades numa situação ao vivo, e nisso consiste a força da palestra. Ele pode observar as reações e modificar suas palavras e atitudes à medida que continua, dependendo das respostas que obtiver. Um bom instrutor pode modificar a segunda metade de uma frase, dependendo da intensidade da reação do grupo à primeira metade.

As palestras podem ter uma estrutura formal ou livre, longa ou breve, de cinco a quarenta e cinco minutos. Uma palestra breve pode ocorrer naturalmente, sem muita preparação, simplesmente para ressaltar uma parte do assunto. Uma palestra longa introduzirá ou desenvolverá um tópico e terá uma estrutura definida.

As palestras imitam o próprio treinamento, num nível inferior:

- Elas têm uma *Introdução* que associa o assunto àquilo que aconteceu anteriormente.
- Um *Meio*, no qual você fornece informações, numa seqüência de pontos-chave. Essa seqüência será uma mistura de citações, fatos, anedotas, exemplos da vida real, metáforas e perguntas, retóricas ou diretas, para o grupo. Você pode utilizar um *flip chart* e outros recursos visuais, embora esses sejam menos importantes do que suas palavras. Você estará usando a linguagem corporal e a voz para enfatizar os pontos-chave. As perguntas feitas aos treinandos são importantes. Elas estimulam o grupo a pensar. Você já esteve numa apresentação na qual o orador fez perguntas que realmente o fizeram pensar? As perguntas tornam o asssunto mais interativo, você não acha?
- Finalmente, a *Conclusão*: uma revisão, um resumo e uma oportunidade para as perguntas dos treinandos.

As palestras são boas para uma comunicação rápida e efetiva com grupos grandes. O instrutor sabe o que apresentar e em que ordem, e pode calcular o tempo necessário com bastante precisão. Como as palestras tendem a colocar o grupo numa posição passiva, o seu sucesso depende, em grande parte, das habilidades de apresentação do instrutor.

## *Estudo de caso*

Esse método oferece ao grupo um conjunto de circunstâncias baseado em acontecimentos reais ou construídos, e permite que os treinandos usem as habilidades que aprenderam, aplicando-as a uma situação "real".

Os estudos de caso funcionam melhor em grupos pequenos, de três a seis pessoas. A situação deve ser realista e suficientemente relevante para envolver os grupos, bem como interessante e complexa o suficiente para permitir diferentes tipos de respostas. O estudo de caso tipo "quebra-cabeças", no qual existe apenas uma resposta, cabendo aos treinandos descobri-la, não é muito útil.

Os estudos de caso podem ser utilizados de muitas maneiras e revelar muitos pontos da aprendizagem, como por exemplo:

- Que perguntas devem ser feitas para obter a informação necessária?
- Que resultados os treinandos desejam desse cenário? Quais os objetivos das diversas partes envolvidas e como poderiam ser reconciliados? (Esse é um problema de negociação.)
- O que o grupo faria nessa situação?

Qualquer solução pode ser comparada com o que realmente aconteceu naquela situação. Os treinamentos em empresas, geralmente, envolvem estudos de caso relacionados a problemas de gerenciamento de pessoal, distribuição de produtos e metas de produção. Também é possível analisar as soluções viáveis pelos programas computadorizados, se houver dados disponíveis. Por exemplo, um estudo de caso pode envolver a perda de dinheiro nos negócios, e o problema pode estar relacionado à distribuição de recursos para reverter essa tendência. Os treinandos discutirão e elaborarão as próprias soluções e colocarão os dados no computador, num modelo simulado da empresa. O computador processa o modelo com os dados fornecidos e os treinandos verificam as conseqüências. A vantagem do computador é que ele pode processar sistemas complexos e fornecer dados sem estar influenciado por esperanças, temores ou desejos irrealistas.

Uma outra maneira de utilizar estudos de caso é apresentar ao grupo o problema e a atitude tomada. O grupo analisa a questão para compreender por que aquela atitude foi tomada e as possíveis conseqüências.

O instrutor estabelece as regras e os limites do exercício de estudo de caso, que podem ser apresentadas por uma preleção, relatório ou vídeo. Em determinado ponto, não haverá mais informações disponíveis. O instrutor também especificará como os grupos deverão elaborar seus relatórios: uma apresentação, um relatório por escrito ou uma série de recomendações principais.

Os estudos de caso são úteis para fazer o grupo pensar de determinadas maneiras. O perigo é que os treinandos podem deixar o treinamento achando que têm a "resposta certa" para o tipo de situação no estudo e tentar aplicar essa resposta sem levar em consideração as diferentes circunstâncias do seu local de trabalho.

*Sonhar criativamente*

Sonhar criativamente é a parte "sonhadora" do ciclo criativo e pode ser realizada separadamente ou como parte da estratégia Disney. No grupo, o sonhar criativo pode produzir algumas excelentes idéias, e a sinergia entre pessoas diferentes pode desenvolver idéias com a qualidade que uma pessoa sozinha não poderia criar.

Existem algumas orientações para se obter o máximo do processo grupal, muito semelhantes à criatividade interna do sonhador na estratégia Disney:

- Os membros do grupo não criticam suas próprias idéias nem as de qualquer outra pessoa, de forma verbal ou não-verbal.
- As idéias não precisam ser realistas. Não existem limites para aquilo que é possível.
- Todos podem participar igualmente e as idéias de todos têm o mesmo valor. Todas as idéias são anotadas.

As regras devem ser explicitadas e, se possível, é melhor escrevê-las e distribuí-las para o grupo. O instrutor informa o objetivo a ser alcançado, como por exemplo: "O objetivo dessa sessão é explorar o que você poderia fazer com relação a um superior que o está assediando sexualmente". Estabeleça um tempo-limite para a sessão e cumpra-o.

Sonhar criativamente, como qualquer exercício, pode ser dominado pelos indivíduos mais falantes. Por outro lado, todos podem ficar muito constrangidos para dizer alguma coisa. Nesse caso, o instrutor talvez precise encorajar a participação, apresentando algumas idéias totalmente escandalosas para mostrar que a realidade não é um obstáculo para os pensamentos criativos.

O exercício de sonhar criativamente deve ser acompanhado, pois é apenas um terço do processo de criatividade. Quando as idéias são geradas, elas precisam ser analisadas numa sessão "realista" e, então, avaliadas. Isso pode ser feito individualmente ou em grupo.

### Visualização e transe

O transe é simplesmente o aprofundamento de um estado de relaxamento e receptividade e, assim, os treinandos entrarão e sairão dele constantemente durante o treinamento e, algumas vezes, isso pode ser estimulado como uma maneira de proporcionar um descanso ao grupo ou ser usado mais formalmente, como um método de ensino. Isso funciona particularmente bem no final do dia, quando, de qualquer forma, os treinandos provavelmente estarão cansados. Você pode encorajá-los a ficar do jeito que preferirem, sentados ou deitados, confortavelmente, e assim que todos estiverem acomodados, com um tom de voz lento e suave, leve-os de volta ao assunto daquele dia. Ao mesmo tempo, você pode estimulá-los a fazer a própria integração, utilizando uma linguagem bastante permissiva:

> Enquanto você pensa nas diferentes coisas que aprendeu hoje, pode começar a imaginar de que maneira poderia aplicá-las em sua vida, pois talvez você já tenha feito algumas associações, e haverá muitas outras que você descobrirá nos próximos dias...

N.B. Talvez não seja adequado adotar essa técnica em alguns treinamentos para participantes que atuem na área de negócios.

*Discussão e processamento*

Uma discussão é uma troca livre de conhecimentos, experiências, idéias, perguntas e respostas entre o instrutor e o grupo. O termo "processamento", com freqüência, é usado para indicar qualquer discussão sobre alguma coisa, com o propósito de aprendizagem e, geralmente, acontece após uma atividade ou exercício.

A discussão pode variar de uma troca livre de idéias sobre um assunto muito generalizado, até uma troca rigidamente estruturada sobre uma pequena área. Para que a discussão seja proveitosa, os treinandos devem possuir alguma experiência sobre o assunto.

O instrutor desejará obter algum resultado dessa discussão e deverá ter algumas perguntas preparadas para fazer, caso o grupo perca o entusiasmo. Ele precisa estabelecer um contexto em que todos possam sentir que sua contribuição é ouvida e valorizada, o que pode significar estabelecer um limite de tempo para os indivíduos particularmente tagarelas.

O perigo de uma discussão é que ela pode acabar desencadeando uma sucessão de assuntos irrelevantes ou simplesmente tornar-se inútil. Deixe claro o propósito da discussão. Decida até que ponto você deseja controlá-la. Ao solicitar que todos os comentários lhe sejam dirigidos, você terá o controle da estrutura. No outro extremo, você pode optar por um papel facilitador, comentando apenas sobre o processo da discussão.

*Tarefas*

Uma tarefa é uma atribuição que visa auxiliar uma pessoa a atingir seu objetivo e proporcionar uma nova aprendizagem. Naturalmente, qualquer pessoa pode recusar-se a realizar uma tarefa. A tarefa pode ser realizada fora da sala de treinamento, talvez com os amigos ou a família, ou ser uma parte integral do treinamento. Existem dois tipos principais de tarefa: a declarada e a oculta.

Uma tarefa declarada é planejada para levar diretamente ao objetivo; a relação é clara. Por exemplo, uma pessoa recebeu a tarefa de não sorrir durante toda a tarde, embora pudesse contar aos outros treinandos qual era a sua atribuição para que eles não a interpretassem mal. Comportar-se dessa forma foi difícil, pois tratava-se de pessoa que sorria muito. Ela aprendeu duas coisas com essa tarefa: como sorria quando realmente não queria; e que sorrir não é a única maneira de obter *rapport*.

Por outro lado, pode-se pedir a uma pessoa séria para fazer alguém sorrir ou para contar uma piada. As tarefas são elaboradas para ampliar as escolhas e são difíceis apenas quando contrariam nossos hábitos previsíveis.

As tarefas também podem ser ocultas. Uma tarefa oculta desvia a atenção da pessoa do seu foco verdadeiro, dirigindo-a para uma tarefa declarada que, quando realizada com sucesso, automaticamente, atingirá o verdadeiro objetivo oculto. Portanto, o foco verdadeiro de uma tarefa oculta é outra coisa qualquer que precisa acontecer para que a pessoa a realize. As melhores tarefas ocultas não dependem do sucesso da tarefa declarada. Essa atividade é muito utilizada em terapia. Um bom exemplo é a história de Milton Erickson, o famoso hipnoterapeuta. Ele foi procurado por um homem que se queixava da vida, pois esta lhe parecia insípida e desinteressante. Erickson pediu que ele fosse até um campo próximo e trouxesse duas folhas de capim absolutamente idênticas. Algumas horas depois, o homem voltou e relatou o fracasso inevitável na tarefa óbvia. Entretanto, a experiência de examinar minuciosamente tantas folhas de capim e descobrir que eram todas diferentes focalizou sua mente nas diferenças e no quanto a natureza é surpreendente. Depois disso, ele não conseguia enxergar a vida como algo aborrecedor. Até mesmo as folhas de capim são diferentes entre si. (Ou, talvez, o fato de passar uma tarde examinando folhas de capim o tivesse feito perceber que, afinal de contas, sua vida não era tão ruim.)

## Metáforas

As metáforas incluem histórias, parábolas, alegorias e anedotas. Elas são mais memoráveis do que as informações, pois você pode conseguir o que deseja de maneira muito mais profunda e eficaz com uma história do que apenas relatando fatos.

As metáforas terão diversos significados e afetarão o grupo em diferentes níveis. As histórias e anedotas são envolventes e você pode usá-las para tirar o grupo de um estado sério, com menos recursos. Você também pode utilizá-las para organizar todo o treinamento ou parte dele e, ainda, ligar temas e assuntos com metáforas, semelhantes à maneira como os compositores usam a música numa ópera. Haverá temas particulares ou *leitmotifs* para diferentes personagens numa peça musical e, quando o tema é tocado, o personagem é introduzido. As histórias podem agir da mesma maneira, conduzindo você e os treinandos a determinados temas que surgiram durante todo o treinamento.

Você também pode usar metáforas para organizar partes do treinamento, embutindo umas nas outras. Comece com uma história que você não terminará... enquanto continua apresentando o assunto. Ou, então, comece com uma outra metáfora em qualquer estágio, que também não terminará... Isso o levará a uma outra parte do assunto do treinamento. Você pode fazer isso muitas vezes, criando o que chamamos de *ciclos embutidos*. Os ciclos embutidos devem ser desfeitos na ordem inversa. Assim, essa é a estrutura:

Comece o treinamento
   História A...material A...
   História B...material B...
   História C...material C...
   História D...material D...

Agora complete o ciclo e terminando a história D...
Termine a história C...
Termine a história B...
Termine a história A...
Final do treinamento

Isso organiza o assunto para você e para os treinandos. Em segundo lugar, as histórias colocam as pessoas em estados emocionais. Dependendo das histórias que você conta, os treinandos passarão por uma variedade de estados emocionais. Se você escolher cuidadosamente esses estados, eles podem ser uma ajuda positiva para seu assunto. Suponho, por exemplo, que você esteja utilizando essas idéias numa sessão de treinamento sobre assertividade:

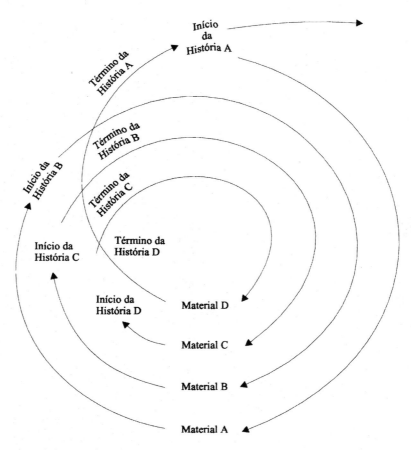

*Figura 2.3. Metáforas*

Comece a história A...evoca apreensão.
Material A...lidando com o medo.
Comece a história B...evoca curiosidade.
Material B...ficando interessado em suas reações às pessoas.
Comece a história C...evoca divertimento, humor.
Material C...descobrindo o humor numa situação, para neutralizá-la.
Comece a história D...evoca a auto-estima.
Material D...sendo capaz de lidar com a situação.
Comece a história E...maneiras para lidar com uma situação difícil.
Termine a história E.
Termine a história D.
Termine a história C.
Termine a história B.
Termine a história A.

Assim, você não apenas colocou os treinandos num estado de aprendizagem para que aproveitassem ao máximo o assunto, mas, também, ocultamente, instalou uma estratégia para lidar com situações difíceis: o medo transforma-se em curiosidade, que se transforma em bom humor, passa para a percepção do seu próprio valor, para a sensação de ser forte e lidar com a situação. Essa estratégia vale mais do que um milhão de discussões teóricas sobre assertividade. Os treinandos lembrarão dela porque ela evocou sensações reais num ambiente seguro.

Entretanto, o sucesso dessa estratégia depende da qualidade das histórias que você conta e da sua habilidade e congruência como bom contador de histórias.

## Estruturas da atividade

### Pontos-chave

- Bons planejamentos são variados e multissensoriais. Existem muitas estruturas de planejamento:

    *Role plays* — simular uma situação que utiliza o conhecimento e as habilidades ensinadas no treinamento.

    *Palestras* — que dependem da habilidade do apresentador. Podem variar de palestras curtas até apresentações de uma hora.

    As palestras mais longas têm uma introdução e uma parte estruturada, um meio, que apresenta o material e responde às perguntas, e uma conclusão, com um resumo e perguntas finais.

    *Estudos de caso* — envolver o grupo numa série de circunstâncias baseadas em acontecimentos reais ou construídos, deixando-o aplicar as habilidades que aprenderam. Os computadores podem ser utilizados em algumas simulações de casos.

*Sonhar criativamente* — levar o grupo a criar idéias sem criticar ou se preocupar com sua viabilidade.

*Transe* — utilizado como relaxamento e visualização orientada.

*Discussão* — uma troca livre de conhecimento, experiências, idéias, perguntas e respostas entre o instrutor e o grupo.

*Processamento* — comentários sobre a discussão.

*Tarefas* — declaradas e ocultas. Nas tarefas declaradas o objetivo é claro. Nas ocultas, o verdadeiro objetivo é diferente da tarefa solicitada e não depende do seu sucesso.

*Metáforas* — usadas para organizar o treinamento. Temas e assuntos podem ser ligados pela metáfora. Você pode planejar ciclos embutidos de metáforas, cada uma evocando um estado emocional e partes de diversas etapas. Essa é uma maneira oculta de instalar estratégias.

# CAPÍTULO 10
# PLANEJAMENTO DO EXERCÍCIO

*Níveis dos exercícios*

Os exercícios do treinamento podem focalizar quatro diferentes níveis, e a maior parte opera em mais de um, simultaneamente. Tenha em mente o nível que você deseja focalizar, predominantemente, em qualquer exercício.

- *O grupo todo*
  O grupo funciona como um todo, processando, discutindo ou visualizando. Dar oportunidade para o grupo levantar questões ou fazer perguntas é um bom exemplo. Os exercícios de grupo encaixam-se bem no início e no final dos treinamentos, para criar ou restabelecer o *rapport*.

- *Entre grupos*
  Os grupos podem ser grandes ou pequenos. Um exemplo de exercícios entre grupos é aquele em que um grupo planeja e define um exercício para outro grupo. Outros exemplos são os modelos de jogos de gerenciamento, nos quais os grupos solucionam problemas competindo entre si ou desempenham uma parte diferente do processo de gerenciamento. Os planejamentos para o grupo todo ou entre grupos focalizam-se na colaboração e no trabalho em equipe.

- *Interpessoal dentro dos grupos*
  Essa é a estrutura mais popular para praticar habilidades interpessoais e aquela que focalizaremos. Basicamente, haverá um programador ou explorador que praticará a habilidade. Haverá um cliente ou alguém que desempenhará um papel relacionado a um problema ou apresentará um problema real para o programador trabalhar. Então, pode haver um observador, algumas vezes chamado de "metapessoa" originada da palavra grega *meta*, que significa "acima" ou "além". Ela controlará o tempo, oferecerá apoio ao programador e, no final, dará um *feedback* para ambos. Os grupos podem variar de duas a cinco pessoas.

- *Intrapessoal*
  Aqui, o foco é o que acontece na pessoa. O indivíduo aumenta a autoconsciência sem trabalhar com outra pessoa. Outros exemplos seriam o transe, a meditação, a fantasia orientada ou o trabalho escrito.

## Planejamento de exercício experimental

O planejamento do exercício é a essência da preparação de um treinamento, focalizando todas as suas fases. Com os exercícios, o grupo aprende praticando num ambiente seguro. Os bons exercícios proporcionam aos treinandos uma aprendizagem máxima no maior número de níveis possível.

O planejamento do exercício é semelhante à elaboração do treinamento. Você pode usar a estratégia Disney exatamente da mesma maneira: em primeiro lugar, fantasie criativamente as possibilidades, organize-as numa seqüência de ações e, então, critique o planejamento e analise os problemas. A criação de um exercício estabelece um contexto para a aprendizagem ou descoberta de habilidades, conhecimento e valores. Ele é um microcosmo do treinamento. O treinamento de PNL enfatiza bastante a criação de um estado de aprendizagem com muitos recursos. Por melhor que seja o exercício, os treinandos aprenderão pouco se estiverem aborrecidos, cansados ou irritados.

É improvável que os treinandos se tornem especialistas após um exercício, mas eles devem terminá-lo conhecendo a essência da habilidade, para poder praticá-la e desenvolvê-la.

Há uma série de etapas no planejamento de um exercício.

- *Estabelecer objetivos*
  Todos os exercícios precisam ter objetivos. Se os objetivos do exercício não estiverem claros, então, na melhor das hipóteses, o resultado será incerto e você não terá meios para avaliar o seu sucesso. Saiba quais são os objetivos declarados e quais os não declarados, ou ocultos, que você deseja do exercício. Um bom exercício incluirá os dois tipos. Você quer que os participantes percebam conscientemente quais são os objetivos ocultos? Se não quiser, estará ensinando para a mente inconsciente dos membros do grupo. O treinamento se comunica com as mentes consciente e inconsciente dos treinandos. A PNL aumenta as habilidades do treinamento tradicional, focalizando principalmente os objetivos ocultos e ensinando nos níveis inconscientes. Assim, os treinandos deixarão o treinamento tendo aprendido habilidades, porém sem percebê-lo conscientemente.

- *Estabelecer evidências do sucesso*
  Como você saberá que atingiu o objetivo do exercício? Você desejará saber o que vai ver, ouvir e sentir durante ou após a sua realização. A evidência pode vir das suas observações enquanto você monitora o grupo durante o exercício, do *feedback* e do processamento em grupo, no final.

- *Estabelecer etapas e atividades específicas*
Quais as etapas e atividades que você utilizará para atingir o objetivo? Que estrutura temporal será utilizada? Quantas pessoas estarão num grupo? Quais serão os seus papéis? O que fará cada pessoa? Você pode criar situações especiais para estimular os participantes. Por exemplo, num exercício "fantasma", o observador do grupo entregará ao cliente um "cartão-fantasma" com uma instrução. A instrução pode ser algo como: "Comece a chorar", "Só faça perguntas" ou "Quebre o *rapport* constantemente". O programador não sabe o que está escrito no cartão e precisa continuar trabalhando para atingir o objetivo do exercício durante essas contínuas instruções "fantasmas" para o cliente.

## Processo do planejamento do exercício

Eis um exemplo de planejamento de exercício:

**Objetivo principal**: Aumentar a percepção sobre o profundo impacto provocando na comunicação, pelo simples ato de acompanhar ou desacompanhar a linguagem corporal, como um exercício preliminar para aprender a utilizá-la, criar *rapport* e melhorar a comunicação.

**Idéia básica**: Fazer as pessoas acompanharem e desacompanharem a linguagem corporal e perceberem a diferença que isso faz.

Acompanhar a linguagem corporal inclui sentar-se numa postura semelhante, dar e receber a mesma quantidade de contato visual e mover o corpo da mesma maneira. Isso aumenta aquilo que chamamos de "prestar atenção".

Desacompanhar inclui a quebra do contato visual, voltar-se para a direção contrária e adotar uma postura diferente de quem está falando.

**Planejar as regras**: Três pessoas em cada grupo. Três séries de três minutos cada uma, mais dois minutos de discussão por série: duração total de 15 minutos. O cliente fala sobre qualquer coisa. O programador não fala, mas acompanha a linguagem corporal do cliente tão naturalmente quanto possível, até receber um sinal para desacompanhar, previamente combinado com o instrutor. Ele continua a desacompanhar durante 30 segundos até receber novamente o sinal e, então, volta a acompanhar. O observador acompanha a linguagem corporal do cliente e do programador. Todos os três devem notar a diferença entre o acompanhamento e o desacompanhamento na comunicação. Posteriormente, durante o processo, você pergunta quais as diferenças observadas.

*Identificar problemas*

Agora que você tem um planejamento básico, refaça-o mentalmente, em cada um dos três papéis e verifique o que poderia sair errado. Durante esse exercício deixe o crítico livre. Suponha que os treinandos sejam ingênuos. Quando tiver identificado os pontos fracos do exercício, volte e veja as instruções que precisa dar inicialmente, para evitar o problema. Por exemplo, alguns treinandos podem relutar em desacompanhar porque não se sentem à vontade sendo indelicados. Você pode lidar com isso antecipadamente, dizendo algo como: "Vocês podem ficar desconfortáveis desacompanhando, pois parece uma indelicadeza. Lembrem-se de que vocês estão agindo dessa maneira apenas nesse exercício, para que tanto vocês quanto o seu interlocutor possam aprender o efeito dessa atitude". Se isso não for suficiente, que mudanças você pode fazer no planejamento para evitar essa dificuldade? Recicle todo o processo de planejamento até ficar satisfeito com a estrutura básica. Por exemplo, você pode prever que algumas pessoas irão afirmar que o exercício é antinatural. Como lidar antecipadamente com essa objeção? Talvez contando uma metáfora sobre a maneira como os instrutores de tênis dividem artificialmente um saque em diversas fases, com o propósito de ensinar...?

*Empilhar o planejamento*

Agora que você já tem um planejamento básico, o que mais poderia acrescentar? Como você poderia aperfeiçoá-lo? Que alterações poderiam ser introduzidas para que os participantes aprendam em tantos níveis diferentes quantos possíveis?

Com um único exercício de objetivo você talvez atinja essa meta. Com um planejamento empilhado é impossível para qualquer pessoa fazer o exercício sem aprender *alguma coisa*. Verifique quais os objetivos já incluídos no planejamento. Por exemplo, há o objetivo oculto que consiste da familiarização com as três diferentes posições perceptivas: primeira, segunda e meta.

Agora, retorne e considere o planejamento empilhado, buscando possíveis problemas. Haverá um momento em que qualquer mudança adicional dificultará o exercício, em vez de aperfeiçoá-lo. Também chegará um momento em que a única maneira para descobrir se um exercício funciona na prática é realmente *fazê-lo*.

*Identificar a evidência da aprendizagem*

Como você saberá que o exercício atingiu o objetivo? Nesse caso, você pode procurar as diferenças relatadas pelos treinandos, quando eles retornarem do exercício. Com freqüência, você estará observando mudanças de habilidade ou de comportamento durante a sua execução.

## Avaliar posteriormente

Rigorosamente, isso não faz parte do processo de planejamento mas, se você quiser fazer o exercício novamente, desejará um *feedback* para saber se ele funcionou bem ou se precisa de qualquer modificação. Os problemas surgidos, apesar dos seus melhores esforços, aperfeiçoam o seu modelo mental para identificá-los. Há um princípio na física teórica: qualquer coisa que possivelmente possa acontecer, acontecerá. Nos treinamentos, presuma que qualquer coisa que possa dar errado, dará errado (se houver tempo suficiente). Espere o *feedback*.
Aqui, um pequeno pensamento confortante: ninguém é infalível.

Critérios para um exercício bem-sucedido:

- Que ele seja possível (adequadamente dividido em etapas e estágios e com uma estrutura temporal realista).
- Que os treinandos experimentem algum nível de sucesso.
- Que os treinandos aprendam alguma coisa.
- Que haja pelo menos um objetivo declarado.
- Que haja pelo menos um objetivo oculto.
- Que estimule os participantes a ultrapassar os seus níveis habituais de habilidade (suas zonas de conforto).
- Que seja fácil generalizar para outras situações fora da sala de treinamento.
- Que todos os papéis no exercício sejam utilizados para a aprendizagem.

## Exercício de habilidades de preparação

Eis um exemplo final de um treinamento sobre habilidades de preparação, elaborado por Brian Van der Horst, instrutor de PNL.
Esse é um exercício para três pessoas:

1. O programador (A) pergunta para o cliente (B) quais são os seus objetivos para o treinamento. Ao mesmo tempo, ele prepara B para entrar num estado de recursos. Essa parte dura 15 minutos.
2. O observador (C) dá um *feedback* sobre a atuação de A, evocando, ao mesmo tempo, um estado de recursos de A (cinco minutos).
3. O cliente (B) dá um *feedback* para o observador (C) sobre a sua preparação com A e, ao mesmo tempo, evoca um estado de recursos em C (cinco minutos).
4. O observador (C) e o programador (A) se reúnem. Eles dão uma tarefa para B, alguma coisa para B fazer, que realmente ajudará o cliente a atingir os seus objetivos. Isso também dura cinco minutos.
5. Então, o observador escreve um resumo do objetivo da tarefa e daquilo que ele espera que o programador tenha aprendido com a tarefa, entregando-o aos instrutores.

Existem três séries, e cada pessoa desempenha cada um dos papéis. No final, cada pessoa terá uma tarefa para realizar no papel de programador e cada uma estará recebendo uma ajuda inesperada para atingir o seu objetivo para o treinamento, no papel de cliente.

Esse é um bom exemplo de exercício de níveis múltiplos com muitos objetivos declarados e ocultos:

- Os participantes praticam a habilidade de evocar objetivos.
- Praticam como preparar o outro para um estado de recursos.
- Dão *feedback*.
- Planejam tarefas.
- Executam tarefas.
- Observam e experimentam diferentes estilos de preparação e aprendem com eles.
- Experimentam estados de recursos.
- Sendo o primeiro exercício num treinamento, ele estabelece estados de recursos para o treinamento e cria *rapport* no grupo.
- Todos esclarecem melhor os seus objetivos para o treinamento.

## Planejamento do exercício

### Pontos-chave

- Os exercícios do treinamento podem focalizar quatro níveis diferentes:
  - o grupo todo;
  - entre grupos;
  - interpessoal dentro dos grupos;
  - intrapessoal;
- Os exercícios experimentais são a essência do treinamento.
- O planejamento do exercício é semelhante ao planejamento do treinamento.
- Estabelecer objetivos, ocultos e declarados:
  - objetivos declarados treinam a mente consciente;
  - objetivos ocultos treinam a mente inconsciente;
- Estabelecer evidências do sucesso.
- Estabelecer etapas e atividades específicas.
- Procurar possíveis problemas.
- Empilhar o planejamento para obter o máximo do exercício.

# CAPÍTULO 11
# HABILIDADES DE APRESENTAÇÃO

> O que você está fazendo fala tão alto que eu não consigo ouvir
> o que você diz.
> *Emerson*

## Canais de comunicação

Quando você está treinando ou fazendo uma apresentação, existem quatro canais principais de comunicação: o visual, o tom de voz, o toque e as palavras que você diz. Há uma pesquisa clássica, realizada pelo professor Albert Mehrabian da UCLA, que esclarece que o impacto e a sinceridade percebida em qualquer comunicação originam-se principalmente da linguagem corporal do apresentador, seguida pelo tom de voz. As palavras recebem um insignificante terceiro lugar. Suas estimativas mostraram que 55% do impacto e da sinceridade percebida numa comunicação são determinados pela linguagem corporal, 38% pelo tom de voz e 7% pelas palavras.

Quando esses três aspectos se reforçam mutuamente, a comunicação é congruente. Se houver uma discrepância entre as palavras e a linguagem corporal, o ouvinte prestará atenção à parte não verbal, geralmente sem perceber. As habilidades de apresentação são a maneira como você dá vida às suas palavras; como você administra os 93% da apresentação. Assim, elas são muito mais importantes do que a memorização das palavras. As habilidades de apresentação consistem de algumas coisas simples que você deve fazer e outras que você deve evitar.

### *Aparência*

A primeira impressão que um grupo terá de você será a sua aparência. A sua aparência é uma comunicação. É isso que você deseja comunicar? Você nunca terá uma segunda chance para dar uma boa primeira impressão. Diversos projetos de pesquisa confirmaram que as pessoas formam suas opiniões iniciais a respeito de alguém em menos de dez segundos. Falando de modo geral, você deseja se sentir confortável, deixar as pessoas à vontade e estar adequadamente vestido de acordo com a temperatura, a ocasião e a hora do dia. Geralmente, é melhor estar bem vestido do que malvestido.

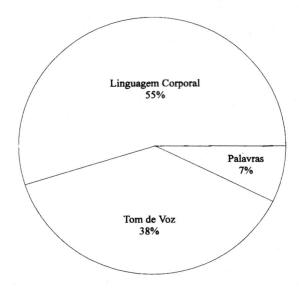

*Figura 2.4. Impacto de uma apresentação*

Combine as cores e estilos que lhe agradam e, na dúvida, é melhor ser conservador, principalmente num ambiente de negócios. Pense em como você deseja se vestir e se apresentar. Olhe para si mesmo a partir da perspectiva da platéia. Obtenha um *feedback* das pessoas nas quais você confia. Como elas vêem o seu cabelo, as suas roupas, a maquilagem e as jóias, se você for mulher? Para um homem, o que elas acham das suas roupas, cabelo, bigode e barba, se você os tiver, relógio e jóias? Obtenha um *feedback* honesto.

## Contato visual

O contato visual com a platéia é importante e é uma expressão natural do seu interesse. Antes de iniciar uma apresentação, gosto de manter contato visual com todas as pessoas presentes. Se a platéia for muito grande, procure algumas das pessoas que lhe pareçam mais simpáticas e faça contato visual com cada uma delas. Ao falar, divida mentalmente a sala em quatro ou cinco segmentos e, sistematicamente, faça contato visual com as pessoas nos diferentes segmentos, uma pessoa diferente de cada vez. O contato visual durante cerca de cinco segundos funciona melhor. Há uma tendência para desviar os olhos, mas resista a ela. Cinco segundos é um período bastante longo. Calcule a sua duração. Quando conversamos com alguém em particular, mantemos um contato visual prolongado, e os grupos são um conjunto de indivíduos. No treinamento para instrutores você pode usar o seguinte exercício. Peça que os participantes levantem a mão. Eles devem mantê-la erguida durante cinco segundos, enquanto fazem contato visual com o instrutor. Enquanto isso, o instrutor deve continuar falando naturalmente para o grupo. Não é uma boa idéia fechar os olhos durante uma apresentação, numa espécie de piscada prolongada. Isso distrai a platéia e, com os olhos fechados, você não pode acompanhar as reações àquilo que você está dizendo — ou, se você pode, não precisa ler esse capítulo. Venha e conte-nos como você faz isso.

*Postura*

A sua maneira de utilizar o corpo é uma afirmação fundamental sobre si mesmo. Uma postura alinhada, ereta, mostra desenvoltura. Muitas vezes, a má postura é resultado de hábitos antigos. Quando estiver em pé, equilibre-se sobre os dois pés. Andar de um lado para o outro, apoiar-se num dos quadris ou balançar distrai as pessoas. Lembro-me de um apresentador que balançava de um lado para o outro, durante todo o tempo que falava. Em dois minutos, a maior parte da platéia estava em transe. Essa não era absolutamente sua intenção, pois a sua matéria era a lingüística, que exigia o máximo de atenção consciente.

Para adquirir uma boa postura básica, fique em pé e encoste-se na parede. Encoste na parede a parte posterior da cabeça e as nádegas, e o máximo que puder da parte mais estreita das costas, sentindo-se confortável. Agora, dê um passo. Talvez a sua nova postura pareça rígida e desequilibrada, mas olhe-se no espelho. Na verdade, ela está ereta e equilibrada. O problema é que nos acostumamos às posturas habituais e, assim, elas *parecem* corretas, mesmo que não sejam. Se você geralmente inclina o corpo um pouco para a direita, quando ficar ereto irá sentir-se como se estivesse desequilibrado para a esquerda. Use um espelho e peça aos amigos para lhe darem um *feedback* sobre a sua postura.

*Gestos*

É um clichê afirmar que os gestos devem parecer naturais e espontâneos. Infelizmente, esse é o paradoxo do "Seja espontâneo". Ao *tentar* ser espontâneo, você torna isso impossível. Quando tentamos gesticular espontaneamente, parecemos feitos de madeira. Sendo assim, o oposto do paradoxo é eliminar os hábitos que o impedem de ser natural. Por exemplo, todos nós temos um "gesto nervoso" — tilintar moedas soltas no bolso ou brincar com uma mecha de cabelo. Se você se observar cinco minutos numa fita de vídeo, verá isso nitidamente. Quando identificar o gesto, deixe de fazê-lo.

Quando ele tiver sido eliminado, descubra outro hábito nervoso a ser eliminado. Essas pequenas mudanças farão uma grande diferença. Evite também os gestos desnecessários. Os gestos enfatizam um ponto e, se você estiver sempre gesticulando, eles perdem o impacto, como uma orquestra que está sempre tocando fortíssimo.

## *Espaço*

Utilize todo o espaço disponível. O espaço físico é uma metáfora para o espaço mental; portanto, você deve exigir o espaço que deseja desde o início. Para tornar a apresentação o mais aborrecida possível, fique atrás de uma mesa, coloque sobre ela uma pilha de papéis, fique olhando para ela e permaneça o tempo todo no lugar, enquanto lê as anotações num tom de voz monótono. Após cinco minutos, as pessoas que ainda estiverem acordadas, provavelmente, irão embora.

## *Voz*

Nós captamos uma ampla variedade de informações através da voz de uma pessoa, do seu estado geral de saúde, do seu humor, da sua classe social e da parte do país de onde ela vem. Numa apresentação, sua voz acrescenta energia e interesse. Utilize-a para expressar a emoção natural daquilo que você sente. Pratique com um gravador. Quer você utilize ou não um sistema de som no treinamento, você deve ser capaz de projetar a sua voz até o fundo da sala. Algumas vezes, você desejará atrair a atenção do grupo falando suavemente, mas até um tom de voz suave precisa de projeção.

Não sabemos como a nossa voz soa para os outros porque ela ressoa nos ossos do crânio. É sempre uma surpresa ouvir nossa voz pela primeira vez num gravador, pois parece a voz de um estranho. Escute a sua voz no gravador e experimente. As emoções, a energia e a inflexão que você pretende passar estão realmente sendo transmitidas? Se não estiverem, você precisa exagerar e experimentar, até conseguir. Lembre-se de que é a platéia, não o orador, quem decide qual o grau de expressão presente. Se a *platéia* não percebê-la, então, para todos os efeitos, ela não está lá.

A projeção vocal exige uma boa respiração. A respiração impulsiona a nossa voz. A respiração nervosa é rápida e superficial, tirando a força e o alcance da voz. Observe a sua respiração quando estiver treinando. Respire profundamente quando falar para grupos. Use o diafragma, para que o abdômen expanda quando você inspirar.

Fale devagar. Se o grupo estiver anotando suas palavras, gostará disso. Geralmente, quando falamos depressa, estamos respirando de modo superficial e rápido, portanto, se você falar mais devagar, automaticamente respirará mais profundamente. Se visualizarmos enquanto falamos, também aceleramos o ritmo das palavras. As imagens surgem rapidamente e você precisa falar depressa para acompanhá-las. Diminua a velocidade do seu vídeo mental.

Utilize a voz congruentemente com suas palavras. Se você deseja que o grupo visualize, fale mais depressa. Se deseja que eles ouçam internamente, fale mais devagar e pausadamente. Se deseja que eles entrem em contato com suas sensações, fale mais devagar ainda e num tom de voz mais grave. Quanto mais escolhas você tiver com relação ao alcance, velocidade e timbre de sua voz, mais poderá usá-la como um instrumento musical para se comunicar com o grupo. Não toque um trombone como se fosse uma flauta.

Continuando com a metáfora musical, são os espaços entre as notas que dão significado à música. Dizem que o grande pianista Artur Shnabel afirmou: "Eu não lido com as notas melhor do que muitos outros pianistas. Mas as pausas entre as notas... é aí que está a arte". As pausas são a pontuação natural naquilo que dizemos. A platéia gosta de pausas. Você pode utilizá-las para pensar no que vai dizer a seguir e para organizar os seus pensamentos. Aprenda a fazer pausas deliberadamente, para que, quando realmente precisar delas para pensar, isso não pareça estranho. Lembre-se de que quando você está treinando o tempo tende a passar mais rápido, e uma pausa de cinco segundos pode lhe parecer interminável, embora para a platéia seja um intervalo natural.

Existem também as inflexões vocais naturais que você pode usar para criar efeitos. Quando seu tom de voz permanecer igual até o final de uma frase, sugerirá uma afirmação. Quando se elevar no final de uma frase, provocará o efeito de uma pergunta. Quando diminuir no final de uma frase, dará a impressão de uma ordem.

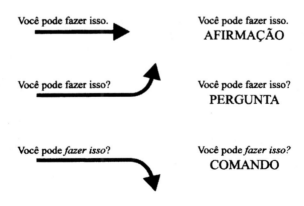

*Figura 2.5 Inflexões vocais*

*Palavras*

Finalmente, a parte que praticamos, moldamos e que mais nos preocupa. As suas palavras são simples e diretas? Bem, infelizmente aquilo que os treinandos pensam que você queria dizer pode ser diferente daquilo que realmente você quer comunicar. Colocando de outro modo, as palavras podem ser enganosas. Se uma imagem vale mais do que mil palavras, isso significa mais ou menos sete minutos de discurso, na velocidade normal de cerca de 150 palavras por minuto.

**Vocabulário**

O primeiro ponto óbvio é que precisamos de um vocabulário rico e variado que dê aos nossos ouvintes uma idéia do assunto. Precisamos preencher os espaços vazios e dar à platéia uma noção dos temas. Existem algumas centenas de milhares de palavras na língua portuguesa, e o vocabulário de uma pessoa comum consiste de míseras duas ou três mil.

Escolha as suas palavras com cuidado, pois cada uma possui uma ampla variedade de diferentes significados. Acabo de abrir um dicionário e encontrar uma relação das palavras "autoridade", "poder", "permissão" e "correto" com o mesmo significado. O que você acha?

**Linguagem multissensorial**

Faça uma combinação das suas palavras sensoriais específicas, principalmente no início do treinamento. Lembre-se de que a maioria das pessoas tem uma maneira preferida de pensar, seja por meio de imagens, sons ou sensações. Se você deseja se comunicar eficazmente com uma pessoa, deve descobrir como ela pensa e adaptar sua linguagem a esse estilo. Com muitas pessoas num grupo você precisa usar os três estilos para atrair a atenção de todas. Certifique-se de que as pessoas que visualizam bem percebam o que você quer dizer, de que está se expressando com clareza para as pessoas que têm uma audição sensível — e de que aquelas que pensam mais com o corpo sintam o que você está dizendo.

**Jargão**

Evite jargões. A não ser, naturalmente, que você esteja numa área especializada e o treinamento trate da aprendizagem de um vocabulário especializado. Em muitos treinamentos, as pessoas desejam e esperam aprender palavras técnicas e se queixarão se não isso não acontecer. O que é jargão para o leigo é vocabulário técnico para aqueles que conhecem, ou desejam conhecer, a área.

Se você utilizar jargões, explique-os e lembre-se de que uma palavra que lhe é muito familiar pode ser nova para o grupo. Escreva as palavras técnicas mais importantes, com as suas definições, no *flip chart*, ou distribua um folheto explicativo. O princípio aqui é: Seja breve e claro.

**Lendo trechos preparados**

Se você planeja ler um trecho de um livro, assinale-o antecipadamente e mantenha o livro à mão. Ficar atrapalhado procurando o livro certo ou a página certa não é uma boa introdução para as pérolas de sabedoria que você deseja apresentar. Acrescente o máximo de vitalidade e energia que puder ao trecho que estiver lendo; ele será lembrado ou esquecido, de acordo com o interesse despertado pela sua voz.

**Voz ativa**

Use a voz ativa para envolver as pessoas naquilo que você diz. Use a voz passiva para diminuir a energia numa sala e para dissociar as pessoas das suas experiências. É surpreendente como podemos criar, rapidamente, uma sala cheia de pessoas letárgicas, utilizando continuamente a voz passiva.

Também é permitido generalizar. Leia as três frases seguintes e verifique como você reage internamente. Elas têm o mesmo efeito?

Pode-se criar imagens mentalmente.
Você pode criar imagens mentalmente.
As imagens podem ser criadas mentalmente.

Crie imagens mentais... *Agora.*

**Nomes**

Qual a palavra mais importante na língua portuguesa? Existem muitas respostas possíveis, mas eu teria pensado que o seu próprio nome estaria em primeiro lugar na lista. Use os nomes das pessoas. Agradeça qualquer pergunta ou comentário de alguém, chamando-o pelo nome. Certifique-se de saber os nomes ou, se o grupo for muito grande, para que isso seja possível, certifique-se de que todos estejam usando crachá.

**Palavras que devem ser evitadas**

Agora, algumas palavras que devemos evitar. Não faça suspense. Iniciar frases com: "É porque... que..." dificulta o acompanhamento e, provavelmente, gera confusão. Utilize o mínimo possível as orações subordinadas. Falando de modo geral, as frases curtas com palavras curtas evocam a ação direta. Frases longas, com muitas palavras, contendo muitas orações subordinadas que alteram o sentido da frase à medida que ela se desenvolve, não o bastante para preocupá-lo, mas o suficiente para transformar tudo num exercício de memorização de longa distância (se, para começar, realmente houve algum de curta distância), podem realmente acabar fazendo-o esquecer-se do objetivo da frase, porque quando terminá-la já terá se esquecido do início. Espero ter me explicado — por favor, não leia novamente a última frase! A maioria dos adultos tem dificuldade para acompanhar o sentido de uma frase com mais de dezoito palavras.

## Instruções

Não transforme instruções em perguntas, do contrário as pessoas irão respondê-las e não seguirão as instruções.
Não dê uma segunda instrução até que a primeira tenha sido seguida.

## Gestos verbais nervosos

Descubra qual é o seu "gesto verbal" nervoso. Bem...uhh...deixe-me ver... portanto,... um, vamos tentar descobrir... ummm... o que é... [sniff]... como... certo? OK... Assim...? Mmmmmm... o que eu diria? Ao escutar a sua voz numa fita de vídeo, logo eles serão identificados e você saberá com que freqüência os utiliza. Após tê-los identificado, eles parecerão estar em todos os lugares. Perceba o vício verbal em suas frases e comece a abandoná-lo, iniciando com o seu preferido. Substitua esses "tapa-buracos" por alguma coisa mais poderosa. Uma frase clara — ou até mesmo uma pausa — é sempre mais poderosa.

## Humor verbal

O humor verbal é um método poderoso para obter e manter o *rapport* do grupo. Tento fazer o grupo rir nos primeiros cinco minutos de um treinamento. Esse é um importante ponto de referência. Fazer rir não se trata de contar piadas. Não conte piadas a não ser que você tenha certeza de poder fazê-lo com congruência e *timing*. Uma piada sem graça não desperta interesse. Os humoristas podem lhe dizer como é difícil tentar fazer as pessoas rirem com piadas. "Divertido" não é o mesmo que "engraçado". Geralmente, tudo o que você precisa fazer para provocar um sorriso é mostrar os aspectos curiosos de alguma coisa bastante comum.

## *Prática e* feedback

O homem carregando um violino, que parou o transeunte para perguntar qual o caminho para o Carnegie Hall, obteve a famosa resposta: "Praticar".
    Não há realização sem disciplina pessoal e não há *feedback* sem prática. Peça o máximo de *feedback* aos amigos e colegas, mas, com certeza, o melhor caminho é observar-se em uma fita de vídeo. Você pode rever e ensaiar novamente aquilo que fez, a partir de uma posição objetiva, aprendendo e me-

lhorando com muito mais rapidez. Também é recompensador acompanhar o seu desempenho e ver como você melhorou com o passar do tempo.

## Modelagem

Observe os instrutores e apresentadores que você considera bons. Que padrões eles utilizam que os tornam bons? Procure padrões nas três áreas: linguagem corporal, tom de voz e palavras. Experimente alguns desses padrões quando estiver treinando; alguns deles serão adequados para você, outros não. Pegue os que você quer e deixe o resto de lado. Na PNL "roubar" um comportamento é o maior elogio que você pode fazer a uma pessoa. Ninguém detém os direitos autorais da excelência. O que uma pessoa pode fazer, as outras também podem.

Assista à televisão para encontrar modelos; diminua o volume, concentrando-se na linguagem corporal. Ouça apenas as vozes na televisão ou no rádio. Os apresentadores de rádio só podem trabalhar com o canal auditivo e, conseqüentemente, tendem a ser muito expressivos com sua voz. Imite um bom modelo do rádio e observe como ele é diferente da sua maneira de dizer a mesma coisa.

Quando você tiver encontrado um exemplo de excelência, experimente ser aquele modelo durante um breve período no treinamento ou apresentação. Imagine que você é ele. Como ele apresentaria aquela matéria? Como ele falaria e se movimentaria? Ao experimentar estilos diferentes, você pode ampliar tremendamente os seus limites. No final, você terá uma combinação do próprio estilo com os melhores estilos de outras pessoas.

Observe também os apresentadores que você não considera bons. O que eles fazem de diferente? Obtenha um contraste. Observe o *que* e *como* eles dizem e fazem, e você terá algumas coisas a evitar. Percebendo o que não funciona, você chega mais perto do que funciona. Não aprenda apenas com seus próprios erros; aprenda também com os erros dos outros. Isso economiza tempo.

## Experiência

Você e o grupo devem experimentar. Porém, enquanto estiver aprendendo, seja tolerante consigo mesmo. A pior crítica, geralmente, é a autocrítica. Com freqüência, estabelecemos para nós os padrões mais exigentes, aqueles que ninguém mais sonharia aplicar. À medida que você se tornar mais competente no treinamento, corre o perigo de se torturar com críticas, em vez de simplesmente usá-las como um *feedback* para melhorar. Saiba que você nunca será perfeito e, assim, cada habilidade adquirida será uma revelação de áreas de novas habilidades e aperfeiçoamento das antigas, naquela que se tornará uma jornada maravilhosa, interminável.

Não deixe os seus circuitos críticos estragarem o seu prazer em qualquer treinamento do qual você participar. A intenção da crítica é o aperfeiçoamento, não o castigo. Reveja, avalie e, então, siga em frente.

## Habilidades de apresentação

### Pontos-chave

- 55% do impacto de uma apresentação é determinado pela linguagem corporal, 38% pelo tom de voz e 7% pelas palavras.
- Habilidade de apresentação é a maneira como você transmite as suas palavras — a habilidade está naquilo que você faz e naquilo que você exclui.
- Habilidade significa um desempenho coerente, sustentado por crenças poderosas.
- As habilidades fluem do bom estado emocional do apresentador.

LINGUAGEM CORPORAL
- Tenha uma aparência adequada à apresentação.
- Faça contato visual com os treinandos.
- Assuma uma postura ereta natural.
- Para manter os gestos naturais, elimine os gestos desnecessários e nervosos.
- Utilize todo o espaço físico que desejar.

VOZ
- Projete a sua voz.
- Fale mais devagar e use a voz congruentemente com a matéria que estiver apresentando.
- Faça pausas.
- Utilize um vocabulário amplo, multissensorial e evite jargões.
- Use nomes.
- Evite o suspense e as frases longas.

FEEDBACK
- Use fitas de vídeo para descobrir os seus gestos verbais nervosos e abandone-os.
- Utilize cada oportunidade para praticar e obter *feedback*.
- Aprenda com modelos — descubra o que funciona e o que não funciona.
- Mantenha a autocrítica dentro de limites.

# CAPÍTULO 12
# CRENÇAS E VALORES

As habilidades de apresentação são importantes, embora sejam apenas um meio para atingir um objetivo. Para que você as deseja e o que vai fazer com elas? Essa é uma área muito pessoal, e sua resposta dependerá daquilo que você considera importante no treinamento e dos motivos para fazê-lo. A sua habilidade como instrutor vem daquilo que você faz, do seu comportamento, sustentado por suas crenças e valores essenciais.

Esses valores e crenças essenciais são subjacentes à sua identidade: como você se percebe e qual a sua missão na vida? O treinamento é alguma coisa que você faz ou você se considera um instrutor? A segunda resposta é uma afirmação da sua identidade.

## Crenças

As crenças são generalizações que fazemos a nosso respeito, acerca de outras pessoas e do mundo ao nosso redor. Elas são os princípios que orientam nossas ações. Geralmente, pensamos nas crenças como "tudo ou nada" e achamos que as coisas nas quais acreditamos são sempre verdadeiras. Entretanto, um minuto de reflexão é o suficiente para percebermos que, no decorrer de nossa vida, modificamos muitas das nossas crenças. Por exemplo, é improvável que você ainda acredite em Papai Noel.

Embora tenhamos crenças essenciais que são muito arraigadas e importantes para nós, também podemos ser flexíveis naquilo que escolhemos acreditar em determinadas áreas de nossa vida. Se agirmos como se determinadas coisas fossem verdade, muitas tarefas tornam-se mais fáceis. Como diz o velho ditado: "Quer você acredite que pode ou que não pode, *você está certo!*" As crenças agem como profecias auto-realizadoras.

O fato comprovado de que as crenças têm uma forte tendência a se tornar realidade é o que lhes dá poder. Se você mudar uma só crença, também modificará muito do seu comportamento. Mas, se você mudar apenas um dos aspectos do seu comportamento, provavelmente não mudará mais nada. Por essa razão, uma das partes fundamentais de qualquer programa de desenvolvimento pessoal é conhecer os próprios sistemas de crenças. As crenças úteis agem como permissões poderosas para utilizarmos ao máximo as nossas habilidades. Outras podem agir como limitações desnecessárias. Todas as crenças têm conseqüências. A pergunta que devemos fazer sobre qualquer crença é: "Ela é útil e adequada para mim? Isso se aplica às crenças maiores — "O universo é um lugar amistoso?" — e às menores — "Eu acredito que a leitura deste capítulo será prazerosa e enriquecedora?"

Eis alguns exemplos de crenças poderosas que podem fazer muita diferença em seus treinamentos. Verifique as que você já tem e as que gostaria de ter. Nós o convidamos a agir como se elas fossem verdadeiras em sua vida diária e a observar a diferença que elas fazem. Então, você pode transferi-las para o treinamento. Todas elas serão úteis para os seus treinandos.

- **Não existe fracasso, apenas *feedback*.**
A crença de que o fracasso é real é a mais comum das crenças limitadoras. Em vez disso, acredite que não existem enganos, nem erros, apenas resultados e objetivos. É verdade que eles podem ser muitos diferentes daquilo que você tinha em mente. Se o que você obteve não é aquilo que você quer, tente alguma outra coisa e aprenda tudo que puder com aquilo que conseguiu.

- **Cada pessoa tem todos os recursos de que necessita.**
Isso vale tanto para o instrutor quanto para os treinandos. O instrutor não pode ficar totalmente sem saída — e os treinandos não são recipientes vazios a serem preenchidos com habilidades e conhecimento. Cada pessoa tem uma vida inteira de experiências variadas, podendo recorrer a elas para obter diferentes recursos. Como você pode explorá-los?

- **O significado da sua comunicação é a reação que você obtém.**
Durante um treinamento, você é um comunicador profissional. Aquilo que você diz e faz estará focalizado na realização dos objetivos do seu treinamento. Quando você obtém uma reação diferente ou imprevisível dos participantes, considere-a como um *feedback* e faça alguma coisa diferente. O significado daquilo que você diz ou faz é determinado pelo grupo. Isso lhe oferece uma enorme flexibilidade para modificar aquilo que você faz para atingir o objetivo desejado, em vez de culpar o grupo por não reagir da maneira correta. Lembre-se de que, ao ficar preso no jogo da culpa, você perde o seu poder.

- **A intenção de todo comportamento é positiva. Acreditar nisso é um modo de torná-la positiva.**
Todas as pessoas criam o próprio modelo de realidade e vivem dentro dele. Cada uma de suas ações é a melhor escolha que elas têm naquele momento, de acordo com sua realidade. Para nós, isso talvez seja incom-

preensível, mas é real para elas. Se você puder compreender como funciona o modelo de realidade de uma pessoa, poderá descobrir a intenção positiva por trás de qualquer comportamento "difícil". E, se você souber qual é a intenção positiva, poderá descobrir qual a resposta mais útil. Isso não justifica o que elas fazem, mas lhe permite compreender e lidar com a situação.

- **Se um treinamento se desviar muito do seu curso, sempre posso encontrar maneiras para trazê-lo de volta e aprender muito durante o processo.**
Em primeiro lugar, é muito mais fácil seguir um caminho, mas se as coisas não derem certo, essa é uma poderosa crença que você pode utilizar a seu favor. Uma das maneiras de colocar as coisas de volta no lugar é utilizar tudo o que estiver acontecendo para aprender.

Não podemos provar que essas crenças são verdadeiras (ou falsas). Considere-as como princípios úteis e acrescente suas crenças favoritas a esta lista.

Um bom método para descobrir as crenças adicionais mais úteis é fazer um inventário das suas atuais crenças sobre treinamento. Dedique alguns minutos para anotar suas respostas imediatas a estas perguntas.

1. Por que você é um instrutor?
2. Quais são as suas forças e potenciais como instrutor?
3. Quais são as suas crenças a respeito dos grupos que você treina?
4. Quais são as suas crenças a respeito de si mesmo como instrutor?
5. É fácil as pessoas mudarem?

Agora, pare um pouco antes de considerar:

1. Como você agiria se conhecesse o seu potencial?
2. Quais as crenças que você gostaria de ter sobre si mesmo como instrutor? (dica: qual *feedback* dos seus colegas lhe dá mais prazer?)
3. Quais as crenças que seriam mais úteis com respeito aos grupos que você ensina?
4. O que o impede de agir como se essas crenças fossem verdadeiras?

## Valores

Valores são coisas que consideramos importantes em nossa vida. Valorizar alguma coisa significa dar-lhe importância. Naturalmente, pessoas diferentes terão valores diferentes. Como instrutor, você provavelmente valoriza os relacionamentos, sentimentos e aprendizagem. Um gerente de linha pode valorizar os resultados, a eficácia e a lucratividade.

Os valores essenciais são aqueles que permeiam a maior parte daquilo que fazemos. Eles são especialmente importantes, pois são a chave para compreendermos o que fazemos e por que fazemos. Os valores essenciais são coisas como satisfação, auto-respeito, realização, ousadia, independência, aprendizagem, crescimento, integridade, amor, alegria e paz.
Uma das habilidades que aperfeiçoará o seu desempenho no treinamento é o desenvolvimento da percepção dos seus valores e também dos das outras pessoas. Eis um exercício simples que você pode fazer nos próximos cinco minutos para esclarecer os seus valores essenciais:

1. Pense em pelo menos três das experiências mais significativas de sua vida. Considere sucessivamente cada uma delas e pergunte-se o que você obteve delas para que se tornassem tão significativas. Escreva uma lista de palavras ou frases-chave.
2. Continue até obter um grupo de mais ou menos cinco palavras que representem os valores essenciais que se repetem em diferentes experiências significativas.
3. Desses cinco valores essenciais, se você tivesse que perder um, qual deles escolheria? Sublinhe essa palavra e escreva o número cinco ao seu lado. Repita para cada um deles, sucessivamente, até ficar com um único valor mais importante, o número um.

Você acabou de planejar uma hierarquia dos seus valores essenciais. As decisões são difíceis porque, geralmente, representam um conflito de valores. Por exemplo, você aceita ou não fazer um trabalho extra? Por um lado, você precisa de dinheiro extra, por outro, deseja dedicar-se mais à família. Se você souber o que é mais importante, a decisão torna-se simples.

Uma de suas aplicações mais poderosas é escrever o seu propósito de vida em apenas uma frase. Continue criando frases até conseguir uma versão que o satisfaça. Anote-a num cartão e coloque-o em seu bolso. Sempre que enfrentar uma decisão difícil, puxe o cartão e leia-o. Você vai achar muito mais fácil tomar a decisão. Isso funciona tão bem porque os nossos valores essenciais dão direção e significado à nossa vida. Somos literalmente atraídos para eles e por eles.

*Valores do treinamento*

Saiba quais são os seus valores no treinamento e lembre-se de que as outras pessoas talvez não os compartilhem. Você pode identificá-los com o seguinte exercício:

1. Escolha três boas experiências de treinamento. Elas podem ser de um passado distante ou imediato. Anote as palavras-chave que representam aquilo que você considerou importante em cada uma delas. Observe os grupos que emergem de todas as três.
2. Compare-as com três experiências de um mau treinamento. Anote as palavras-chave para cada uma e identifique os grupos.

O grupo de valores que você obteve na primeira etapa são os essenciais sobre a qualidade do treinamento, aquilo que você deseja alcançar, algumas vezes chamados de seus valores "em direção a", uma vez que você está sempre procurando realizá-los. Os exemplos podem ser: diversão, aprendizagem, entusiasmo. O grupo da segunda etapa serão os seus valores "afastando-se de" — as coisas que você deseja evitar num treinamento. Os exemplos podem ser: constrangimento, raiva, culpa, tédio.

*Evidência dos valores*

Nós usamos palavras muito genéricas para descrever valores — "integridade", "energia", "felicidade" — e elas significam coisas diferentes para pessoas diferentes. O que especificamente elas significam para você? Como você saberá quando elas estão sendo satisfeitas? Quais as suas regras para saber quando os valores são alcançados?

Por exemplo, dois instrutores podem afirmar que é importante ser bem pago, treinar grupos grandes e obter um *feedback* positivo dos treinandos. *Mas,* para o instrutor A, isso significa receber R$ 1.000,00 por dia, um grupo de 100 pessoas e um escore de 95% na escala de satisfação. Os valores do seu amigo, instrutor B, são alcançados com R$ 500,00 por dia, um grupo de 15 pessoas e um escore de 80% na escala de satisfação.

Isso não mostra qual deles é o melhor instrutor. A questão é saber se você está se limitando por desejar pouco ou se está se frustrando por desejar muito. Se os seus valores são definidos de um modo que impossibilita sua realização ou se eles estão significativamente fora do seu controle ou não são satisfatórios, então vale a pena revê-los.

*Perguntas finais*

Eis algumas valiosas perguntas finais a serem consideradas:
- Você está satisfeito com a sua hierarquia de valores essenciais?
- Você deseja fazer qualquer mudança nos seus valores essenciais?
- Você pode imaginar alguns valores do treinamento que poderiam lhe ser mais úteis?
- Atualmente, as suas atitudes estão lhe proporcionando aquilo que você valoriza?

## Crenças e valores

*Pontos-chave*

- As habilidades de treinamento são apenas um meio para atingir um objetivo.
- As crenças são generalizações e agem como profecias auto-realizadoras.

- Modificar crenças é uma maneira poderosa para modificar fundamentalmente o comportamento.
- Reúna crenças poderosas no treinamento.
- Valores são as coisas importantes para nós em nossa vida.
- Você pode descobrir a sua hierarquia de valores e a sua hierarquia de valores no treinamento.
- Os valores estarão associados a regras ou evidências — elas precisam ser realistas e poderosas.

# CAPÍTULO 13

# AUTOGERENCIAMENTO

Este capítulo trata de um dos aspectos mais importantes do treinamento, apresentação ou desempenho: estar num bom estado emocional. O autogerenciamento é sobre aquilo que "você" faz para gerenciar "a si mesmo" antes de apresentar o seu melhor desempenho. Você pode ter todas essas maravilhosas habilidades dentro de si mesmo, mas, se elas não puderem emergir do jeito certo e na hora certa, é como se não estivessem lá. Durante o treinamento "você" quer estar livre para continuá-lo sem se preocupar com o seu estado emocional. Se acontecer alguma coisa que o impeça, então você precisa das habilidades de autogerenciamento para recuperar o seu estado e continuar fazendo um bom treinamento. Nem sempre você pode controlar a situação ou as outras pessoas, mas você pode controlar a sua maneira de reagir a elas.

Existem quatro principais questões no autogerenciamento:

1. Estar num bom estado emocional durante o treinamento para permitir que as habilidades fluam.
2. Ter estratégias de recuperação em situações difíceis, para manter ou recuperar o seu estado.
3. Aprender com os treinamentos que você faz, para se aperfeiçoar constantemente.
4. Lidar com críticas e pressões que poderiam levar a um "esgotamento" prolongado do instrutor.

## O estado emocional do instrutor

Lembro-me nitidamente de um dos treinamentos de John Grinder, quando alguém lhe perguntou quais eram as coisas mais úteis para um instrutor prestar atenção. Eu estava sentado na beirada da cadeira, esperando para ouvir a sua resposta. Esse foi provavelmente o melhor treinamento do qual participei. A sua resposta foi algo mais ou menos assim: "Primeiro, preste atenção ao seu próprio estado. Segundo, preste atenção ao seu próprio estado. E terceiro, preste atenção ao estado da sua platéia".

Essa não era a resposta que eu esperava, embora fizesse sentido. Quando o instrutor está num estado de recursos, ele pensa com clareza e rapidez e corresponde às preocupações e objetivos dos participantes. É preciso atenção e energia para superar um estado sem recursos — atenção e energia necessárias ao treinamento.

É difícil abordar num livro um assunto como o estado emocional. É fácil dar conselhos desse tipo, mas quando se trata de estado emocional, é necessário vivenciá-lo. "Estado" é um daqueles verbos disfarçados em substantivos. Apesar da maneira como nos referirmos a ele, ele não é alguma coisa que você tem, é alguma coisa que você faz (ou não) e continua a fazer (ou não) enquanto está treinando. Você age.

Assim que você aprender a ter liberdade para escolher seu próprio estado interno, isto é, os seus pensamentos e sentimentos, suas habilidades fluirão e você será capaz de permanecer, constantemente e com menos esforço, em seu melhor estado. Falar é fácil, difícil é a prática.

Entretanto, as recompensas são extraordinárias. O treinamento torna-se mais fácil e mais agradável. Você aumenta a flexibilidade e a variedade do seu próprio comportamento e torna-se mais eficaz. E, naturalmente, modificar o seu próprio estado emocional é uma das formas mais fáceis para influenciar a sua platéia e modificar o estado emocional dela, criando continuamente contextos agradáveis de aprendizagem.

*Fisiologia*

Os nossos estados emocional e mental estão ligados à nossa fisiologia. A fisiologia afeta os pensamentos e estes a afetam. Por exemplo, é impossível manter um estado de recursos e pensamentos claros com uma postura curvada, olhos baixos e respiração superficial. Alternativamente, agir como se você estivesse confiante permite que você se sinta mais confiante. Você pode ficar mais tranqüilo relaxando o pescoço e os músculos dos maxilares e expirando profundamente. O mito da "boa inspiração profunda" está apenas parcialmente correto. Você também precisa expirar profundamente. Isso interrompe o acúmulo de dióxido de carbono na corrente sangüínea, que é uma das causas fisiológicas da ansiedade. Modificar a sua respiração é, provavelmente, a maneira mais poderosa para modificar o seu estado.

Algo que devemos ter em mente ao iniciar um treinamento é a diferença entre as sensações desprovidas de recursos e as sensações naturais de excitação do corpo se preparando. As sensações comumente rotuladas de "nervosismo" são o seu corpo se preparando para agir vigorosamente. A questão é saber se as borboletas no seu estômago estão se dispersando e batendo as asas contra a vidraça ou se voam em formação. Não há nada de errado nessas sensações; e elas são recebidas por muitos artistas, atores, músicos e apresentadores experientes como uma indicação de energia extra.

Quando você está treinando, você está num estado alterado. Isso tem duas conseqüências subjetivas. Em primeiro lugar, a sua percepção do tempo está alterada. O tempo parece voar. Uma tarde pode passar num segundo, portanto, é preciso cronometrar o tempo cuidadosamente. Isso acontece porque, quando você está treinando, está totalmente associado àquele momento e não está prestando atenção ao relógio. Portanto, de vez em quando, você precisa sair desse estado e verificar como o tempo está passando no mundo exterior.

A segunda conseqüência é que você estará bastante sensível ao próprio desempenho, principalmente quando ele não estiver correspondendo às suas expectativas. Cada erro é ampliado e torna-se significativo. Entretanto, aos olhos da platéia, a sua "terrível gafe" não será importante, caso seja percebida. Quase sempre, você estará se apresentando melhor do que pensa.

*Ancoragem de recursos*

Uma das maneiras para ter mais escolhas sobre o seu estado emocional é transferir recursos positivos de experiências passadas, por meio de uma associação ou "âncora". Nós fazemos associações naturalmente, portanto, é fácil aprender a fazer aquelas que nos ajudarão no treinamento. Os atletas usam mascotes quando se preparam para uma competição.

A primeira etapa é escolher o estado emocional que você deseja e, então, associá-lo a um gatilho ou âncora, para lembrar-se dele sempre que desejar.

1. Pense num determinado estado de recursos que você deseja para o treinamento, por exemplo, confiança, humor ou paciência. Você talvez não tenha uma palavra para defini-lo; ele pode ser apenas um bom estado que você possui quando o treinamento realmente está dando certo.
2. Lembre-se de um momento em que você possuía esse estado. Volte a ele com intensidade, veja aquilo que você viu naquele momento, ouça o que você ouviu e sinta tão intensamente quanto puder. Então, volte para o momento presente.
3. Escolha as âncoras ou associações que deseja usar e que o lembrarão daquele estado, trazendo de volta a sensação corporal completa. Escolha uma coisa que você possa ver na sua imaginação, um som ou uma palavra que você possa dizer para si mesmo e um pequeno gesto imperceptível que você possa fazer. Algumas pessoas fecham a mão ou juntam dois dedos. A imagem, o som e o gesto devem ser singulares e memoráveis. Essas são as suas âncoras.
4. Em seguida, volte e vivencie totalmente o estado de recursos que você quer ter durante o treinamento. Veja aquilo que você viu, ouça o que você ouviu e sinta todas as sensações. Pode ser útil colocar o corpo na mesma posição em que você se encontrava naquela ocasião, se isso for adequado. Quando a sensação de recursos chegar ao ponto máximo, use as suas âncoras. Veja a imagem, ouça o som e faça o gesto. Então, saia do estado e pense em outra coisa.

5. Teste as âncoras. Veja a imagem, ouça o som e faça o gesto. Observe como isso traz de volta a sensação de recursos. Se você não estiver satisfeito, volte à etapa 4 e associe novamente. Repita quantas vezes achar necessário para que as âncoras realmente tragam de volta a sensação de recursos.
6. Mentalmente, ensaie a utilização das suas âncoras numa situação de treinamento. Você pode usá-las para entrar num estado de recursos no início do treinamento e como uma estratégia de recuperação, se as coisas não derem certo durante o treinamento.

Ancorar e usar os seus estados de recursos são habilidades e, como todas as habilidades, quanto mais forem praticadas, mais fáceis se tornarão. Para algumas pessoas essa técnica funciona dramaticamente na primeira vez. A cultura em que vivemos acredita que as sensações são involuntárias, criadas pelas outras pessoas. A ancoragem é uma maneira para obter escolhas emocionais e, portanto, é uma excelente ferramenta para o autodesenvolvimento geral, assim como para o treinamento.

*Confiança*

A confiança é um dos componentes de um bom estado emocional. O dicionário a define como "expectativa confiante". Ela está firmemente fundamentada na preparação adequada.

Você precisa estar preparado em dois níveis. Primeiro, você precisa conhecer a matéria. Caso você não a conheça, tem razão em se sentir desconfortável. Reserve um tempo para aprendê-la.

Segundo, depois de conhecer bem o assunto, você deve se perguntar: "Posso falar sobre aquilo que eu sei que sei, nesse treinamento em particular?". Para responder a essa pergunta, você deve se fazer outra pergunta: "O que poderia me impedir?". Agora, você pode examinar diversos cenários e, antecipadamente, arranjar soluções que devem ser ensaiadas mentalmente, antes do treinamento. Com essa habilidade, a sua confiança estará bem fundamentada.

A pergunta a ser respondida é: "Eu mereço ter sucesso?".

A confiança também vem da experiência. Se você já fez isso uma vez, como as coisas são mais ou menos iguais, pode fazê-lo novamente. Você tem uma experiência como referência do sucesso. Quantas vezes você precisa treinar antes de ter certeza de que pode fazê-lo novamente? Uma? Duas? Três vezes? Mais do que isso? Nunca? Pessoas diferentes têm respostas diferentes. Se a cada vez você precisa provar a si mesmo que é capaz, talvez queira modificar a maneira de pensar em suas habilidades.

*Competência*

A competência também se refere àquilo que você faz. Ela trata da capacidade para agir habilidosamente em todos os níveis, para monitorar os resultados e verificar se você está atingindo os objetivos do seu treinamento e se os participantes estão atingindo os deles. Um instrutor competente tem muitas escolhas em qualquer situação e alguma coisa para ser utilizada em qualquer eventualidade. A competência é, provavelmente, o fator mais importante para obter *rapport* contínuo com um grupo.

## Congruência

A congruência é a terceira e mais importante qualidade de um instrutor. Algumas vezes ela é chamada de sinceridade. Novamente, não é alguma coisa que você tem, mas alguma coisa que você faz, isto é, você age congruentemente quando a sua linguagem corporal, o seu tom de voz e as suas palavras transmitem a mesma mensagem. Você age incongruentemente quando eles transmitem mensagens diferentes — por exemplo, falar sobre a importância de valorizar as informações recebidas do grupo e, ao mesmo tempo, ignorar as suas perguntas, ou enfatizar a boa postura quando a sua própria postura é curvada e desequilibrada.

Existem três níveis de congruência. O primeiro nível é sentir-se congruente com respeito à realização do treinamento. Essa é uma questão importante e, antes de se envolver numa situação desafiadora, você desejará sentir que todos os seus recursos inconscientes estarão lá para apoiá-lo. Seja congruente sobre o treinamento antes de aceitá-lo. Para descobrir se é congruente, você pode fazer este teste.

### Teste de congruência

Há dois métodos para verificar a congruência. Primeiro, lembre-se de uma ocasião em que você estava totalmente envolvido em alguma tarefa ou objetivo. Não precisa ser uma tarefa de treinamento. Enquanto isso, perceba as sensações do seu corpo, as imagens que você vê e os sons ou vozes que ouve internamente. Como é estar envolvido? Sinta a sensação de congruência. Esse é um recurso para você saber que está preparado para fazer um treinamento.

O segundo método é lembrar-se de uma ocasião em que você não estava totalmente envolvido em alguma tarefa ou projeto. Quais as sensações do seu corpo, quais as imagens e sons que você ouve internamente? Nessa situação, muitas pessoas ouvem, mentalmente, um tom de voz hesitante. Esse sinal é seu amigo. Ele está avisando que alguma coisa ainda não está correta nessa situação.

Se você não se sentir congruente, comece a procurar os problemas. O que deveria ser diferente antes que você pudesse se sentir congruente sobre a realização do treinamento? Você tem um período de tempo adequado para se preparar? Você se sente pressionado? Esse é um momento em que você precisa dizer não? Você conhece bem o assunto? Identifique aquilo que você precisa fazer, presumindo que vá aceitar o treinamento. Muitas vezes, existem algumas condições ou preparações que devem ser providenciadas. Então, pense novamente e verifique a congruência.

Você não pode se enganar num teste de congruência — ele lhe oferece uma resposta honesta sobre o seu preparo para determinado treinamento. Quando você é congruente, pode confiar na sua competência, sabendo que os seus recursos inconscientes estarão lá para apoiá-lo.
Você pode usar o teste de congruência em qualquer área de sua vida.

**Exercício de alinhamento**

A congruência vem do alinhamento de todos os seus recursos, conscientes e inconscientes. Como uma orquestra bem afinada, você deseja que todas as suas diferentes partes trabalhem em conjunto.

Há um poderoso exercício que utiliza os níveis neurológicos, que pode ser feito antes do treinamento para ajudá-lo nesse processo de alinhamento. Você pode fazê-lo sozinho ou pedir para um amigo fazer as perguntas enquanto você percorre esses níveis.

Comece providenciando algum espaço para se movimentar. Fisicamente, você vai andar para a frente, como uma metáfora, para a exploração dos seus níveis mais elevados.

1. Comece ficando em pé num lugar que lhe permita dar cinco passos para a frente. Pense no *ambiente* em que você treina. Onde você está? Quem está com você? Qual o equipamento utilizado no seu treinamento? Quais os períodos em que você treina? Quanto dura o treinamento e quando é realizado? Quem mais está com você?
2. Dê um passo à frente. Esse é o próximo nível, em que você pode explorar o seu *comportamento*. O que você está fazendo? Pense em tudo o que você faz numa situação de treinamento — os seus movimentos, ações e pensamentos.
3. Quando estiver pronto, dê outro passo à frente e considere as suas *habilidades* e *capacidades*. Quais as habilidades pertencentes a outras áreas da sua vida e que você utiliza como apoio quando está treinando e quais as capacidades gerais expressas pelo comportamento que você considerou no nível anterior?
4. Dê novamente um passo à frente e reflita acerca de suas *crenças* e *valores* sobre o treinamento. Por que você treina? Em que você acredita a seu respeito como instrutor? Em que você acredita com relação aos participantes? O que poderia dificultar o seu treinamento? O que é um bom treinamento? O que você considera valioso no treinamento? Do que você teria que desistir se interrompesse o treinamento? O que é importante para você no treinamento? Leve o tempo que for necessário para obter algumas respostas que o satisfaçam.
5. Dê um outro passo à frente e pense em sua *identidade*. Qual é a sua missão na vida? Como o treinamento está relacionado a ela? Quem é você? Obtenha uma consciência plena de si mesmo e daquilo que você deseja realizar no mundo. Deixe as respostas surgirem naturalmente.

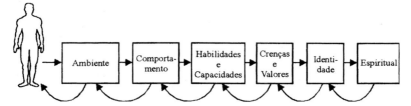

*Figura 2.6 Alinhamento dos níveis neurológicos*

6. Agora, dê um último passo à frente. Pense em como você está ligado a todos os outros seres vivos e a tudo que está além da sua existência. Você pode ou não considerar isso como *espiritual*. Você pode ter crenças religiosas ou uma filosofia pessoal. Leve o tempo que for necessário para perceber o que isso significa para você.
7. Ainda sentindo essa ligação com os outros, volte-se e fique de frente para o caminho que você percorreu. Traga consigo essa sensação de ligação enquanto volta para o seu nível de identidade. Note como isso pode modificar suas experiências nesse nível. Observe as diferenças.
8. Agora, traga essa percepção ampliada de quem você é e de quem você pode ser e entre no lugar das suas crenças e valores. O que é importante agora? Em que você acredita agora? O que você quer que seja importante? Em que você deseja acreditar?
9. Traga essa nova percepção e entre no nível das habilidades e capacidades. Como esses aspectos mais profundos de si mesmo transformaram e intensificaram as suas habilidades?
10. Entre novamente no seu nível comportamental e observe como as suas habilidades enriquecem aquilo que você faz.
11. Finalmente, entre no ambiente do treinamento. Observe como você se sente diferente com relação ao lugar em que você está, com essa maior profundidade e clareza sobre os seus valores, propósito e sensação de união. Leve o tempo que for necessário para integrá-los dentro de você e tornar-se consciente das mudanças.

Algumas vezes, podemos perceber que estamos desmotivados, agindo automaticamente no treinamento, apenas porque é o nosso trabalho. Esse exercício nos liga novamente àquilo que sabemos ser importante e abre um canal de energia para nós no presente.

Você será congruente se acreditar naquilo que está dizendo e fazendo, se for honesto consigo mesmo e com os participantes. A integridade e a autenticidade sempre são percebidas.

### Congruência mensageiro-mensagem

O segundo nível de congruência no treinamento é conhecido como *congruência mensageiro-mensagem*. Será que um treinamento sobre métodos para lidar com o estresse, apresentado por um instrutor que rói as unhas, enrola os cabelos e grita com as pessoas, seria convincente? Você acreditaria num curso sobre perda de peso apresentado por alguém pesando mais de 120 kg, que come doces durante os intervalos? Você já esteve num treinamento de assertividade em que o instrutor era dominado pelos participantes? Se o instrutor não representar os princípios essenciais do que ensina, você tem motivos para duvidar desses princípios, desde o início. Num curso, o instrutor age tanto como modelo quanto como incentivador, quer ele goste ou não.

O treinamento com a PNL pressupõe que os treinandos aprendem tanto consciente quanto inconscientemente. Eles aprendem conscientemente o assunto do treinamento. A maneira *como* o instrutor ensina e aquilo que ele faz são o principal canal para a aprendizagem inconsciente.

Quando você usa a PNL para treinar, você *faz aquilo que diz*. Essa é uma outra diferença fundamental entre o treinamento com a PNL e o treinamento tradicional, e um outro motivo da importância da congruência.

**Alinhamento da congruência**

O terceiro nível de congruência pressupõe que todas as partes da sua comunicação, palavras, voz e linguagem corporal transmitem a mesma mensagem. Um instrutor cujas palavras e corpo expressam a mesma mensagem será um apresentador poderoso, porque a mesma mensagem será recebida nos níveis consciente e inconsciente pelos participantes. Grande parte deste livro é sobre técnicas específicas para alcançar esse alinhamento.

## Estratégias de recuperação

Por melhor que seja o seu estado emocional, pode ser difícil mantê-lo diante de alguma adversidade. Você não pode se preparar para todas as eventualidades num treinamento. O que você pode fazer quando acontece algo desagradável e o seu estado emocional se altera?

*Crítica*

Em nossa cultura, a crítica geralmente é dirigida a alguém e focaliza aquilo que o crítico acha que você fez errado. Portanto, se você for criticado por um ou mais participantes, em público ou em particular, é fácil sair do estado de recursos.

Nesse caso, você precisa manter o seu estado e, se possível, extrair qualquer parte útil da crítica. A intenção positiva da crítica é prepará-lo para atingir alturas mais elevadas. Algumas vezes, não é muito fácil perceber isso.

Há um processo muito útil que você pode usar para aprender com as críticas, desenvolvido por Steve e Connirae Andreas. Você talvez queira praticá-lo antes de um treinamento e ensaiá-lo mentalmente, para que ele entre automaticamente em ação se você for criticado durante um treinamento (ou em qualquer lugar).

**Estratégia para lidar com críticas**

1. Lembre-se de uma ocasião em que você foi criticado.
2. Imagine-se, agora, atrás de uma tela de plástico transparente ou qualquer outra barreira similar através da qual você possa enxergar, mas onde nenhuma crítica possa penetrar. Seguro nesse lugar, veja-se do outro lado da tela compreendendo o significado da crítica. O importante é que você está seguro desse lado da tela e o "outro você" está lidando com a crítica.
   Isso pode parecer estranho. Entretanto, as pessoas que lidam bem com as críticas geralmente fazem duas coisas: elas se dissociam dos sentimentos ruins e avaliam a crítica dentro de um estado de recursos. A tela serve para protegê-lo. Imagine que você está se vendo. Se for difícil, finja ou apenas continue "como se" você estivesse.
3. Agora, seguro atrás da tela, você pode se observar, compreendendo exatamente o que o crítico quer dizer, talvez fazendo algumas perguntas. A crítica pode ser apenas uma indelicadeza e, nesse caso, você poderia decidir ignorá-la. Você desejará saber o que o crítico gostaria que você fizesse diferente. Isso pode ser útil, pois lhe oferece a versão dos fatos sob o ponto de vista do crítico.
4. Quando você tiver informações suficientes, faça o "você" à sua frente comparar as suas lembranças do fato com a versão do crítico. Elas combinam? Quais os pontos significativos de diferença? O que você estava tentando fazer? Você atingiu o seu objetivo agindo daquele modo?
5. O "você" à sua frente decide qual das respostas abaixo seria a melhor escolha:
   Você pode concordar com eles.
   Você pode desejar pedir desculpas.
   Você pode querer dar a sua versão dos fatos, se ela for diferente da versão do crítico. Talvez você queira que ele conheça o seu objetivo.
   Você pode discordar totalmente e dizer-lhe.
   Você pode querer deixar o assunto de lado e discuti-lo em outra ocasião.
   Você pode querer utilizá-lo para explicar o seu ponto de vista.
6. Faça o outro "você" treinar qualquer nova resposta que você queira dar. Veja-se fazendo isso.
7. Deixe a tela desaparecer e deixe o "você" que lidou com a crítica juntar-se novamente a você. Integre a nova resposta.

Mentalmente, refaça todo o processo com diversos exemplos diferentes de críticas, para torná-lo disponível quando for necessário. Quanto mais vezes for utilizado, mais rápido e mais automático ele se tornará. Os dois importantes padrões nessa estratégia são a dissociação, para que o você interior não seja afetado, e a resposta, a partir de um estado de recursos. Depois disso, você pode decidir o que fará na próxima vez, para não atrair novamente esse tipo de crítica.

## Revisão do treinamento

Existem três versões de qualquer treinamento: aquele que você prepara, aquele que você faz e aquele que você gostaria de ter feito. Aprendendo constantemente com cada treinamento, você realmente diminuirá a diferença entre a segunda e a terceira versão. Faça as perguntas, independentemente de ter se saído bem: "O que eu poderia ter feito de maneira diferente? Como posso melhorar o que eu fiz?".

Não tente processar conscientemente durante o treinamento. A sua atenção ficará dividida e você se desviará daquilo que exige a sua atenção: as necessidades dos participantes. De certo modo, os erros são irreparáveis. Podemos cometê-los, pedir desculpas, mas eles não podem ser desfeitos. No treinamento, você pode abrir a boca e dizer uma asneira. Não piore as coisas tentando voltar atrás e consertar o que disse.

No final de cada treinamento, reserve um tempo para refazê-lo mentalmente e observar o que você aprendeu. Dê parabéns a si mesmo pelas coisas que você fez bem. Para aprender o máximo com o treinamento, passe pelo processo a seguir, com qualquer coisa que não o tenha deixado satisfeito, qualquer coisa que não deu tão certo quanto você desejava e que você deseja fazer de maneira diferente na próxima vez. Novamente, se for difícil visualizar mentalmente, apenas perceba o processo da maneira que puder. O processo funciona bem independente da qualidade das suas imagens mentais.

**Gerador de novos comportamentos**

1. Imagine que você está se vendo no início do incidente, como se estivesse assistindo à repetição da cena numa fita de vídeo. Observe e ouça a si mesmo e às outras pessoas, com muita atenção. Identifique a primeira coisa que não lhe agrada e dê uma pausa no seu vídeo mental. (Você pode usar uma fita de vídeo real se tiver gravado o treinamento.)
2. Pergunte-se: "O que seria mais efetivo aqui para atingir o objetivo que eu pretendia?" Veja esse comportamento alternativo em seu vídeo mental e verifique se ele é satisfatório para você. Então, veja-se com esse comportamento.
3. Agora, imagine que você está entrando naquele "você" do vídeo, que acabou de ensaiar as novas atitudes. Entre em seu vídeo mental e aja da nova maneira que você decidiu que seria a melhor. Vivencie-a tão completamen-

te quanto puder, vendo, ouvindo e sentindo-se de volta àquela situação. Desfrute como teria sido agir daquela maneira.

Enquanto você representa, verifique novamente se dá certo. Se você descobrir que alguma coisa ainda está errada, saia, pense em outra alternativa, observe a si mesmo utilizando-a e refaça todo o processo, até ficar completamente satisfeito a partir dos dois pontos de vista: o seu ponto de vista observando a si mesmo e realmente agindo daquela maneira.

4. Finalmente, pergunte-se: "Como saberei quando fazer aquilo que acabei de ensaiar?", e identifique exatamente o que você veria, ouviria e sentiria, interna ou externamente, que atuará como um sinal automático para utilizar esse novo comportamento que você acabou de criar. A próxima vez que surgir uma situação semelhante, você estará preparado para ela; a nova escolha estará mentalmente ensaiada e disponível.

Quando terminar, guarde o seu vídeo mental em algum lugar seguro e esqueça-o.

Você não precisa restringir esse processo ao treinamento. Utilize-o em qualquer incidente insatisfatório em sua vida cotidiana, até ele se tornar automático. Esse é um processo geral que pode ser usado para aprender com aquilo que aconteceu, e para ensaiar mentalmente o que ainda não aconteceu.

## Cuidando de si mesmo

Os bons instrutores preocupam-se com os treinandos e com o treinamento. Algumas vezes, é fácil esquecer que também precisamos cuidar de nós mesmos. Cuidar de si mesmo, realmente, faz uma diferença na qualidade do seu treinamento. Leia livros ou ouça fitas gravadas sobre as áreas de autodesenvolvimento que lhe interessam. Considere isso como um investimento em si mesmo. Determine os objetivos do seu treinamento para você e para aquelas situações de sua vida nas quais você deseja progredir. Crie novas escolhas com o novo gerador de comportamentos nas áreas em que você não estiver satisfeito.

Não é fácil discordar da crença cultural de que as outras pessoas são responsáveis pelos nossos sentimentos, mas a ancoragem irá ajudá-lo a escolher o seu estado interno.

Muitas das coisas que você fará para se preparar para o treinamento são simplesmente parte de um estilo de vida saudável. Como dizem os budistas: "Coma bem, durma bem e mantenha-se aquecido". Fique à vontade para acrescentar qualquer coisa que possa ajudá-lo.

### *Evitando o esgotamento*

O esgotamento pode acontecer em profissões como o treinamento, pois parece que você está sempre dando e jamais recebendo. Por isso, é muito importante cuidar de si mesmo e continuar aprendendo com o treinamento. Teste o seu treinamento, mesmo que você já o tenha feito muitas vezes. Experimente e renove a matéria; você deve isso a si mesmo e aos treinandos. Cuidar de si mesmo inclui relaxar e tirar férias. Os russos têm um ditado: "Nós aprendemos a esquiar no verão e a nadar no inverno". Em outras palavras, uma pausa é uma parte essencial de qualquer experiência de aprendizagem. Você precisa dela para se revigorar e para realmente integrar a sua aprendizagem inconscientemente nesse intervalo de tempo, mais ou menos como a idéia de "deixar um problema para o dia seguinte" se você deseja solucioná-lo.

Continue buscando diferentes pontos de vista. Freqüente outros cursos para instrutores, para verificar como eles treinam e manter viva a experiência de ser um aluno. (Mas desligue os seus circuitos críticos de instrutor.) Isso permite que você avalie pessoalmente o que é estar na posição dos treinandos. Você compreenderá melhor os seus objetivos e estados e, assim, treinará melhor.

Perceba os sinais do seu corpo avisando que você está trabalhando em excesso. No início, os sinais serão sutis. Vale a pena prestar atenção neles, pois se forem ignorados eles se tornarão mais fortes e mais persistentes, como uma criança exigindo a atenção de um adulto. Geralmente, a doença surge quando o corpo não encontra nenhuma outra maneira para fazê-lo diminuir o ritmo. Conheça os seus limites. O excesso de treinamentos não o transforma num instrutor melhor e é prejudicial. A melhor maneira para se aperfeiçoar é treinar apenas o suficiente.

Afaste-se de pessoas negativas que drenam sua energia. Elas podem ter excelentes intenções, mas a sua influência é psicotóxica.

Considere qualquer crítica no nível comportamental. A crítica é sobre aquilo que você fez, não sobre quem você é.

Tente tornar-se o instrutor e a pessoa que você realmente quer ser. Há uma história que conta que, certo dia, Michelangelo estava trabalhando em seu estúdio quando surgiu um menininho e disse: "Por que, senhor, está talhando esse bloco de mármore?".

"Porque há um anjo dentro dele e eu o estou ajudando a sair", respondeu o escultor.

## Autogerenciamento

### *Pontos-chave*

ESTADO EMOCIONAL
- Você precisa estar num bom estado emocional para aproveitar ao máximo suas habilidades de treinamento.
- Há quatro aspectos para lidar com o seu estado:

1. Estar num bom estado durante o treinamento.
2. Ter estratégias de recuperação para situações difíceis.
3. Aprender com o seu treinamento.
4. Lidar com críticas e pressões que podem levar ao "esgotamento".

- Manter uma fisiologia e um padrão de respiração de recursos é uma parte importante para manter o estado.
- A ancoragem de recursos lhe permite levar sensações de recursos para qualquer situação de treinamento, por meio de uma poderosa associação.
- A confiança é uma sensação de expectativa confiante e baseia-se no preparo adequado e na repetição bem-sucedida.
- A competência é a capacidade contínua de agir habilidosamente para atingir objetivos.

CONGRUÊNCIA
- Congruência é o seu envolvimento total e o alinhamento com aquilo que você faz. Ela atua em diferentes níveis:
  · envolvimento na realização do treinamento;
  · alinhamento dos níveis neurológicos: ambiente, comportamento, capacidades, crenças, valores, identidade espiritual;
  · congruência mensageiro-mensagem na qual você representa os valores e habilidades que está treinando;
  · congruência das mensagens verbais e não-verbais.

CUIDANDO DE SI MESMO
- Dissociar e aprender com as críticas.
- Rever e aprender com cada treinamento.
- Cuidar de si mesmo é importante para evitar o esgotamento:
  · teste o seu treinamento;
  · relaxe e tire férias;
  · aprenda alguma coisa completamente diferente;
  · ouça o seu corpo;
  · considere as críticas no nível comportamental e não no de identidade;
  · examine as diferenças entre quem você é e quem você deseja ser.

# CAPÍTULO 14

# O AMBIENTE DO TREINAMENTO

O treinamento reúne três elementos: o instrutor, os treinandos e o ambiente do treinamento. Uma medida fundamental é preparar o ambiente para que ele funcione como apoio para uma excelente experiência de treinamento para todos, incluindo você.

A administração e a organização de um curso de treinamento é um tema amplo e existem bons livros que tratam desse assunto em detalhes. Aqui, focalizaremos as preparações que podem ser feitas para assegurar que os participantes alcancem um bom estado de aprendizagem.

Você tem algum controle sobre o ambiente. Não perca tempo e esforço tentando modificar o que não está dentro do seu alcance. Faça o melhor com aquilo que você tem. Nenhuma sala de treinamento é absolutamente ideal, a não ser aquela que você mesmo projetaria, mas, mesmo assim, seja claro sobre o que você considera o mínimo aceitável.

## Acesso universal

Acesso universal significa preparar o treinamento, na medida do possível, para que nenhum grupo de pessoas seja automaticamente excluído pela natureza do seu trabalho ou deficiência. Por exemplo, as datas e os dias de treinamento prolongado podem dificultar a participação de pais. Alguns locais podem ser inacessíveis para pessoas com deficiências. A conscientização está aumentando nessa área, mas o progresso é lento.

O problema é mais visível quando as pessoas têm dificuldades de locomoção. O local do treinamento pode necessitar de rampas para cadeiras de rodas, elevadores e locais reservados no estacionamento. Há também pessoas com deficiências visuais ou auditivas. Um amplificador de som no local de treinamento é uma excelente medida. Não temos dúvida de que, cada vez mais, as pessoas terão consciência do problema do acesso universal, e tudo o que pudermos fazer para ajudar, num treinamento, será útil. Pessoalmente, acreditamos em oportunidades iguais para todos. Todos são igualmente valiosos como alunos e como pessoas. Procuramos fazer treinamentos que facilitem a participação de todos.

*Acomodações*

Se você puder escolher a sala que vai usar, escolha uma que seja confortável, com boa acústica, com o mínimo de distração possível e espaço suficiente para os exercícios que você planejou. Examine o local a partir da perspectiva dos treinandos. O que eles vêem? Verifique se as instalações elétricas da sala são adequadas. Você deverá determinar exatamente o equipamento necessário e informar os organizadores. A luz natural é a melhor. Há evidências de que a luz fluorescente dificulta a concentração. Com certeza, ela não é o ideal. Talvez seja necessário manter as janelas fechadas durante uma parte do tempo, o que afetará a temperatura e a circulação do ar. Até a apresentação mais atraente induzirá à letargia numa sala quente e mal ventilada. A culpa é da sala, não do treinamento. As melhores salas de treinamento devem manter uma temperatura entre 19-20° C e ser bem ventiladas.

As cadeiras são importantes. O cérebro só consegue absorver aquilo que o traseiro pode agüentar. Cadeiras confortáveis são essenciais, e a disposição delas no ambiente transmite uma mensagem sobre o treinamento e sobre o relacionamento entre os participantes e o instrutor. A distribuição (ou arranjo) das cadeiras pode variar consideravelmente, dependendo do tipo de apresentação que você estiver fazendo. Uma sala de aula em que as cadeiras estão dispostas em fileiras retas, de frente para o instrutor, transmite uma mensagem sobre estrutura e hierarquia. Muitas pessoas fazem uma associação negativa entre cadeiras enfileiradas e o ambiente escolar que, na verdade, dificultam a aprendizagem. Uma disposição circular das cadeiras transmite uma mensagem diferente, pois o instrutor não tem nenhum local preferido. Colocar as cadeiras em forma de U, com o instrutor posicionado na entrada do U, é uma disposição popular, pois estimula a interação e a participação. As cadeiras desocupadas podem ser colocadas de lado, para visitantes, convidados e retardatários.

Planejar intervalos no meio da manhã e da tarde faz parte das providências práticas necessárias. Os preparativos para o almoço devem ser claros. A variedade de alimentos é importante. O *feedback* dos treinandos deixa claro que é mais importante a variedade dos alimentos do que a presença dos seus alimentos prediletos. Se o almoço não for servido no local, os participantes desejarão conhecer as alternativas; o intervalo de tempo para o almoço deve ser suficiente para que todos façam a refeição sem pressa.

A seguir, uma lista de verificação do equipamento e dos materiais para a sala de treinamento e para o instrutor:

**Lista de verificação do ambiente**

*Sala*
espaço suficiente
cadeiras confortáveis

recursos para necessidades especiais
arranjo das cadeiras
cadeiras
disposição geral
sistema de som para o instrutor (se houver)
teste de som
luz artificial ou natural suficiente
boa ventilação ou ar-condicionado
quantidade suficiente de toaletes para ambos os sexos
toaletes acessíveis aos deficientes
telefones disponíveis
saídas de incêndio
canal claro de comunicação externa com o instrutor e os participantes
chá, café, biscoitos e refrigerantes disponíveis
providências para o almoço
segurança de objetos pessoais
acesso universal

**Lista de verificação antes do curso**

*Materiais do treinamento*
crachás
lista de inscrição
apostilas
outros materiais para a aprendizagem
folhas de papel em branco
lápis e canetas

*Equipamento*
projetor e *slides*
quadro de avisos
marcadores
*flip charts*
apagadores
papel sobressalente para o *flip chart*
pincéis atômicos
câmera de vídeo
monitor de vídeo
videocassete
gravador

*Diversos*
jarra de água e copos
estojo de primeiros socorros

tesouras
recados auto-adesivos
fita adesiva
clipes para papel

# O ambiente do treinamento

***Pontos-chave***

- O ambiente do treinamento é importante para que todos fiquem no melhor estado de aprendizagem.
- Use o ambiente à sua disposição, arrume-o o melhor que puder e seja claro a respeito do que é inaceitável.
- Preste atenção aos problemas de acesso universal.
- Examine as salas para verificar:
  - espaço adequado;
  - boa iluminação, acústica, aquecimento e ventilação adequados;
  - distribuição ou arranjo das cadeiras, conforto e disposição geral.
- Antes do curso, faça uma lista de verificação da sala e dos materiais de treinamento.

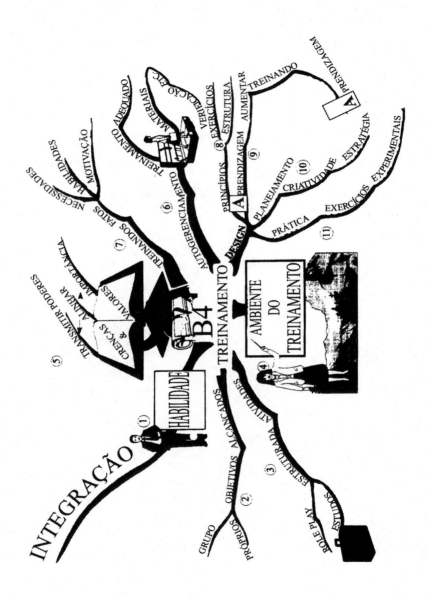

# PARTE TRÊS
## DURANTE O TREINAMENTO

# Resumo

O local está arrumado, você e os treinandos estão prontos. Mesmo que você seja um instrutor experiente, provavelmente, sentirá uma mistura de excitamento e ansiedade. Você definiu a sua tarefa, estabeleceu os seus objetivos em termos de conhecimento, habilidades e atitudes que deseja que os treinandos aprendam. Você preparou os materiais e a apresentação. Você sabe que tipo de ambiente de aprendizagem pretende criar. Você sabe que dará o melhor de si e espera ansiosamente para aprender com o treinamento. Agora, a sua platéia espera por você.

O que os treinandos estarão sentindo? O que trarão com eles? Eles terão expectativas e objetivos, alguns conscientes, outros não. Eles desejarão adquirir conhecimentos e habilidade úteis, de maneira agradável; podem estar lá por livre escolha ou, no pior dos casos, sob coação; podem estar bem motivados ou influenciados pelo desânimo no trabalho. Seja qual for a situação, ninguém entra numa sala de treinamento com a intenção de passar horas desagradáveis.

Qual seria a opinião de um observador imparcial sobre o treinamento? Quando você pensa sob esse ponto de vista, ocorre um fenômeno bastante estranho. As pessoas interagem numa complexa dança de comunicação, algumas vezes uma pessoa conduzindo, algumas vezes outra. A pessoa lá na frente, ora conduzindo, ora respondendo ao grupo. Tantas mensagens expressas e não expressas sendo transmitidas, que é impossível percebê-las conscientemente e, mesmo assim, parece haver propósito e padrão no evento.

*Principais habilidades de treinamento*

Para criar o padrão e manter o propósito, existem seis principais habilidades de treinamento, intimamente associadas:

- Descrição múltipla: alternar pontos de vista.
- Criar e manter o *rapport* com o grupo.

- Congruência pessoal, a arte de transmitir mensagens coerentes.
- Estabelecer e acompanhar continuamente os objetivos.
- Manter o próprio estado de recursos.
- Criar, nos participantes, estados de aprendizagem com muitos recursos.

As outras habilidades dependem dessas seis principais; portanto, como um resumo, falaremos sobre cada uma delas.

**Descrição múltipla**

É a habilidade para enxergar diferentes pontos de vista. Há o seu ponto de vista, o dos treinandos, o da empresa e o ponto de vista imparcial, que observa a dança. Mover-se entre eles lhe confere a habilidade para tornar o treinamento tridimensional. Você nunca ficará sem saída ou encurralado, pois sempre há outro modo para observar o que está acontecendo, um outro ângulo da questão.

**Criar e manter *rapport* com o grupo**

O *rapport* é a criação de um relacionamento com os treinandos e entre eles. Sem isso, os treinandos poderiam ler sozinhos as apostilas. Simplificando, o *rapport* é a habilidade para influenciar, e a receptividade para ser influenciado, em muitos níveis diferentes. Quando você tem suficiente *rapport*, valorizará aquilo que é verdadeiro para os treinandos e saberá o que fazer em seguida para atender às suas necessidades de aprendizagem e aos seus objetivos comuns. Sem ele, você dará o treinamento perfeito, aquele que *você* desejaria como treinando e não aquele de que *eles* precisam.

Em qualquer situação de treinamento há um equilíbrio entre tarefas e relacionamento. O *rapport* cria relacionamentos. Quanto melhor o relacionamento, mais fácil a tarefa.

**Congruência pessoal**

Nós já mencionamos os três tipos de congruência. Primeiro, o seu envolvimento com o treinamento. Segundo, a congruência mensageiro-mensagem: você é um exemplo da mensagem que está transmitindo. Por exemplo, se você estiver fazendo um treinamento na área financeira, a sua credibilidade e capacidade não serão favorecidas se os seus assuntos financeiros forem uma bagunça.

Terceiro, o seu alinhamento pessoal. Você está em *rapport* consigo mesmo, e confortável com os participantes. Todas as partes de sua comunicação, as palavras, a voz e a linguagem corporal transmitem a mesma mensagem. Quando as suas diferentes partes trabalham em conjunto, harmoniosamente, é como uma regata, onde o timoneiro e a tripulação trabalham em perfeita cooperação com o barco e os elementos. Os bons instrutores preocupam-se com o treinamento e com os treinandos, e isso é visível. Seja você mesmo e mostre a eles o quanto você se preocupa. Os seus ouvintes não se importarão em saber o quanto você sabe, se souberem quanto você se preocupa com eles.

## Estabelecer e acompanhar os objetivos

Os seus objetivos estarão estabelecidos antes do início do treinamento e uma parte de sua mente deve acompanhá-los. Os objetivos, embora flexíveis, formam o mapa básico daquilo que você está fazendo. Talvez seja necessário alterá-los ou mesmo modificá-los completamente, durante o treinamento. Por exemplo, fui chamado para dar um treinamento de habilidades de aconselhamento e negociação, numa empresa bem conhecida. A empresa acabara de fazer algumas mudanças drásticas e a maior parte dos treinandos estava desmoralizada, insegura e ressentida. Deixei de lado os meus objetivos originais porque eles não eram adequados e estabeleci novos objetivos para verificar o que estava acontecendo e descobrir como eles se sentiam a respeito. Isso exigiu a maior parte da primeira manhã e, só então, eles estavam preparados para continuar. Quando já estavam preparados, pudemos utilizar todo o material que se revelara como base para as habilidades de aconselhamento e negociação.

Você terá objetivos "finais" que lidam com os níveis de segmentos mais amplos: apresentar o treinamento de maneira competente e agradável, com *feedback* da empresa de que as necessidades do treinamento foram atendidas. Alguns dos seus objetivos irão lidar com os níveis de segmentos médios, por exemplo, dar aos treinandos novas habilidades e vê-las demonstradas. Haverá ainda os objetivos do processo dos segmentos menores: como você vai chegar a esses objetivos finais; a estrutura e a apresentação do treinamento. Haverá ainda objetivos menores que auxiliam os mais amplos: responder satisfatoriamente às perguntas, estabelecer exercícios de fácil execução, respeitar horários, fazer o que for necessário para acompanhar os objetivos mais amplos. O treinamento pode ser considerado como uma série completa de objetivos do processo, uns embutidos nos outros, todos alinhados com o objetivo principal e incluídos nele. E, a qualquer momento, talvez seja necessário prestar atenção a coisas como o restabelecimento do *rapport* do grupo ou o seu próprio estado de recursos.

Um bom instrutor estará consciente, em algum nível, do objetivo que está buscando ativamente a cada momento. Você pode interrompê-lo a qualquer hora e perguntar: "Qual é o seu objetivo ao dizer ou fazer isso?", e obter uma resposta sensível descrevendo os objetivos menores para aquele momento e como eles se relacionam ao objetivo mais amplo.

## Manter o próprio estado de recursos

O estado emocional do instrutor é, provavelmente, a variável mais importante na determinação do sucesso de um treinamento. Dela fluem todas as outras habilidades. Quando você está nervoso ou ansioso, não raciocina com tanta clareza nem age com tanta eficiência como quando você está num bom estado emocional. O treinamento inclui ficar na frente das pessoas, colocar-se em evidência e ter algum tipo de desempenho ou apresentação e, para muitas pessoas, essa é uma das mais assustadoras experiências de vida.

Quase todos têm expectativas antes de uma atuação, independente de quantas vezes já tenham feito isso no passado. Felizmente, a maior parte dos realizadores bem-sucedidos afirma que um pouco de excitação é necessária para apresentar um bom desempenho. Entretanto, há um limite que, se ultrapassado, transforma essa sensação em inquietação, apreensão e ansiedade e, no final desse espectro, encontra-se o estágio do terror paralisante. A tarefa aqui é utilizar a excitação e mantê-la num nível no qual possa ser útil.

Criar estados de recursos é uma parte importante da preparação para um treinamento e é fundamental mantê-los durante o treinamento. Isso é fácil quando tudo está dando certo. O teste vem quando acontece o inesperado, quando alguém faz uma pergunta particularmente difícil ou comporta-se de maneira difícil ou levanta uma questão sobre a qual você se sente inseguro ou sensível.

**Criar, nos participantes, estados de aprendizagem com muitos recursos**

Evoque estados de aprendizagem e curiosidade nos treinandos. Caso contrário, sua matéria fascinante encontrará um terreno difícil. Assim que conseguir a atenção e o interesse deles, será fácil apresentar a matéria e, mais importante, ela será aprendida com facilidade.

Isso é muito mais fácil quando você conhece bem o assunto que está treinando. Então, você pode entrar na sala de treinamento com a "mente vazia", pronto para reagir a qualquer coisa que aconteça no momento. Com todos esses níveis do processo, sua mente consciente terá muito com o que lidar, sem precisar pensar conscientemente na matéria. Paradoxalmente, quando você está menos preocupado com o conteúdo, é mais fácil apresentá-lo. Confie na sua competência inconsciente — desde que você tenha feito sua lição de casa. Você não quer que a sua preciosa atenção seja desviada por um diálogo interno inútil sobre o conteúdo da matéria.

Há outras duas facetas do treinamento que permeiam todas as já mencionadas. Primeiro, você precisa prestar atenção ao mundo externo. Isso parece óbvio — como você obterá *rapport*, acompanhará objetivos e cuidará de uma infinidade de outras questões, a não ser observando o que está acontecendo no grupo? Prestar atenção ao mundo externo é, algumas vezes, chamado de *uptime* (alerta para fora), embora, com freqüência, os instrutores fiquem tão absorvidos nos próprios pensamentos relacionados ao assunto, que deixam de responder ao grupo. O outro lugar é o *downtime* (alerta para dentro), dentro da sua cabeça. Embora você possa mergulhar nesse lugar ocasionalmente, como, por exemplo, para responder a uma pergunta difícil, quando estiver treinando você deve ser um turista lá, não um habitante.

A segunda é o compromisso com a aprendizagem. Se você puder aprender a aprender e ensinar nesse nível, seus treinamentos serão sempre completos. Dê um peixe para uma pessoa com fome e você a alimentará por um dia. Ensine-a a pescar e ela poderá alimentar a si mesma e a outras pessoas. Ensine-a a ensinar o que for necessário e você criará uma abundância crescente. Uma de nossas principais motivações para escrever este livro é a de tornar amplamente disponível a riqueza das estratégias para "aprender a aprender", recentemente desenvolvidas pela PNL.

## Aprendizagem inconsciente

Ao ler esta seção, tenha em mente que as pessoas aprendem de duas maneiras muito diferentes: consciente e inconscientemente. A atenção consciente dos seus treinandos estará principalmente voltada para a compreensão da matéria, enquanto, num nível inconsciente, eles estarão processando muito mais coisas. Uma das habilidades do treinamento é certificar-se de que as partes importantes sejam processadas inconscientemente.

Alguns instrutores vão mais longe, afirmando que treinar é entreter a mente consciente e ensinar a inconsciente. Quando o treinamento ensina habilidades, por exemplo, o excesso de raciocínio e análise pode intervir com a aprendizagem prática. É muito melhor dar um treinamento onde os treinandos vão embora capazes de utilizar as habilidades, mesmo que não tenham compreendido nitidamente os motivos, do que um treinamento onde eles vão embora incapazes de realmente utilizar as habilidades, apesar de tê-las compreendido muito bem. Esse é o perigo ao se ensinar coisas demais para a mente consciente. Os treinandos vão embora conhecendo o assunto, mas com pouca competência para *fazer* alguma coisa com ele. De qualquer modo, os treinandos estarão aprendendo inconscientemente durante todo o treinamento. As únicas perguntas são: "O que eles estão aprendendo?" e "Isso faz parte dos objetivos comuns do curso?".

## Acrescentando escolhas

Não há maneira "certa" para fazer um treinamento, e você descobrirá muitas idéias diferentes nesta seção. O objetivo é oferecer mais escolhas naquilo que você faz. Utilize-as se elas forem úteis, aperfeiçoe-as se elas não funcionarem para você, e crie algumas. O treinamento, como a leitura de um livro, ocorre com o passar do tempo e, portanto, deve obedecer uma seqüência. As partes do treinamento irão se encaixar como um todo, que é maior do que a soma das suas partes, como as peças de um quebra-cabeças, que formam uma imagem que você não consegue imaginar a partir de uma peça.

Nesta seção apresentamos e separamos os padrões numa seqüência, para uma compreensão mais fácil. Naturalmente, todas as idéias estão inter-relacionadas, como as partes de um quebra-cabeças. Nossa intenção é revelar os

elementos importantes num treinamento bem-sucedido e isolá-los, momentaneamente, na sua atenção consciente. Apresentamos exemplos para dar vida a essas habilidades e o convidamos a questionar continuamente:
"O que mais posso pensar a esse respeito?"
"Como posso adaptar esse padrão?"
"Qual a melhor maneira para utilizar essa idéia?"

## Parte três — resumo

*Pontos-chave*

- Há seis habilidades fundamentais de treinamento que dão poder a todas as outras:

    **Principais habilidades de treinamento**
    - Descrição múltipla, pela alternância de pontos de vista.
    - Criar e manter o *rapport* com o grupo.
    - Congruência pessoal, a arte de transmitir mensagens consistentes.
    - Estabelecer e acompanhar continuamente os resultados.
    - Manter os seus próprios estados de recursos.
    - Criar, nos treinandos, estados de aprendizagem com muitos recursos.

- Para que essas habilidades funcionem, você precisa voltar sua atenção para fora.
- Treinar e pensar em dois níveis: aprendizagem; e aprender a aprender.
- Aquilo que as pessoas aprendem inconscientemente é, pelo menos, tão importante quanto o que elas aprendem conscientemente.
- Identificar nessa seção os padrões que você pode usar e adaptá-los aos seus propósitos. Se eles funcionarem, use-os. Se não funcionarem, ignore-os.

# CAPÍTULO 15
# INICIANDO O TREINAMENTO

*Iniciar no horário*

O seminário tem início, meio e fim. Inicie no horário, a não ser que existam bons motivos para atrasar. Isso faz parte da administração da estrutura temporal e da cortesia com o seu grupo. Muitas pessoas dão tolerância de cerca de dez minutos após o horário de início e, depois disso, você está atrasado. Se, por qualquer razão, você vai começar mais tarde, avise o grupo e determine outro horário.

## Aspectos práticos

Após os comentários de abertura, o primeiro item da sua agenda será lidar com os aspectos práticos: o tempo de duração do seminário, quando haverá intervalos e qual a sua duração, em que local é permitido fumar e assim por diante. Por exemplo, lembro-me de um treinamento num local com muitos quadros de pintura moderna pendurados nas paredes. A sala tinha um formato incomum, com diversas entradas e saídas. Chamamos a atenção para essas coisas logo no início e elas foram estruturadas como distrações, "somente se deixássemos". Quando nos esquecíamos de fazer isso, descobríamos que, mais tarde, as pessoas se queixavam ou se distraíam durante o seminário. Compartilhar com elas as dificuldades práticas diminui os problemas e ajuda a criar *rapport*.

Se o treinamento estiver sendo gravado em vídeo, explique o que está acontecendo e por quê. Se for usar o vídeo com os treinandos, como parte do treinamento, explique sua utilidade. Decida antecipadamente se as pessoas podem usar gravadores no seminário.

Complete qualquer outro detalhe prático e encerre essa parte solicitando perguntas sobre qualquer questão prática que você possa ter esquecido.

Para você o treinamento já terá começado. Você quer que ele comece para os treinandos? Separe essas questões práticas da parte principal do seminário dizendo algo como: "Antes de começarmos, há algumas questões práticas que devem ser consideradas". Faça essa separação espacialmente, ficando num lugar diferente do seu "lugar de treinamento" e usando uma linguagem corporal diferente. Depois disso, mude a sua linguagem corporal, vá para o seu "lugar de treinamento" e comece. Geralmente, as pessoas recebem a mensagem inconscientemente, mas você pode observar as interessantes mudanças de postura, respiração e atenção quando você muda de lugar e começa "de verdade".

## Criar rapport *com o grupo*

Crie *rapport* com o grupo a partir do momento em que entrar na sala. A maneira mais fácil para iniciar o *rapport* é compartilhando uma experiência positiva, um caso divertido ou fazendo um comentário bem-humorado. Faça todos rirem juntos. Você pode ancorar esse estado positivo com uma palavra ou um gesto e, se quiser, voltar a ele mais tarde. É bom fazer um contato visual com todas as pessoas nos primeiros cinco minutos, mesmo que vocês já tenham se encontrado antes do início.

Você também deve acompanhar as expectativas, crenças e valores do grupo. O tipo de grupo que você tem determinará grande parte daquilo que você vai fazer. Um grupo de executivos será muito diferente de um grupo de terapeutas ou professores. Para alguns grupos talvez seja necessário estabelecer a sua credibilidade, fazendo uma referência a alguma matéria publicada ou a uma experiência anterior cuidadosamente escolhida.

## A platéia de especialistas

Algumas vezes você estará treinando uma platéia de especialistas, outras, uma platéia que se considera especialista. Aqui, talvez, seja preciso caminhar com cuidado para evitar o perigo de uma resposta como: "Oh! Sim, vamos ver se você pode *me* ensinar alguma coisa!".

Comece a acompanhar dizendo: "Gostaria de lembrá-los de que todos vocês conhecem as suas funções muito melhor do que eu. O meu papel é oferecer-lhes táticas e técnicas adicionais que possam ajudá-los a obter resultados ainda melhores, se vocês estiverem dispostos a tentar".

## A platéia relutante

Possivelmente, o desafio maior é trabalhar com pessoas que estão no treinamento contra a vontade, que foram obrigadas a comparecer. Você poderia começar dizendo algo assim: "Alguns de vocês estão aqui porque querem e alguns porque foram obrigados. Quando isso me aconteceu, não achei agradável e foi difícil obter alguma coisa valiosa com a experiência. Gostaria que o tempo que iremos passar juntos fosse o mais proveitoso possível e apreciaria se vocês me ajudassem a pensar na melhor maneira de vocês aproveitarem esse treinamento".

**Cultura**

Há também a questão da diferença de cultura. Evidentemente, o treinamento em diferentes países exige diferentes abordagens. Os Estados Unidos, a Inglaterra e a França, por exemplo, são culturalmente muito diferentes. De modo geral, se você for de um país diferente, os grupos lhe darão o benefício da dúvida e, quanto mais você puder se adaptar desde o início, mais *rapport* obterá.

Da mesma maneira, as culturas das empresas são muito diferentes. Quando estiver fazendo um treinamento numa empresa, conheça a sua linguagem técnica. Não pressuponha que uma palavra tem o mesmo significado em diferentes culturas empresariais. Por exemplo, a cultura empresarial da Apple é muito diferente daquela da IBM. Firmas diferentes têm maneiras diferentes de fazer as coisas e diferentes valores. Igualmente, dentro de uma empresa, muitas vezes você encontra culturas surpreendentemente diferentes em partes diferentes da organização. Integre-se o máximo que puder à cultura na qual você se encontra.

# Introdução

Há muitas maneiras para começar um curso de treinamento e grande parte depende do estilo pessoal, do número de treinandos e dos objetivos desejados. Um grupo de 12 pessoas é uma proposta bastante diferente de um grupo de cem. À medida que o tamanho do grupo aumenta, você tenderá a ser mais um realizador do que um facilitador.

Enquanto você se apresenta, uma atitude bastante útil é revelar alguns interesses particulares, bem como contar algumas experiências que lhe dêem credibilidade. Os treinandos saberão alguma coisa a seu respeito e poderão começar a se relacionar com você como pessoa e não apenas como um instrutor. Isso também estabelece pontos de contato pelos interesses comuns.

Seja qual for o tipo de introdução que você escolheu, ela terá diversas funções. Ela atrairá a atenção dos treinandos, dará início ao processo de conhecimento entre treinandos e instrutores, estabelecerá sua credibilidade e criará estruturas úteis para o treinamento.

### A *"série sim"*

Você pode incorporar uma técnica conhecida como a "série sim" aos seus comentários iniciais. Crie a participação numa seqüência, por exemplo, começando com afirmações óbvias sobre o local do treinamento, o tempo ou o assunto do treinamento. Todos concordarão. Então, continue fazendo perguntas como: "Quantos de vocês já tiveram um treinamento sobre esse assunto?" ou "Quantos de vocês são gerentes/professores/vendedores?". Peça que levantem as mãos. Você poderá obter informações e, ao mesmo tempo, aumentar a participação e o envolvimento do grupo.

Uma escolha diferente é começar com afirmações controversas como uma maneira para despertar o interesse do grupo. Aqui, a pior escolha seria apresentar alguma coisa sem importância de um modo que pudesse provocar discussões.

## Estabelecendo estruturas

Estabelecer uma estrutura significa determinar um contexto para um propósito. Uma estrutura é uma maneira de encarar uma situação. Por exemplo, a sua estrutura (mental) para ler este livro por prazer seria bastante diferente daquela que você teria para fazer uma revisão de erros. As estruturas que você determina oferecem às pessoas maneiras para compreender o conteúdo do treinamento. Elas são cruciais porque estabelecem os filtros por meio dos quais você deseja que a matéria seja interpretada.

Em alguns dos treinamentos que fazemos, afirmamos explicitamente no início: "Parte desse assunto poderá desafiar suas crenças. Quando isso acontecer, notem o desafio, observe como vocês se sentem a esse respeito e o coloquem de lado para uma futura avaliação. Isso permitirá que vocês aproveitem o assunto ao máximo e poderão conservar intactas todas as suas crenças, se ainda desejarem". Essa maneira de eliminar as dúvidas pode evitar dificuldades que poderiam se tornar significativas. Esse tipo de estrutura antecipada para evitar um problema que você imagina que possa surgir é conhecido como *outframing*. Quando você realmente tem um problema, modificar a forma como os treinandos o percebem é conhecido como *ressignificação*. Isso pode ser difícil. Uma grama de *outframing* vale mais do que uma tonelada de *ressignificação*.

Uma outra estrutura bastante útil vem do modelo de aprendizagem, no qual o estágio mais desconfortável, o da incompetência consciente, é também o estágio em que se aprende mais.

Existem estruturas gerais que você talvez queira determinar no início. Por exemplo, pedir que todos os comentários e perguntas lhe sejam dirigidos assegura o uso efetivo do tempo do grupo e evita discussões improdutivas entre os treinandos. Pedir ao grupo para informá-lo quando houver qualquer dificuldade é uma maneira de obter um *feedback* proveitoso. Peça a ajuda deles para começar o treinamento no horário e para voltarem dos intervalos a tempo. Se *você* cumprir essas estruturas temporais, eles também o farão.

### Repetir três vezes

Uma das muitas "Regras de Ouro" das apresentações é: "Diga a eles o que você vai dizer, depois diga a eles e, finalmente, diga a eles o que você disse".

A repetição de pontos-chave é importante para a aprendizagem. Como? Repetição de pontos-chave... Sim, mas eles *realmente* precisam ser habilidosamente distribuídos. Se você estivesse lendo este livro à procura de estruturas, encontraria pontos-chave reiterados, de diferentes maneiras, em diferentes lugares. Portanto, uma boa escolha é dar aos treinandos um mapa do treinamento, expondo a eles o que você vai abordar. Por outro lado, você pode usar o modelo da viagem encantada, com destino ignorado, e mergulhar diretamente no assunto. Se sua escolha for a viagem encantada, informe aos treinandos no início; caso contrário, eles poderão ficar perdidos e culpá-lo.

## Objetivo dos treinandos

Os treinandos terão objetivos, e há diversas vantagens em conhecê-los desde o início. Isso mostra que você se importa. Talvez você também queira verificar se os seus objetivos como instrutor do grupo são muito diferentes dos objetivos do grupo. O bom treinamento combina os dois objetivos, beneficiando a todos.

O inconveniente de se evocar explicitamente os objetivos dos treinandos é que eles podem torná-lo vulnerável. Uma vez conhecidos, você não terá desculpas por não fazer um esforço para realizá-los!

Os treinandos podem não saber exatamente quais são seus objetivos, e uma de suas tarefas como instrutor é ajudar a esclarecê-los. Se as pessoas vão a um treinamento sem saber o que desejam, torna-se muito difícil satisfazê-las, e você, o instrutor, terá que lidar com o *feedback* — que, na verdade, pode ser bastante claro.

### *Evocando os objetivos dos treinandos*

Há diversas maneiras para evocar objetivos sem interrogar as pessoas. Você pode inseri-los no final das apresentações. Peça que cada pessoa se apresente ao grupo, dizendo o seu nome, contando um pouco sobre o seu trabalho, sua experiência e conhecimentos anteriores na área do curso de treinamento e o que ela quer levar consigo no final do treinamento. Estabeleça uma estrutura temporal para isso, digamos, mais ou menos um minuto para cada pessoa.

Se você tiver um grupo grande, as apresentações poderão ser muito demoradas. Então, convide-os a formar pequenos grupos e se apresentarem, durante cinco minutos, ao mesmo tempo, criando alguns objetivos.

Uma pessoa de cada grupo sugere algumas palavras-chave resumindo os objetivos para o treinamento. Essas palavras-chave podem ser colocadas no *flip chart* ou na lousa, no início do treinamento, e servirão de lembrete para todos (incluindo você) durante todo o tempo.

Outra variável são as "esperanças e temores". Peça para cada pessoa dizer algumas frases sobre as melhores e as piores coisas que poderiam acontecer. Os treinandos podem formar pares para verificar suas esperanças e temores e depois revelá-los. Essas revelações mostram o que deve ser evitado, bem como o que deve ser feito e, ao mesmo tempo, estabelecem o *rapport* no grupo.

## Primeiros exercícios

Evocar objetivos também pode quebrar o gelo e funcionar como um exercício de aquecimento. O principal objetivo desses exercícios iniciais é deixar as pessoas à vontade e estabelecer *rapport*.

Há muitos exercícios de aquecimento e diversos livros sobre esse assunto. Você pode praticar e desenvolver os seus preferidos. Algumas vezes, você pode inventá-los num impulso, para atender a determinada necessidade. Eis um exercício para você começar.

**Exercício para comparar estados**

Estávamos iniciando um treinamento para instrutores sobre dois temas: a manutenção do próprio estado emocional de recursos e evocação de estados de recursos nos treinandos. Pedimos que metade do grupo se lembrasse de um treinamento ruim do qual tivessem participado, enquanto a outra metade observava as mudanças na sua fisiologia. Após alguns minutos, o instrutor interrompeu aquela linha de raciocínio e, imediatamente, pediu ao primeiro grupo para lembrar-se de um treinamento bom, do qual tivessem participado. Quando terminaram, solicitamos algumas palavras-chave para descrever a experiência do treinamento bom e algumas palavras-chave para descrever a experiência do treinamento ruim. Quando eles terminaram (o exercício durou menos de cinco minutos), o outro grupo, que estivera observando, passou pelo mesmo processo, enquanto o primeiro grupo observava. Então, houve uma rápida discussão sobre as diferenças observadas. Encerramos o exercício escrevendo as palavras-chave do treinamento bom e do ruim, em quadros separados na parede, e explicamos que a nossa intenção era criar essas boas qualidades, mas, se eles sentissem qualquer uma das outras, que nos informassem imediatamente.

O exercício focalizou o grupo nos seus critérios para treinamentos bons e ruins e na calibração das sutis mudanças fisiológicas na postura, respiração e tônus muscular do outro grupo, enquanto passavam pelas duas experiências. Ele também foi uma demonstração de como evocar estados emocionais nos treinandos. Tivemos cuidado em terminar o exercício com a experiência do treinamento bom. O exercício também foi útil para nós, pois pudemos observar como o grupo ficava quando estava aborrecido e insatisfeito e quando estava energizado e interessado.

*Aprendendo os nomes*

Durante a primeira parte de um seminário você desejará saber o nome das pessoas, se elas não estiverem usando crachá. Para estabelecer *rapport* com o grupo, é importante que o instrutor saiba o nome de todos.

Uma estratégia de memorização é visualizar o nome dos treinandos impresso em suas testas enquanto eles se apresentam. Uma estratégia mais auditiva seria repetir uma característica importante juntamente com o nome, por exemplo: "Fred tem cabelos encaracolados" ou "Sarah tem um sotaque escocês" etc. Evite escolher roupas como características, porque as pessoas mudam de roupa.

No início, use os nomes em todas as oportunidades, até aprendê-los.

Você pode criar um jogo particular para aprender, verificando com que rapidez você consegue aprender o maior número de nomes. Como medida do que é possível, gostaríamos que você soubesse que há um instrutor que pode aprender oitenta nomes em uma hora, enquanto fala com um grupo...

## Iniciando o treinamento

### Pontos-chave

- Iniciar no horário.
- Cuidar de todos os aspectos práticos.

CRIAR *RAPPORT* COM O GRUPO
- Estabelecer sua credibilidade.
- *Outframe*, a platéia de especialistas.
- Ressignificar a platéia relutante.
- Procurar as diferenças culturais e acompanhá-las.
- Usar a "série sim".

ESTABELECENDO ESTRUTURAS
- Usar o estabelecimento da estrutura para criar filtros.
- Um grama de *outframing* vale mais do que uma tonelada de ressignificação.
- Usar uma estrutura de controle para canalizar toda a comunicação por seu intermédio.
- Considerar o desconforto como evidência de aprendizagem.
- Repetir três vezes.

OBJETIVOS DOS TREINANDOS
- Evocar os objetivos dos treinandos e combiná-los com os seus.

**PRIMEIROS EXERCÍCIOS**
- Aquecimentos.
- Um exercício para comparar estados.
- Aprender os nomes.

# CAPÍTULO 16
# ESTADOS EMOCIONAIS DOS TREINANDOS

Uma de suas principais tarefas como instrutor é a de despertar a curiosidade dos participantes e ajudá-los a aprender e aproveitar a aprendizagem. A habilidade e o conhecimento obtidos dependem do estado em que nos encontramos quando estamos aprendendo. Isso é óbvio, embora muitas vezes seja esquecido ou reconhecido apenas da boca para fora. Para a PNL isso é fundamental.

Por exemplo, se você aprendeu matemática na escola, achou difícil, não compreendeu e, por isso, sentiu-se mal, então, depois disso, sempre que usá-la novamente sentirá aquela sensação ruim. A escola não é um caso especial. Transfira habilidades e conhecimento num bom estado emocional.

*Modelos tradicionais*

Há um modelo de treinamento, originalmente criado no mundo da educação, no qual uma pessoa culta despeja o seu precioso e raro conhecimento em recipientes vazios, que se mostram devidamente agradecidos. Entretanto, os alunos não são recipientes vazios. Tentar compreender a educação ou o treinamento como uma transferência de informações de mão única, do instrutor para os participantes, é como tentar compreender as regras do tênis limitando-se a observar apenas metade da quadra. Você pode fazer complexas análises estatísticas sobre o número de vezes que o jogador dá uma cortada, mas não perceberá a essência do jogo.

Esse modelo unilateral de "recipiente vazio" provoca algumas conseqüências desastrosas. Em primeiro lugar, se os participantes não compreenderem, presumirão que a culpa deva ser deles. Eles devem ser estúpidos. Isso nos leva à nefasta "estrutura de culpa", na qual o fracasso e a culpa ficam girando como um cilindro solto do seu eixo. Deve ser culpa de *alguém* — e se não for deles, deverá ser sua! Surgem a auto-recriminação, as sensações ruins e o estresse.

Ao considerar a comunicação como um ciclo, a culpa torna-se irrelevante: existem apenas resultados. Esses resultados lhe dão o *feedback* de que você precisa para melhorar. Se você não obtiver a resposta que deseja, então faça alguma outra coisa, até conseguir. A percepção dos treinandos e a sua flexibilidade de comportamento lhe permitirão atingir seu objetivo a tempo. Isso também é "responsabilidade", a habilidade para responder. O quer que aconteça, você aprenderá.

*Evocando estados de aprendizagem*

Dizem que não podemos ensinar nada a ninguém. Entretanto, podemos criar um contexto para despertar a vontade de aprender. Uma das maneiras mais efetivas é por meio da evocação de estados emocionais. Como você evoca estados? Antes de respondermos, fazemos outra pergunta: Que estado você deseja evocar?

Suponhamos que você queira evocar um estado de intensa curiosidade. Esse seria um estado extremamente útil para os treinandos, você não acha? Há diversas maneiras de conseguir isso e encontramos uma realmente excelente, que funciona como mágica sempre que a utilizamos. Até onde sabemos, ela ainda não foi publicada porque os instrutores a escondem ciumentamente, como um feiticeiro escondendo uma fórmula mágica. Antes de falarmos a seu respeito, uma pergunta: Você ficou curioso? Você ficaria desapontado se não houvesse nenhum método infalível? Você acha que o objetivo desse parágrafo é fazê-lo sentir curiosidade, expectativa e, então, desapontamento? Até que ponto conseguimos isso?

Uma outra maneira para modificar o estado emocional das pessoas é contar uma história. Ela não precisa ser complexa — as experiências comuns, partilhadas, funcionam melhor. Essa manhã, por exemplo, eu estava atrasado para um encontro importante. O trânsito estava bom e eu cheguei dois minutos adiantado, quando alguém estacionou o carro na única vaga disponível num raio de três quilômetros. Já lhe aconteceu de ficar rodando pelas ruas, procurando uma vaga para estacionar e observando os minutos passarem? Só de pensar nisso você fica impaciente, não é?

Pense em alguns exemplos simples como esse para evocar o tipo de estados que você deseja: curiosidade, relaxamento, aprendizagem, entusiasmo, alegria.

Em nossos treinamentos para instrutores usamos um exercício que dá aos treinandos uma oportunidade para evocar estados.

**Exercício de evocação de estado**

Esse exercício é para grupos de quatro pessoas:

1. Cada pessoa pensa em três estados que gostaria de evocar nos grupos que está treinando. Cada estado é anotado em uma folha de papel, em separado, e, posteriormente, dobrada.
2. Cada pessoa coloca seus três estados-alvo no centro, formando um conjunto de 12 estados-alvo.

3. A primeira pessoa assume o papel de instrutor para o grupo. Ao acaso, ela escolhe uma das folhas de papel do centro e tenta evocar aquele estado nas outras três pessoas do grupo. O grupo não sabe qual é. O instrutor pára quando acha que conseguiu seu objetivo ou após cerca de um minuto, não mais, e pergunta qual a seqüência de estados experimentada por cada pessoa.
4. Cada pessoa informa rapidamente o estado que experimentou e o que terminou. A tarefa não é adivinhar o estado-alvo, mas, simplesmente, reagir ao que o instrutor faz.
5. Então, se o instrutor conseguiu evocar o estado-alvo, é a vez de outra pessoa. Se o instrutor não teve sucesso, diz ao grupo qual era o estado. Então, o grupo mostra para o instrutor como eles agiriam e o que diriam se realmente estivessem naquele estado. O instrutor anota o que eles disseram e pode tentar novamente durante um minuto.
6. Todos se revezam no papel do instrutor.

Esse exercício é fascinante e, geralmente, o processamento posterior revela alguns pontos muito úteis. Por exemplo, os estados têm nomes bastante genéricos e as pessoas podem dar nomes diferentes a estados semelhantes. Alguém pode estar afundado numa poltrona, com os olhos semicerrados, rosto relaxado e descrever o seu estado tanto como transe, tédio ou relaxamento.

Além disso, os treinandos utilizam muitas estratégias diferentes no exercício. Alguns entram primeiramente no estado-alvo para demonstrá-lo; modificam sua fisiologia, postura e padrão de respiração e isso afeta o seu grupo.

Uma outra estratégia para evocar estados é fazê-lo diretamente, por meio de seu comportamento. Se você deseja evocar a curiosidade, então aja de maneira estranha e misteriosa. Exatamente aquilo que você faz é irrelevante, mas a sua atitude é importante.

Alternativamente — e isso depende do estado em particular — você faz o grupo se movimentar. É mais difícil ficar excitado quando estamos grudados numa cadeira. Dança, charadas e exercícios são todos possíveis. Você pode pedir ao grupo, direta ou indiretamente, para evocar uma ocasião em que estiveram nesse estado. Pedir o estado diretamente seria mais ou menos assim: "Lembre-se de uma ocasião em que você ficou curioso...". Pedir indiretamente seria: "Lembre-se de uma ocasião em que você sabia que alguma coisa iria acontecer mas não sabia o que era...". Você também pode lhe pedir para imaginar um contexto no qual aquele estado seria natural: "Imagine que você é um explorador e encontrou esse estranho objeto na grande pirâmide. Enquanto você o examina, ele parece ser...".

As possibilidades são intermináveis: você pode dar uma tarefa para o grupo, pode contar uma história, real ou inventada... As únicas limitações são as suas próprias regras auto-impostas. Todo instrutor tem regras auto-impostas, adquiridas na instrução direta, na modelagem de outro instrutor ou transferidas de um outro contexto para o treinamento. Pergunte-se:

"Quais são as minhas regras para o comportamento do instrutor?". Enquanto lê este livro, esperamos que você se sinta desafiado por algumas das idéias. Sempre que pensar: "Eu jamais poderia fazer isso" ou "Não devo fazer isso", pergunte-se: "O que aconteceria se eu fizesse?" ou "O que me impede?". Você pode acabar ampliando os seus limites — apenas o quanto desejar, é claro — e descobrir que as paredes apertadas, na realidade, são elásticas. Algumas regras são necessárias, porém quantas? Como disse Einstein: "Deixe as coisas serem tão simples quanto possível, porém não mais simples do que isso".

*Acuidade sensorial*

Há muito mais coisas no mundo do que aquelas que ouvimos e percebemos. Como dizem, a realidade deixa muito à imaginação.

Como um instrutor, você deve dirigir sua atenção para os treinandos, se quiser ajudá-los a permanecer num bom estado de aprendizagem. Com sua atenção voltada para fora, você pode criar filtros para saber o que olhar e o que ouvir.

Eis um exercício divertido que irá ajudá-lo a desenvolver esses filtros. Com ele você pode praticar o acompanhamento dos níveis de atenção de um grupo. Nós o utilizamos em treinamentos para instrutores e descobrimos que ele funciona melhor com grupos pequenos, entre cinco e dez pessoas.

**Exercício de acompanhamento da atenção**

1. O exercício começa com uma pessoa representando o papel do instrutor diante de um pequeno grupo. Ela pode escolher sobre o que vai falar durante mais ou menos três minutos.
2. Uma segunda pessoa fica atrás do instrutor e sua tarefa é apontar para determinadas pessoas do grupo que, aos poucos, deixarão de prestar atenção no instrutor, que não pode ver esses sinais; portanto, ele não sabe quem está sendo influenciado.
3. A tarefa do instrutor é perceber quem está deixando de prestar atenção e atrair novamente sua atenção, tão suavemente quanto possível, enquanto continua a apresentação. Se o instrutor ficar sobrecarregado, ele simplesmente pára e informa.
4. A tarefa do grupo é observar as diferentes estratégias que cada instrutor utiliza para atrair novamente a atenção das pessoas.

O instrutor tem muitas escolhas à sua disposição. Ele pode gesticular, fazer alguma coisa inesperada, contar uma anedota rápida, fazer uma pergunta para alguém, chamá-la pelo nome ou envolver o grupo em alguma atividade física. Essas são estratégias úteis para ter em mente.

# Estados dos treinandos

*Pontos-chave*

- Os alunos não são recipientes vazios e o treinamento é um jogo de mão dupla.
- Evite a "estrutura da culpa" e assuma responsabilidade pessoal.
- Se o que você está fazendo não estiver funcionando, continue mudando até conseguir.
- Desenvolva suas habilidades para evocar estados de aprendizagem positivos:
  - dê exemplos;
  - conte uma história;
  - entre no estado desejado;
  - use o seu tom de voz;
  - faça alguma coisa que evoque o estado naturalmente;
  - faça o grupo se movimentar;
  - pergunte diretamente;
  - pergunte indiretamente;
  - crie um contexto imaginário;
  - dê-lhes uma tarefa;
  - descreva um exemplo pessoal.
- Identifique e reduza qualquer regra auto-imposta que limite sua flexibilidade.
- Acuidade sensorial:
  - mantenha sua atenção voltada para os treinandos;
  - desenvolva os seus filtros para os estados que você deseja;
  - aprenda a manter um excelente nível de atenção de todos sobre você.

## CAPÍTULO 17

# ESTILOS DE APRENDIZAGEM

A aprendizagem é o propósito do treinamento, tanto para os treinandos quanto para o instrutor. Ela é um talento natural. Na verdade, nós não podemos *não* aprender. Entretanto, a tentativa e o esforço são evidências de que, algumas vezes, a aprendizagem não ocorre com facilidade. Elas agem como sinais da necessidade de mudanças no processo de aprendizagem.

Isso contraria algumas de nossas crenças culturais de que aprender é difícil e tentar é bom. Não gostaríamos de repetir que o sistema de educação formal tende a reforçar essa crença.

Embora todos sejamos alunos inatos, também temos preferências sobre o que aprendemos e como aprendemos. Como um instrutor você também possui forças e fraquezas particulares em sua maneira de pensar e apresentar o assunto. Ter consciência do próprio estilo de aprendizagem e dos diferentes estilos dentro de um grupo significa que você pode deixar de lado as próprias preferências e apresentar o assunto de maneiras diferentes, tornando-a fácil para todos.

## Metaprogramas

*Metaprograma* é um termo técnico usado em PNL para descrever filtros inconscientes e habituais que aprendemos a utilizar em nossa experiência. Eles determinam quais informações serão percebidas e de que maneira. Poderíamos receber muitas informações, mas nossa mente consciente é limitada e, assim, é preciso fazer uma seleção. Pense num copo de água. Agora, imagine que você está bebendo a metade da água. O copo está metade cheio ou metade vazio? As duas coisas, naturalmente. Algumas pessoas percebem o lado positivo de uma situação, o que realmente está lá; outras, notam o que está faltando.

Embora muitos padrões possam ser qualificados como metaprogramas, eis um resumo dos que são mais úteis no contexto do treinamento. Nenhum deles é "melhor" ou "correto" em si mesmo. Durante a leitura você pode descobrir que concorda com determinado ponto de vista em cada categoria. Essa é uma pista para o seu padrão. Os metaprogramas foram desenvolvidos originalmente por Richard Bandler e Leslie Cameron Bandler e, posteriormente, foram especialmente desenvolvidos para serem utilizados na área empresarial por Rodger Bailey, como O Perfil da Linguagem e do Comportamento. A compreensão dos metaprogramas irá ajudá-lo a entender a atitude por trás de determinadas perguntas e reações, fornecendo algumas pistas sobre a melhor maneira para lidar com elas.

## Aproximação e afastamento

Uma importante diferença nos estilos de aprendizagem está entre a pessoa que vai em direção ao objetivo positivo e aquela que se afasta dos problemas e dificuldades. Muitas pessoas sentem-se motivadas por aquilo que desejam. Com freqüência, elas perguntam diretamente como poderão alcançar resultados com o assunto do treinamento. Outras, indicarão os possíveis problemas. Elas são motivadas a evitar as dificuldades e enxergam nitidamente o que pode não dar certo, percebendo com precisão infalível os possíveis problemas sobre o assunto.

Para lidar com isso, você precisa acompanhar os problemas. Reconheça que sim, há um possível problema e, então, diga como ele pode ser evitado. Outras vezes, talvez, seja necessário dizer que, literalmente, há uma infinidade de coisas que não *poderiam* dar certo. A única maneira para descobrir, com certeza, o que pode acontecer, é *fazendo*.

## Interno e externo

Para muitas pessoas é importante tomar as próprias decisões e definir os seus modelos, pois têm referências internas. Por outro lado, as pessoas com referências externas adquirem os seus padrões no exterior e buscam direção e instrução nos outros.

A pessoa com referências internas precisa de tempo para assimilar a matéria. Quando isso acontece, elas compreenderão claramente o seu valor e estarão dispostas a colocá-lo em prática. As pessoas com referências externas estarão mais inclinadas a ouvir a matéria e usá-la imediatamente. Com freqüência, elas são mais cooperativas como sujeitos de demonstrações.

## Opções e métodos

Um terceiro padrão trata da utilização de métodos. Algumas pessoas são eficientes na execução de cursos de ação estabelecidos. Elas sentem-se motivadas e boas no acompanhamento de uma série de etapas fixas. Elas gostam de seqüências. Outras desejam ter escolhas e acham mais difícil seguir métodos estabelecidos. Elas gostam de ter alternativas. Para elas, é bom incluir certo grau de flexibilidade em qualquer método estabelecido. Alternativamente, se for importante seguirem o método ao pé da letra, você pode explicar como isso lhes proporcionará muito mais escolhas no futuro.

### Geral e específico

Provavelmente, a distinção mais útil nos estilos de aprendizagem no contexto do treinamento está entre o geral e o específico. As pessoas do padrão geral sentem-se mais à vontade lidando com grandes segmentos de informação. Elas prestam pouca atenção aos detalhes. As pessoas do padrão específico prestam atenção aos detalhes e precisam de pequenos segmentos para entender a imagem mais ampla.

Quando você estiver apresentando informações, esteja preparado para "segmentar para baixo", entrando em detalhes, bem como "segmentar para cima", para dar uma imagem mais ampla. Como um apresentador, perceba o seu estilo para manter um bom equilíbrio entre o geral e o específico.

### Semelhança e diferença

Algumas pessoas notam, principalmente, as semelhanças entre diversas coisas. Elas também tendem a apreciar a estabilidade e a continuidade em suas vidas. Outras, observam aquilo que é diferente e, geralmente, buscam experiências e trabalhos diferentes. Essas pessoas mostram as diferenças e tendem a envolver-se em discussões.

Em qualquer comparação, sempre há semelhanças e diferenças, como nesta página, que é tanto branca quanto preta. Portanto, quando fizer comparações, enfatize as duas. Uma pessoa que segmenta para baixo e separa as diferenças, examinará a informação com um pente fino, procurando discrepâncias. Isso é muito útil em diversos tipos de trabalho, mas é alarmante no contexto de um treinamento.

## Canais sensoriais

As pessoas preferem receber informações por meio de diferentes canais sensoriais. Algumas gostam de ver a matéria. Você pode satisfazê-las com demonstrações, folhetos, *flip charts* e projeções, vídeos, filmes etc. Esses alunos lembram-se daquilo que vêem.

Outras são mais auditivas e gostam de ouvir a matéria. Para elas, o ideal é a matéria baseada no discurso, com muitas perguntas e respostas. Elas se lembrarão daquilo que foi discutido, e a sua lembrança do treinamento pode ocorrer em forma de uma gravação, mental ou real, da apresentação.

As pessoas cinestésicas precisam fazer exercícios e desempenhar papéis. Elas aprendem fazendo e, talvez, se movimentem bastante. Isso não significa que não estejam prestando atenção. A idéia de que os alunos devem permanecer quietos para prestar atenção é remanescente dos tempos de escola. O que você deve fazer? Você não pode agradar a todos, o tempo todo. Mas você pode agradar a algumas pessoas, durante algum tempo, e certificar-se de que "algumas pessoas" são sempre diferentes, para que todos os estilos sejam atendidos. A modelagem de excelentes professores mostra que eles ensinam das três maneiras: com imagens, sons e sensações.

Utilize materiais de treinamento que satisfaçam os três principais sentidos e escolha palavras que estimulem o raciocínio nos três canais. Esse é o equivalente não-verbal dos materiais de treinamento que abrangem todos os sentidos. As pessoas percebem isso, entram no comprimento de onda certo e compreendem a matéria.

Ouça uma gravação dos padrões de linguagem que você utiliza durante o treinamento e observe qual o seu sistema preferido e qual o mais fraco. Um instrutor que diversifica sua linguagem, incluindo todos os sentidos, abrangerá todas as pessoas. Esse é um dos aspectos do *rapport* verbal.

Utilize uma linguagem não-verbal congruente com as suas palavras. Assim, se você estiver pedindo ao grupo para ver uma idéia, fale um pouco mais rápido e gesticule para cima, sugerindo o padrão ocular da visualização. Se estiver lidando com material auditivo, fale um pouco mais devagar, use a voz expressivamente, movendo-se e falando mais ritmadamente. Os *workshops* para músicos são modelos desse tipo de apresentação, como seria de se esperar. Finalmente, se você deseja que o grupo evoque suas emoções, fale cada vez mais devagar e gesticule para baixo, em direção ao lado direito deles. De qualquer maneira, é provável que você já esteja fazendo algumas dessas coisas. Você pedirá que o grupo veja uma imagem que você já pode ver, ouvir um som que você está ouvindo e sentir uma emoção que você está sentindo. Isso faz parte da apresentação congruente da matéria.

Existem poucos estudos a esse respeito, principalmente, porque é difícil avaliar o *feedback* com precisão. Um desses estudos foi realizado na Universidade de Moncton, em New Brunswick, Canadá. O estudo era um teste de soletração de palavras, uma habilidade que necessita da capacidade para visualizar as palavras e conferir a soletração com uma imagem lembrada. Os grupos que foram instruídos a visualizar soletrações corretas obtiveram resultados 35% melhores do que os outros, com quase 100% de memorização das palavras.

## Conceito, estrutura e utilização

Esse é um modelo bastante útil sobre a maneira como aprendemos, sendo atualmente desenvolvido por Florence Kesai, Deanna Sagar e Michael Miller, na Califórnia. O modelo é o de que as pessoas se encaixam em três categorias amplas. Ao aprenderem uma matéria nova, algumas pessoas preferem ouvir primeiramente o conceito. Os conceitos são a filosofia, a teoria e o raciocínio por trás da matéria. Outras gostam de compreender primeiro a estrutura. A estrutura é a organização da matéria, como as partes se encaixam, mapas, diagramas e como tudo funciona. Um terceiro grupo, primeiramente, gosta de saber o que é vantajoso, a utilização e as aplicações práticas.

As pessoas diferem em sua seqüência preferida. Uma pessoa pode preferir compreender primeiramente a teoria por trás das idéias, então entender como as informações se encaixam e, finalmente, buscar maneiras para colocá-las em prática. Outra pode preferir colocá-las em prática e utilizar a matéria sem conhecer ou se preocupar muito com a sua lógica. Então, ela pode descobrir e desenvolver os seus modelos e, finalmente, desenvolver as teorias por trás dos modelos. Talvez você queira deduzir qual a minha seqüência preferida pela maneira como apresentei essa seção sobre Conceito, Estrutura e Utilização.

Nesse modelo, há três importantes idéias para os instrutores. Uma é que todos têm um ponto de partida preferido. Para conhecê-lo você pode usar um exercício de aquecimento conhecido como o "Jogo das Três Portas".

Diga ao grupo que você deseja compartilhar algumas novas informações. Existem três portas. Atrás da Porta Um estão os conceitos, a teoria e a filosofia. Atrás da Porta Dois estão a estrutura e as conexões, como funciona. A Porta Três oculta as aplicações, usos e benefícios.

Qual das portas os treinandos gostariam de abrir em primeiro lugar? Isso dividirá o grupo em três e lhe dará uma idéia ampla sobre a melhor maneira de seqüenciar a matéria.

Um segundo aspecto do conceito, estrutura e utilização é incluir todos os três em sua apresentação. Ao dar informações ou apresentar uma matéria, dê alguns elementos dos conceitos e da filosofia por trás da idéia. Isso deixará os conceitualistas satisfeitos. Fale um pouco da estrutura, de como as partes estão organizadas e se encaixam, com diagramas, se for adequado. Em terceiro lugar, lembre-se de mostrar sua utilização, as aplicações práticas, pois, caso contrário, sua idéia permanecerá boa e estruturada, porém inútil.

Um terceiro elemento nesse modelo, possivelmente aquele com maior potencial, é que tendemos a omitir a última categoria em nossa seqüência. Por exemplo, quando dou alguma informação, tenho uma seqüência: conceito, estrutura, utilização. Provavelmente, você já tinha percebido. No passado, quando eu fazia treinamentos, apresentava os conceitos, mostrava como tudo se encaixava e omitia as aplicações. Agora que sei qual é a minha seqüência, diversifico a ordem de apresentação, algumas vezes começando com o conceito, outras com a estrutura e, de vez em quando, com a utilização. Certifico-me de abranger todas as três. Essa única mudança fez uma grande diferença nos treinamentos que realizo. Descobrir qual é o seu elo fraco pode fazer o mesmo por você.

# Estilos de aprendizagem

*Pontos-chave*

- A aprendizagem ocorre naturalmente.
- O bom treinamento facilita a aprendizagem.
- Metaprogramas são maneiras habituais sistemáticas e inconscientes de raciocinar. Conscientizar-se delas pode ajudá-lo a adaptar a matéria a diferentes estilos:
  - Aproximação — Afastamento
  - Interno — Externo
  - Opções — Métodos
  - Geral — Específico
  - Semelhança — Diferença
- Canais sensoriais:
  - Alterne entre todos os três principais canais sensoriais na linguagem que você usa.
  - Alinhe os seus gestos com o canal sensorial que você deseja que o grupo utilize.
- Conceito, estrutura e utilização:
  - Os alunos têm um ponto de partida e uma seqüência preferidos.
  - Você pode ter uma tendência a omitir a última etapa em sua seqüência.
  - Use todas as três em seu treinamento.

# CAPÍTULO 18
# EXERCÍCIOS

*Propósito*

Exercícios são atividades estruturadas onde os treinandos praticam habilidades num ambiente de apoio. Assim, eles são a essência do treinamento experimental. A sua forma e propósito são variados — por exemplo, um exercício de aquecimento para apresentar os treinandos e um desempenho de papel numa longa negociação são ambos exercícios. Os melhores exercícios não apenas conduzem as pessoas através de uma seqüência, permitindo que descubram por si mesmas as habilidades ou conhecimentos embutidos no exercício, como também os instalam. Um exercício realmente bom permitirá que os alunos descubram coisas que nem você percebeu estarem contidas na matéria.

Focalizaremos o processo dos exercícios no treinamento tomando como exemplo um exercício clássico para treinamento de habilidades interpessoais. Enquanto você lê, talvez já tenha em mente um exercício específico.

Acompanharemos os exercícios do treinamento pelas seguintes etapas:

- preparação;
- criando e estruturando o exercício;
- demonstrando;
- esclarecendo a demonstração;
- fazendo o exercício e treinando;
- processando o exercício.

Nem todos os exercícios passarão por todas essas etapas; portanto, adapte-os e utilize-os de acordo com a sua matéria.

*Preparação*

Antes do exercício verifique as suas anotações, reais ou mentais, e ensaie mentalmente, para ter a certeza de que você é capaz de fazê-lo como deseja. Verifique se o material necessário está pronto. Talvez seja necessário preparar uma transparência ou escrever antecipadamente as instruções do exercício no *flip chart*. Verifique novamente os seus objetivos para o exercício, declarados e ocultos, e reveja as suas ligações para que o novo exercício se encaixe no fluxo do treinamento.

**Papéis**

Parte da sua preparação será esclarecer os diferentes papéis envolvidos no exercício. Os exercícios podem incluir qualquer número de pessoas, de uma pessoa até um grupo inteiro, dependendo da natureza da matéria. O exercício experimental clássico criado para instalar uma habilidade comportamental incluirá três papéis diferentes:

O primeiro é o da pessoa que está praticando a nova habilidade, conhecido como "programador" ou "explorador".

O segundo é o da pessoa com quem o programador está praticando — o "sujeito" ou "cliente". O cliente interpreta a si mesmo ou algum outro personagem para que o programador possa praticar a técnica. Ele deve entrar verdadeiramente nesse papel.

Finalmente, há o "observador" ou "metaprogramador". O observador tem diversas responsabilidades. Ele é o representante do instrutor no grupo e acompanha o cliente e o programador, para que nenhum nenhum deles fique sobrecarregado. Geralmente, o observador tem a responsabilidade de controlar a estrutura temporal estabelecida para o exercício e está na posição perfeita para dar *feedback* ao explorador e ao cliente — envolvido, porém não comprometido. (A diferença entre estar envolvido e estar comprometido é bem demonstrada num café da manhã com *bacon* e ovos, no qual a galinha está envolvida, mas o porco foi comprometido.)

Em geral, os exercícios experimentais são bem rápidos — de 5 a 20 minutos para cada série. Haverá três séries; portanto, um exercício durará de 15 minutos a uma hora.

*Criando e estruturando o exercício*

Você precisa apresentar o exercício, associá-lo ao que aconteceu antes e ao que virá a seguir. Estabeleça estruturas para o exercício; como você deseja que os treinandos o percebam? De todas as possíveis coisas nas quais eles *poderiam* prestar atenção, para onde você direcionará a atenção deles? Seja explícito sobre a estrutura do objetivo (o que o exercício pretende alcançar). Considere o porquê, o quê e como — porque eles estão fazendo o exercício, quais os conceitos por trás dele e quais as suas aplicações. O que o exercício é. Como ele é realizado, as etapas e os detalhes práticos. Verifique se os participantes compreenderam todos esses pontos.

Se o exercício é planejado para lidar com determinado tipo de problema, mencione-o antecipadamente, para que as pessoas tenham tempo de encontrar um exemplo específico para o desempenho dos papéis.

## Demonstrando

Agora você precisa decidir como deseja organizar as etapas e os detalhes práticos do exercício. Geralmente, a maneira mais efetiva é fazer primeiramente uma demonstração. Uma boa demonstração mostra o procedimento do exercício, e os treinandos não precisam se esforçar para compreender as instruções. Entretanto, as demonstrações são facas de dois gumes. Os treinandos imitarão o que estão vendo, o que lhe dá a responsabilidade de demonstrá-lo com clareza.

A sua demonstração dependerá da complexidade do exercício. Num exercício complexo, envolvendo habilidades de negociação, você talvez queira fazer uma série completa. Alternativamente, se o exercício for repetitivo, por exemplo, como transformar uma pergunta fechada numa pergunta aberta, respondendo com uma outra pergunta, você talvez queira mostrar apenas um número suficiente de repetições antes de os treinandos começarem.

Quando, por qualquer motivo, você se desviar da técnica que está demonstrando, informe o grupo naquele momento.

Talvez você queira fazer comentários sobre o desenvolvimento da demonstração com o propósito de enfatizar alguns pontos. Ao fazer esses metacomentários, marque-os, mudando sua atenção, seu tom de voz, postura e posição. Quando tiver terminado, volte à demonstração. Essa atitude mantém separados os dois aspectos da demonstração.

### Identifique os sujeitos ideais para a demonstração

Se você precisa de um sujeito para a sua demonstração, pergunte-se que tipo de pessoa seria melhor para a demonstração do exercício e quem se aproxima mais do ideal. Escolha alguém que você sabe que será cooperativo.

Há dois tipos de pessoas que podem ser sujeitos difíceis para uma demonstração. O primeiro é a pessoa que habitualmente está na metaposição, tendendo a dissociar-se da experiência. Isso não é muito útil quando você deseja expressividade e impacto emocional. Aqui, você precisa de um sujeito totalmente associado à experiência. O segundo tipo de sujeito difícil é a pessoa com referências muito internalizadas. Ela estará decidindo e julgando por si mesma e não vai segui-lo automaticamente. Geralmente, as pessoas com esses padrões tendem a sentar-se no fundo da sala, de braços cruzados e recostadas na cadeira.

Logo no início do seminário, você pode descobrir as pessoas com referências externas, cooperativas, pedindo que todos executem uma pequena tarefa, como arrumar as cadeiras. Anote mentalmente aquelas que reagiram prontamente. Geralmente, elas são os melhores sujeitos para demonstrações.

**Convocando o sujeito para a demonstração**

Após identificar antecipadamente os seus potenciais auxiliares, a maneira mais simples para convocá-los é pedindo diretamente a sua ajuda: "Carole, você poderia me ajudar a mostrar as etapas do próximo exercício?". Preferido ser um pouco mais sutil, você pode dizer: "Para mostrar como isso acontece, vou precisar de ajuda e estou imaginando quem estaria disposto a me ajudar!". Ao mesmo tempo, faça contato visual com os prováveis auxiliares, e termine a pergunta olhando para a pessoa que você prefere. Você também pode acrescentar um convite não-verbal, com um gesto.

Depois da demonstração, agradeça ao sujeito e deixe-o voltar para seu lugar, a não ser que sua permanência seja importante para responder a perguntas sobre sua experiência no exercício. Se você quiser que ele fique, verifique se isso o deixa à vontade.

A sua principal função como instrutor numa demonstração é mostrar o exercício para o grupo e depois beneficiar o sujeito da demonstração. Se esses dois objetivos forem conflitantes, o grupo deve vir em primeiro lugar. Você talvez queira estabelecer uma estrutura antes de iniciar, e se achar que a demonstração está demorando muito, você pode interrompê-la e informar o grupo. Verifique se a pessoa concorda com isso. Se for adequado, vocês podem continuar o trabalho mais tarde. Então, agradeça a sua colaboração, dispense-a e convoque um outro voluntário ou descreva o que você teria feito se a demonstração tivesse continuado até o fim.

**Se você não demonstrar...**

Se você deseja que os treinandos descubram o próprio estilo para aplicar a habilidade, dê instruções claras sobre cada papel, mas não demonstre. Dê instruções para que cada papel seja desempenhado num lugar diferente, para que os papéis fiquem marcados espacialmente e as instruções sejam compreendidas.

*Esclarecendo a demonstração*

Após a demonstração, e antes do exercício, você pode evocar as etapas do exercício com o grupo. Continue perguntando: "O que eu fiz a seguir?". Escreva as principais etapas do exercício no *flip chart*. Alternativamente, você pode especificar as etapas diretamente ou lhes entregar um folheto. Agora o grupo tem uma demonstração comportamental, um lembrete visual e instruções auditivas. Você abrangeu as três principais formas de aprendizagem.

Você precisa esclarecer respondendo a quaisquer perguntas. Crie essa estrutura pedindo apenas perguntas relacionadas ao processo. Diga: "Vocês têm alguma pergunta sobre como *fazer isso agora*? Por favor, guardem qualquer outra pergunta para depois do exercício". Responder perguntas como:

159

"O que fazer se acontecer tal e tal coisa?" não é proveitoso. O propósito do exercício é as pessoas descobrirem sozinhas.

Quando não houver mais perguntas, verifique se todos estão prontos para iniciar o exercício e veja se há uma aceitação congruente. Informe com clareza as estruturas temporais: "Esse é um exercício para três pessoas, com dez minutos por série. Portanto, no total, são trinta minutos". Diga que elas podem procurá-lo e fazer qualquer pergunta durante o exercício.

## *Fazendo o exercício e treinando*

Provavelmente, você passará a maior parte do tempo supervisionando o exercício com essa pergunta em mente: "O que eu posso fazer e que fará uma grande diferença na qualidade da aprendizagem?". Treinar é uma habilidade em si mesma, e há livros que tratam apenas desse assunto. Eis algumas idéias fundamentais.

Em primeiro lugar, uma vez que a aprendizagem experimental ocorre pela descoberta, só interfira em último caso. Interfira apenas se o exercício estiver se desviando demais do objetivo, se o aluno estiver confuso ou se lhe pedirem ajuda. Com freqüência, se o observador parecer desconfortável, é uma pista para interferir. Se você não tem certeza do que está acontecendo, pergunte ao observador, em voz baixa. Geralmente, é melhor esperar até o final do exercício antes de fazer comentários.

Quando realmente for necessário interferir, não caia na armadilha de colocar-se na posição do especialista que pode "fazer direito", interferindo para expor a incompetência do programador. A aprendizagem oferecida é esquecida, enquanto a aprendizagem evocada é deles para o resto da vida.

Assuma a segunda posição, a do aluno, e a partir do seu ponto de vista escolha a abordagem que, provavelmente, funcionará melhor: suave ou mais desafiadora; declarada ou oculta. Um bom hábito a ser adquirido é o do "sanduíche de *feedback*". Comece reconhecendo aquilo que eles estão fazendo bem, faça uma pergunta para examinar as dificuldades e termine com outro reconhecimento. Em nossa cultura, poucas pessoas sofrem de excesso de valorização.

Eis algumas perguntas úteis:

"Quais os pontos que você não endendeu?"
"O que mais você poderia ter feito aqui?"
"O que você acha que 'X' teria feito?"

Talvez você queira fazer perguntas para conduzir o programador a um estado de mais recursos:

"Como você deveria se sentir para ser capaz de fazer isso?"
"... e em que ocasião você se sentiu assim?"

Talvez você queira lhe pedir para sair do seu lugar no grupo de três e se imaginar fazendo novamente os últimos minutos do exercício, a partir da posição do observador, para obter uma nova perspectiva.

Se você não conseguir nada com o programador, você pode, respeitosamente, lhe oferecer outras escolhas:

"O que você acha que teria acontecido se você tivesse feito 'X'?"
"Você gostaria de considerar outras possibilidades?"

Acima de tudo, resista à tentação de interferir e fazer o exercício para eles. Se isso acontecer, nem você nem os treinandos aprenderão muito e eles perderão uma importante oportunidade para aprender.

Finalmente, faça uma ponte ao futuro com o programador:

"Portanto, na próxima vez, você pode..."

Como você é responsável pelo controle do tempo, pode ser muito útil ter uma sineta ou um diapasão para controlar as etapas ou séries do exercício. Talvez você queira informar que o tempo de cada série está terminando, para que os grupos tenham tempo de processar o exercício.

Finalmente, crie diversas formas efetivas para trazer os grupos de volta ao grupo principal. Aquilo que você diz é importante. Compare a frase: "Vocês podem terminar agora?" com "Eu gostaria que vocês *terminassem agora* e, assim que *estiverem prontos*, podem *voltar agora* e, enquanto *fazem isso*, observem os comentários e perguntas que *vocês estão* trazendo *agora*".

## *Processando o exercício*

Você deverá processar o exercício para completar o ciclo de aprendizagem. O grupo aprenderá com a experiência dos outros, e a sua função é criar esse contexto e facilitar o processo. Portanto, após o exercício, peça comentários, observações e perguntas, estabelecendo as estruturas que forem adequadas. Use a oportunidade para enfatizar pontos importantes e organizar a matéria. Esclareça qualquer dúvida e comece a generalizar a matéria para outras situações, com exemplos ou fazendo a pergunta: "O que mais vocês poderiam fazer com esse material?".

## *Ponte ao futuro*

A parte final de um exercício é a ponte ao futuro ou ensaio mental. As habilidades funcionam melhor na atmosfera cooperativa da sala de treinamento. O mundo lá fora não é tão compreensivo. Isso é duplamente verdadeiro quando os treinandos devem voltar para um ambiente de trabalho com todas as antigas associações e pessoas que tentam fazer as coisas voltarem ao *status quo* existente antes do treinamento.

O treinamento tradicional não presta muita atenção na ponte ao futuro; para a PNL ela é uma parte integral de todos os exercícios. Dez por cento é o mínimo do tempo do treinamento que deve ser dedicado à ponte ao futuro; do contrário, as habilidades não serão transferidas. Você pode criar um exercício completo com a ponte ao futuro, no qual os treinandos desempenharão papéis de clientes difíceis, gerentes indiferentes ou esposas cínicas, ensaiando as novas habilidades.

## Exercícios

*Pontos-chave*

- Preparação do exercício:
  - focalizar claramente o objetivo do exercício e os seus objetivos para os treinandos;
  - decidir se você vai demonstrar o exercício e, se for, identificar os bons sujeitos.
- Criar e estruturar o exercício:
  - abranger o porquê, o quê e como;
  - dar instruções claras, espacialmente marcadas, para os diferentes papéis.
- Demonstrar o exercício, se for necessário:
  - aceitar somente perguntas que esclareçam o procedimento.
- Fazer o exercício:
  - supervisionar e treinar;
  - interferir o mínimo possível e somente para aumentar a aprendizagem;
  - treinar por meio do reconhecimento daquilo que eles fizeram bem, assim como daquilo que poderia ter sido feito de outra maneira;
  - controlar o tempo de cada etapa e, no final, reunir novamente o grupo.
- Processar o exercício:
  - ouvir os comentários, observações e perguntas;
  - generalizar a matéria, dar exemplos e fazer uma ponte ao futuro para transferir as habilidades.

# CAPÍTULO 19
# LIDANDO COM PESSOAS DIFÍCEIS

Não existem treinandos resistentes, apenas instrutores inflexíveis.

As pessoas, assim como as perguntas difíceis, pertencem a duas categorias principais: aquelas que pretendem ser deliberadamente difíceis e aquelas que o instrutor considera difíceis. Do ponto de vista do instrutor, ambas podem ser um desafio e uma oportunidade. Pense em como o treinamento seria enfadonho se todos concordassem com você o tempo todo — embora, algumas vezes, essa proposição pareça muito atraente.

Nós pretendemos evitar a apresentação de estereótipos que falam sobre "O Sabe-tudo", "O Dispersivo" etc. Embora esse seja apenas um resumo, é melhor focalizarmos o comportamento e não a pessoa. Tratar uma pessoa como se ela *fosse* o seu comportamento, provavelmente, irá reforçá-lo. Em sua mente, separe o comportamento da pessoa e mantenha-se sempre num estado de recursos.

O contrário também é importante: as pessoas estão reagindo ao seu comportamento, não a você. A sua identidade não está ameaçada.

Resistência não é algo que a pessoa tem, como cabelos ruivos ou um terno cinza. Resistência é uma reação a alguém que está nos pressionando. É impossível resistir a alguma coisa. Portanto, a primeira pergunta que o instrutor deve fazer para si mesmo é: "Como eu estou contribuindo para a resistência dessa pessoa?" ou "O que eu estou fazendo que está mantendo o problema dessa pessoa?".

É sempre mais fácil evitar a resistência do que lidar com ela; portanto, as estruturas que você determina são importantes. Ao examinar uma dificuldade no treinamento, sempre se pergunte qual a estrutura que você poderia ter estabelecido e que teria eliminado o problema antes que ele surgisse. Preste atenção a quaisquer comandos embutidos em sua linguagem. Se você disser coisas como: "Vocês não vão *achar isso difícil*" ou "Não *fiquem preocupados com isso*", adivinhe o que vai acontecer? Provavelmente, os treinandos vão perceber as dificuldades e começar a se preocupar, mesmo que a idéia não esteja em suas mentes. Você tende a obter aquilo que pede. Se você perguntar: "Alguma objeção?", provocará objeções.

Respeite os pontos de vista dos treinandos e não se envolva numa discussão tentando ganhá-la. Se você realmente ganhar a discussão, o seu adversário e provavelmente o grupo todo se sentirão mal. Se você não ganhar, perderá a credibilidade. Modifique a estrutura para criar uma situação na qual ambos ganhem, como por exemplo: "Essa é uma das maneiras de se considerar essa questão, a outra é.... Quais são as suas respectivas vantagens?".

Procure saber quais são as preocupações e interesses do grupo. Reconheça a sua realidade. Se você provocar resistência, repita o que eles disseram para verificar se entendeu bem. Diga alguma coisa como: "Portanto, na sua opinião..." e use as mesmas palavras dele. Isso criará *rapport* e confirmará que você realmente se preocupa com eles. Talvez seja necessário pedir desculpas: "Você está certo. Eu me enganei. Agora, de que outra maneira eu poderia ter respondido?".

Um comportamento difícil de se lidar é quando alguém questiona constantemente a sua credibilidade ou a da matéria. É bom ser cético mas, para obter o máximo de qualquer treinamento, você precisa estar preparado para eliminar as dúvidas. Quem não estiver preparado para isso estará perdendo tempo no seu treinamento. Essa pessoa poderia estar fazendo alguma coisa mais útil em outro lugar — e você pode lembrá-la disso. Inverta as posições e peça-lhe para ser cética o *suficiente* para testar a matéria e verificar se ela funciona.

Tenha um plano preparado, caso aconteça o pior. Por exemplo, o que você faria se alguém o interrompesse com insistência e agressividade? Você não pode saber antecipadamente se isso vai acontecer. Durante o período do treinamento você já passou por uma série de etapas: aumentando os intervalos, identificando a intenção positiva e ressignificando, pedindo permissão para continuar etc. Se isso não funcionou, dê um passo e coloque-se numa nova posição que você não utiliza habitualmente e diga algo como: "Sinto muito, mas nessa situação eu não posso continuar o treinamento. A minha função é apresentar essa matéria. As suas interrupções estão impedindo que eu e o grupo alcancemos nossos objetivos". Nesse ponto, você pode perguntar à pessoa o que ela está conseguindo ao permanecer no treinamento e o que ela sugere que se faça. Talvez seja necessário um pouco mais de negociação antes que ela vá embora voluntariamente. Outra alternativa é simplesmente pedir-lhe para sair. Se isso acontecer, você dá um passo e volta para sua posição normal e continua o treinamento como se nada tivesse acontecido. Uma outra opção é continuar respondendo às perguntas dela, educada e sensatamente, até o grupo perder a paciência e desafiá-la em seu lugar. O mais provável é que um treinando insatisfeito vá embora durante um dos intervalos.

Preste atenção em qualquer comportamento incomum. Se alguém fizer perguntas insistentemente ou dificultar o seminário ou, ainda, levantar questões irrelevantes, desconfie da existência de uma agenda oculta. Essa pessoa talvez pense que você não respondeu adequadamente às suas preocupações ou que suas crenças estão ameaçadas. Esses objetivos secretos ou agendas ocultas ocorrem mais nos treinamentos realizados nos locais de trabalho, onde existem lutas pelo poder e relacionamentos dentro do grupo.

Se você desconfiar da existência de determinada agenda oculta dentro do grupo, há pelo menos três maneiras de lidar com isso.

Primeiro, você pode atacá-la diretamente. Dê um passo, saindo da sua posição de treinamento, para marcar a diferença daquilo que você vai fazer a seguir. Diga algo como: "Tenho a forte impressão — e eu posso estar errado — de que o grupo está preocupado com (o objetivo oculto suspeito)" e fale a respeito dele.

Segundo, você pode ser indireto, dizendo: "O último grupo a quem eu ensinei essa matéria estava preocupado com... e eu disse...". Ou você pode provocar a conversa dizendo: "Nesse tipo de situação algumas pessoas se preocupam com... O que vocês diriam para que *elas* tivessem mais escolhas para lidar com isso?". Essa atitude dissocia o problema do grupo e, assim, torna mais fácil discuti-lo.

Terceiro, você pode contar uma história que sugira o problema, lidando com a preocupação sem mencioná-la diretamente.

Nem todos os problemas são tão difíceis e, geralmente, o grupo cuidará de si mesmo, talvez com um pouco de facilitação habilidosa de sua parte. A facilitação, como a preparação, é um tema completo em si mesmo.

Algumas vezes, um dos membros do grupo menciona continuamente a experiência de outra pessoa. Peça-lhe para falar sobre sua própria experiência. Ela pode estar fazendo uma leitura mental porque não se sente suficientemente confiante para contar a própria experiência ao grupo. Ela pode estar falando por uma pessoa tímida do grupo. Naturalmente, ela pode apenas estar habituada a fazer leitura mental.

O padrão oposto é quando uma pessoa projeta os seus próprios sentimentos no grupo. Assim, ela dirá coisas como: "As pessoas estão zangadas porque você não vai fazer...". As pessoas que projetam não assumem responsabilidade por suas afirmações. Mesmo que a projeção seja verdadeira, você deve desafiá-la. Se as pessoas não falarem por si mesmas você não saberá como elas se sentem. Talvez seja necessário dizer algo como: "Vamos verificar se as outras pessoas estão realmente sentindo o que você diz" ou "Eu entendo que você esteja sentindo isso. As outras pessoas deverão falar por si mesmas".

Um comportamento difícil de se lidar é quando alguém insiste em dificultar as coisas de maneira gentil, embora negando qualquer má intenção. Ela pode parecer inocente, cometer erros ou apenas ser infeliz em suas observações; ela parece hostil, embora o demonstre indiretamente. Pode iniciar conversas paralelas com outras pessoas, mantendo uma expressão desinteressada ou ligeiramente superior. Mantenha-se num estado de recursos e faça uma avaliação geral. Provavelmente, a melhor atitude é conversar com ela durante um intervalo. Pergunte como ela está se saindo no curso ou, se isso não der certo, mostre a sua preocupação com determinado comportamento e deixe que ela responda. Geralmente, isso revela algum problema. Uma manifestação direta de hostilidade é um passo à frente. Se você estiver errado pode pedir desculpas pelo mal-entendido.

Se alguém estiver falando mais do que o permitido durante a sessão de perguntas e respostas, explique que você quer ser justo com todos, permitindo que cada pessoa faça apenas uma pergunta ou comentário por sessão. Então, você pode interromper o tagarela, legitimamente: "Desculpe-me, David, talvez você tenha se esquecido de que já usou o seu tempo para fazer comentários nessa sessão e, assim, compreenderá se eu pedir outros comentários para o resto do grupo, por favor".

Outra situação constrangedora é quando alguém fica completando aquilo que você diz ou corrigindo-o. Ela conhece bem a matéria e, obviamente, quer que você e todos os outros saibam disso. De vez em quando, ela concorda com a cabeça, interrompe e lhe dá razão em todas as oportunidades, enquanto o grupo fica cada vez mais irritado. A intenção dela é lhe dar apoio; na verdade, ela está fazendo justamente o contrário. Nesse caso, geralmente, uma metáfora será útil. Conte a metáfora ostensivamente para o grupo todo, mas, ao mesmo tempo, gesticule não-verbalmente para essa pessoa. Evite uma discussão a todo custo. Se a informação dela for contrária à sua, agradeça-lhe, chame a atenção para a discordância, reafirme sua posição, se tiver certeza dela, ou informe as suas referências e diga que vai verificar a informação. Se ela estiver correta, agradeça-lhe. Você aprendeu alguma coisa. Tudo bem se você estiver errado. A única maneira de perder credibilidade perante o grupo é insistir que você está sempre certo.

Você pode lidar com perguntas ou comentários irrelevantes perguntando de que maneira eles se relacionam ao assunto em questão (pressupondo-se que não se relacionem), desde que você tenha estabelecido limites para a discussão. Algumas pessoas podem intelectualizar e complicar perguntas ou comentários. Talvez seja bom pedir-lhes que sejam mais específicas, fazendo suas perguntas de maneira mais simples, ou talvez seja necessário reformular a pergunta de maneira mais simples e verificar com elas se você a fez corretamente.

Algumas pessoas são muito boas para identificar possíveis problemas. Elas dirão algo como: "Acho que essa parte está errada", "Eu não concordo com essa parte" ou "Você não acha que há o perigo de...?". Elas dizem: "Sim, mas..." de muitas maneiras diferentes. Para lidar com isso, você pode responder que sim; há infinitas maneiras de alguma coisa não funcionar; portanto, como poderíamos fazer uma adaptação para que funcionasse? Ou você poderia utilizar o próprio padrão delas, pedindo-lhes para considerar o pior problema, que é criado quando se procura problemas. Você também pode utilizar e programar o comportamento delas. Peça-lhes para serem o Advogado do Diabo no grupo e esperarem até o final da sua explicação, antes de interromperem. Agora, elas estarão agindo assim porque você pediu.

Também gosto de contar metáforas. Quando criança eu era muito enjoado para comer. Só gostava de hambúrguer e batatas fritas. Meus pais tentavam me convencer a comer alimentos mais exóticos. Mas eu era um adversário à sua altura. Quando me davam alguma coisa diferente para comer, eu perguntava: "E se eu não gostar?". Durante algum tempo, consegui evitar a descoberta de alimentos e experiências mais agradáveis com essa pergunta, pois meus pais não conseguiam respondê-la.

Cada um de nós tem as suas regras internas de treinamento. Uma das regras de muitos instrutores é: "Eu preciso satisfazer essa pessoa e preciso fazer isso agora". Essa é uma regra limitadora no contexto de um treinamento de grupo. Você pode quebrar o *rapport* com uma pessoa dentro da estrutura mais ampla do *rapport* com o grupo e dos objetivos compartilhados.

Um bom desafio é ser importunado com perguntas ou interrupções insistentes. Lembre-se de que os comediantes, no palco, longe de evitar as pessoas insistentes, adoram interagir com elas. Eles utilizam aquilo que a pessoa diz e mandam de volta para ela. Você pode transformar isso num exercício simples para duas (ou mais) pessoas:

1. A pessoa desempenhando o papel de instrutor estabelece um contexto de treinamento, por exemplo: "Estou bem no meio de uma explicação sobre a maneira de se ouvir com atenção...".
2. O parceiro interrompe insistentemente.
3. O instrutor utiliza e responde ao indivíduo inoportuno.

Você pode pedir que essas pessoas façam comentários, dizendo: "Se você fosse eu, como teria lidado com aquilo?" Você pode convidá-la a ficar em pé, diante do grupo, em seu território. É muito mais fácil importunar quando se está num lugar seguro, na platéia. Peça-lhe para falar o que ela quiser. Geralmente, isso a deixará muda. Então, agradeça e, com firmeza, mande-a de volta ao seu lugar na platéia.

Qualquer que seja o seu treinamento, você encontrará determinados tipos de comportamento "difícil". Considere-os como fontes valiosas de aprendizagem, planejando e utilizando uma série de intervenções até encontrar a mais efetiva. Você pode fazer isso sozinho com o gerador de novos comportamentos ou com a estratégia para reação a críticas. Pode ser mais divertido com um parceiro e você pode testar respostas diferentes. Finalmente, lembre-se de que as pessoas de comportamento difícil com freqüência resistem mais antes de fazerem uma curva em U e se tornarem suas maiores fãs. Há um maravilhoso termo psicológico para isso; ele é chamado de explosão de extinção. Não seria bom se você considerasse todo comportamento difícil como uma explosão de extinção?

# Lidando com pessoas difíceis

*Pontos-chave*

- Você aprende mais em situações difíceis.
- Pergunte-se: "Como eu estou mantendo esse comportamento difícil?".

- Focalizar o comportamento, não a pessoa, e manter um estado de recursos.
- Evitar a resistência é mais fácil do que lidar com ela.
- Respeitar todos os pontos de vista e evitar discussões.
- Ter um plano preparado caso aconteça o pior.
- Ficar alerta e dirigir-se às agendas ocultas, declaradas ou não.
- Desafiar comentários para verificar sua relevância para o assunto em discussão.
- Simplificar as perguntas ou afirmações muito complexas.
- Os objetivos do grupo são mais importantes do que os individuais. Você não precisa responder.
- Divertir-se lidando com pessoas inoportunas ou ser muito paciente, deixando o grupo controlá-las.

# CAPÍTULO 20
# PERGUNTAS

> O importante é não deixar de questionar. A curiosidade tem razões próprias para existir. Nunca perca uma sagrada curiosidade.
>
> *Albert Einstein*

O que é uma pergunta? Será que as perguntas representam a interseção da linguagem e da aprendizagem? Será que você pode evocar perguntas, estruturá-las, utilizá-las e respondê-las fazendo outras perguntas? Quanto você acha que a qualidade das perguntas que você faz para si mesmo determina a qualidade do seu raciocínio e os resultados que você cria? É possível que as perguntas sejam o último programa independente mental a partir do qual nós evoluímos? As perguntas são as respostas?

As perguntas orientam a comunicação. Elas são, nitidamente, muito importantes, mas, se você perguntar, numa sala repleta de pessoas muito cultas, quanto elas treinaram para fazer perguntas, a resposta típica será um ou dois dias e, geralmente, aprenderam a diferenciar perguntas abertas e fechadas. Não é curioso?

Esse é um dos capítulos mais longos do livro. A intenção aqui é ajustar esse equilíbrio. Mesmo assim, ele mal arranha a superfície. Se você deseja explorar mais os padrões de perguntas e de linguagem, leia os capítulos sobre Metamodelo e Modelo Milton, em nosso livro anterior, *Introdução à Programação Neurolingüística*.

## Perguntas sobre perguntas

A qualidade da resposta depende da qualidade da pergunta. Como podemos melhorar a qualidade das nossas perguntas? Fazendo perguntas sobre perguntas, ou *metaperguntas*, naturalmente! Eis algumas que são bastante úteis:

Qual a melhor pergunta a ser feita agora?
Qual a melhor maneira para considerar isso?
O que eu estou esquecendo e que é importante?

As metaperguntas a seguir são particularmente úteis em nossa comunicação com os outros:

Qual a pergunta que posso fazer e que será mais adequada para a outra pessoa?
O que precisa acontecer aqui e qual a pergunta-chave para que isso aconteça?
Essas pessoas estão mostrando inconscientemente, através da linguagem corporal, quais são as suas preocupações?
Há alguma pergunta não expressa naquilo que estão dizendo?

## Fazendo perguntas

Com freqüência, você desejará fazer perguntas, seja para o grupo todo ou para algumas pessoas; ao fazê-las, saiba qual o seu objetivo. Pergunte-se: "Como essa pergunta irá favorecer os objetivos do meu treinamento?".

Então, você pode fazer uma série de perguntas, observar a resposta e usá-la para fazer outra pergunta, até ficar convencido de ter alcançado o objetivo desejado ou de estar bem próximo dele. Quando obtiver uma resposta, sempre agradeça à pessoa e reconheça a resposta de maneira positiva. Para os treinandos, "mostrar que as pessoas estão erradas" significa um treinamento ruim.

### *Propósito das perguntas*

Na estrutura global dos objetivos do treinamento você pode fazer perguntas para alcançar uma série de diferentes propósitos. Você pode fazê-las para despertar o interesse e estimular o raciocínio; para focalizar a atenção dos treinandos em determinadas áreas, e para permitir que as pessoas tenham acesso aos próprios recursos e estados de aprendizagem. As perguntas podem modificar os pontos de vista dos treinandos ou proporcionar novas maneiras de pensar. Quando bem utilizadas, despertam a curiosidade das pessoas, e tanto a curiosidade quanto o seu parente mágico, o fascínio, são os dois estados de aprendizagem mais poderosos.

As perguntas também podem ser usadas para avaliar a compreensão, mas lembre-se de que é possível compreendermos um assunto intelectualmente e, ao mesmo tempo, sermos incapazes de utilizá-lo. O conhecimento é inútil, a não ser que faça uma diferença naquilo que você faz e lhe proporcione mais escolhas. A evidência mais valiosa de que os treinandos aprenderam a matéria é quando eles podem utilizá-la, apesar de ainda não a terem compreendido conscientemente.

Finalmente, as perguntas podem ser muito úteis para lhe dar informações sobre a realidade do grupo, suas preocupações e interesses. Na dúvida, pergunte.

### *Perguntas socráticas, carregadas e outras*

Você pode fazer perguntas de diferentes maneiras. Por exemplo, ensinar com o método socrático. Aqui, você conduz o grupo a determinada conclusão por meio de uma série de perguntas abertas. (Uma pessoa menos gentil diria perguntas abertas "carregadas".) A vantagem do método socrático, quando utilizado com habilidade, é fazer as pessoas raciocinar circularmente a respeito de uma questão, como se elas tivessem descoberto as respostas sozinhas, em lugar de o instrutor simplesmente lhes dar a resposta (embora a mesma pessoa menos gentil possa dizer que isso é apenas uma maneira de lhes dizer indiretamente, apesar de fingir que elas estão descobrindo por si mesmas). A não ser que o instrutor faça isso com cuidado e respeito, ele corre o risco de continuar fazendo uma série de perguntas cada vez mais carregadas, se o grupo não der as respostas "certas", lembrando a cena de uma aula num pesadelo. Se você deseja dizer alguma coisa ao grupo, simplesmente diga. A simplicidade é uma virtude. Se você não quer dizê-la diretamente, planeje um exercício para que eles possam explorá-la por si mesmos.

Tenha cuidado, também, com a técnica da pergunta "veneno lento", que consiste em fazer a mesma pergunta a cada pessoa, sucessivamente. Isso provoca tensão quando chega a vez de alguém responder (se você duvida, tente assumir a posição da pessoa que vai responder a seguir) e depois alívio, geralmente acompanhado pelo desinteresse.

Depois, há o método da "parada cardíaca", quando o instrutor ataca algum participante sem aviso. Muito bom quando você quer atrair a atenção. Geralmente ruim para o *rapport* e para a aprendizagem. A ansiedade e o estado de aprendizagem não podem coexistir.

## Evocando perguntas

As perguntas dos treinandos são um *feedback*. Você quer que eles façam perguntas para descobrir quais são as suas preocupações e saber o que entenderam. Elas podem levá-lo aos objetivos mútuos.

As perguntas das pessoas também são uma das melhores maneiras para fazê-lo pensar na matéria de outro modo e aprender mais sobre ela. Há um ditado que diz: "Se você quer aprender alguma coisa, ensine-a".

As palavras que você usa para evocar perguntas são importantes. Compare o efeito dessas três perguntas:

- "Alguma pergunta?"
- "Quais as perguntas sobre a matéria até agora?"
- "Pensem um pouco e percebam se existe alguma pergunta sobre a matéria abrangida até agora, observem aquelas que poderiam ser mais úteis para vocês e só perguntem quando estiverem prontos."

O primeiro exemplo é uma pergunta fechada. Ela pode provocar o silêncio, não pressupõe que existam quaisquer perguntas, e você não está pedindo ao grupo para fazê-las, mesmo que elas existam.

O segundo exemplo pressupõe que existam perguntas, mas não pede explicitamente que elas sejam feitas.

O terceiro exemplo não somente pressupõe que existem perguntas, mas também orienta os treinandos por meio de um processo rápido (*"Pensem um pouco... percebam alguma pergunta... observem... a mais útil... perguntem... estiverem prontos..."*) e realmente solicita que as perguntas resultantes sejam feitas. Se você deseja mais perguntas ou perguntas de melhor qualidade, formule a frase dessa maneira.

Uma outra opção é formar pequenos "grupos de cochichos" para que eles possam esclarecer as suas perguntas durante alguns minutos.

Outra maneira para evocar perguntas é fazer, deliberadamente, uma série de afirmações provocadoras. Aqui existem alguns riscos. Portanto, se você deseja assumi-los, faça-as com cuidado e tenha algumas estratégias de recuperação adequadas, caso não dê certo. Utilize desafios para ressaltar alguns pontos e, se necessário, admita que você está provocando.

Finalmente, você não precisa evocar uma pergunta para respondê-la. Você mesmo pode fazer perguntas em nome do grupo e, então, respondê-las. Por exemplo, você pode dizer: "Algumas vezes me perguntam o que acontece num seminário se ninguém quiser fazer perguntas... E eu respondo que...".

## Coreografia

Você pode usar sessões de perguntas e respostas, pois elas criam uma pausa natural na apresentação da matéria, dando espaço para os pensamentos e a integração. Você também pode reservar períodos definidos para as perguntas. Nessas ocasiões, escolha um lugar e posicione-se nele sempre que quiser ouvir perguntas. Nós já nos referimos a isso como marcação espacial ou *coreografia*.

Ela cria uma associação inconsciente entre o lugar no qual você se posiciona e o tipo de atividade que você deseja. Você pode utilizar constantemente outros lugares para dar informações, fazer demonstrações, resumos, contar histórias etc.

## Estruturando perguntas

Quando você pedir comentários ou perguntas para o grupo, a estrutura da sua pergunta determinará as respostas que vai obter. A estrutura pode ser rígida ou livre, à sua escolha. Um exemplo de uma estrutura rígida seria: "Alguma pergunta sobre o propósito do próximo exercício?". Uma estrutura mais descontraída seria: "Quais as perguntas sobre a matéria apresentada nessa última sessão?". As suas perguntas definem os limites e, assim, quaisquer perguntas que não se enquadrem nesse limite podem ser elegantemente adiadas.

Você também poderá controlar a duração das perguntas estabelecendo as estruturas temporais no início. Você pode dizer: "Agora, eu gostaria de dedicar não mais do que cinco minutos para as perguntas sobre...". As pessoas seguirão essa estrutura e, cinco minutos depois, estarão prontas para continuar.

**Estrutura aberta**

Se você disser algo como: "Eu gostaria de responder a qualquer comentário ou pergunta", acaba de estabelecer uma estrutura aberta, sem limites. Você obterá uma ampla variedade de reações e não pode se queixar se a estrutura aberta decolar para o espaço!

Tenha cuidado com as estruturas abertas; entretanto, elas podem ser úteis, particularmente para captar as perguntas que você excluiu das estruturas mais rígidas. Elas também são boas para preencher os curtos períodos de tempo quando os treinandos se atrasam para voltar do intervalo ou nas (raras) ocasiões em que você atingiu os objetivos do treinamento antes da hora.

*Perguntas finais*

Quando você quiser encerrar qualquer sessão de perguntas, diga: "Vou responder a uma última pergunta sobre esse assunto antes de começar a próxima parte". Posteriormente, informe que durante o intervalo você estará à disposição se houver alguma outra dúvida que eles gostariam de esclarecer, mas *agora* você vai prosseguir. Ao mesmo tempo, seu tom de voz deve ser congruente. Fale mais rápido e acrescente um tom de urgência à sua voz. Você também pode usar o humor para dar a sua mensagem, dizendo alguma coisa como: "Haveria mais alguma pergunta para a qual não temos tempo?" ou "Quais as outras perguntas que vocês não têm?".

# Respondendo perguntas

Visivelmente, responder perguntas é lidar com as preocupações do grupo. Certas pessoas nunca fazem perguntas e contam com as pessoas mais desinibidas no grupo para fazê-las em seu lugar. Algumas vezes, uma pessoa dominante assume o papel de representante do grupo para fazer perguntas. Satisfaça essa pessoa e o grupo ficará satisfeito.

O princípio geral ao responder perguntas é lidar com elas de modo a favorecer direta ou indiretamente os objetivos do seu treinamento. Para poderem continuar, os treinandos precisam compreender alguma coisa, e as perguntas mostram qual o seu nível de compreensão.

Embora você precise manter o *rapport* com o grupo, não pense que precisa responder diretamente a todas as perguntas. Alguns instrutores fazem isso e são facilmente desviados do assunto.

*Lidando com perguntas irrelevantes*

Quando surgir uma pergunta que não se encaixa na estrutura que você estabeleceu, pode simplesmente adiá-la e diferenciá-la com um gesto específico, como abrir os braços, que possa ser visto por todo o grupo e pela pessoa que perguntou. Faça isso continuamente e esse gesto se tornará uma âncora de importância, uma ferramenta de treinamento muito útil. Sempre que um participante fizer uma pergunta não relacionada ao assunto ou aos os objetivos do seu treinamento, educadamente adie a sua resposta e, ao mesmo tempo, use a âncora. Assim, você terá a certeza de que a mensagem será recebida pelo grupo nos níveis consciente e inconsciente.

Você também pode adiar a pergunta caso seja melhor respondê-la num estágio posterior do treinamento. Explique isso e peça aos treinandos para repeti-la nessa ocasião.

Quando surgir uma pergunta que só interessa a uma minoria do grupo, você pode dizer algo como: "Essa é uma pergunta interessante, mas não posso respondê-la agora porque não temos tempo. Perguntem-me durante o intervalo".

Lembro-me de um exemplo de quando eu estava treinando e alguém mencionou a psicossíntese. Cinco minutos depois, alguém perguntou: "O que é psicossíntese?". A pergunta foi mais dirigida para a pessoa que a mencionara do que para mim. Eu disse alguma coisa assim: "Um sistema de psicologia muito interessante, e que é um assunto ideal para *conversarmos durante o intervalo*". A discussão do grupo sobre outros assuntos raramente é útil.

*Síndrome da matraca*

Algumas pessoas falam sem pensar e parecem construir a pergunta enquanto falam. No final, elas podem começar a divagar e, na realidade, fazer duas ou três perguntas. Você pode interromper esse padrão pedindo-lhes que escolham a mais importante ou que tenham a pergunta pronta antes de fazê-la.

Alguns treinandos utilizam egoisticamente todo o tempo dedicado às perguntas e monopolizam a atenção do grupo. Parece que eles sempre têm uma pergunta ou uma observação a fazer. Os grupos podem ficar irritados com isso e com você, se nenhuma providência for tomada. Aqui, você pode precisar dizer alguma coisa assim: "Obrigado. Você é muito bom para fazer perguntas e já fez muitas. Tenho certeza de que você compreenderá se eu perguntar ao resto do grupo se alguém quer fazer alguma pergunta". É sua responsabilidade, com o grupo todo e também com a pessoa que pergunta, garantir que ele ou ela não se torne pouco popular.

# Respondendo perguntas

Há um ditado que diz: "Por trás de toda pergunta há uma afirmação". E por trás de toda afirmação há uma visão de mundo. As afirmações podem estar disfarçadas em perguntas. Existe, por exemplo, uma questão preferida dos membros do Parlamento: "Não é uma realidade que...?". Essa não é exatamente uma pergunta, uma vez que aproveita a oportunidade de fazer uma pergunta para fazer uma afirmação. É pouco provável que você ouça alguma coisa tão óbvia. Se isso acontecer, você pode perguntar qual é o propósito da pergunta.

*Perguntas abertas e fechadas*

Uma *pergunta fechada* é aquela que elimina possibilidades, que é estruturada de tal maneira que a resposta só pode ser "sim" ou "não". A questão parlamentar mencionada anteriormente é um exemplo. Geralmente, as perguntas fechadas começam com "é", "não é", "será", "não será", "não acha". Elas ocultam suposições. Com freqüência, a melhor maneira para responder é examinar a pergunta, em vez de responder diretamente, você não acha?

O objetivo das *perguntas abertas* é abrir e explorar novos caminhos. Geralmente, elas começam com "como", "o que", "qual", "onde", "quando" ou "quem" e não podem ser respondidas com um simples "sim" ou "não". Como você poderia aproveitar essas diferenças para explorar diferentes tipos de pergunta?

*Perguntas para obter informação*

Muitas perguntas são apenas pedidos de informação e, geralmente, são mais fáceis de lidar. Dê a informação, se você a tiver. Se você não souber, verifique se alguém do grupo sabe a resposta. Se ninguém souber, ofereça-se para descobrir a resposta ou indicar uma fonte para a pessoa que a fez.

*Perguntas "Por que"*

As perguntas que começam com "por que" são feitas de diversas maneiras. "Por que estamos fazendo isso?" é um tipo de pergunta que exige uma resposta conceitual. Você precisa segmentar para cima e relacionar aquilo que está fazendo a uma imagem mais ampla. A parte não formulada pode ser: "Qual a utilidade disso?". Responda mostrando como o assunto pode ser utilizado no mundo real, fora da sala de treinamento.

Outro tipo de pergunta "por que" refere-se à causa e efeito no passado, como por exemplo: "Por que isso aconteceu?" sugere um motivo como resposta. Quaisquer que sejam os motivos que você apresente, eles precisarão fazer sentido para o modelo de mundo de quem fez a pergunta, não para o seu. Você poderia perguntar: "Por que você acha que isso aconteceu?".

*Perguntas "Como"*

As perguntas "como" geralmente tratam do processo, da estrutura do exercício ou da matéria apresentada. Geralmente, para respondê-las, é necessário segmentar para baixo, mostrando como as partes se relacionam.

*Perguntas "Qual", "O que"*

Geralmente, as perguntas "qual" e "o que" solicitam informações, por exemplo: "Qual o próximo passo?". Entretanto, devido à riqueza da língua portuguesa, elas também podem solicitar conceitos e motivos — "Qual o significado disso?" — ou aplicações — "O que eu posso fazer com essa habilidade?"

As perguntas "por que", "qual" e "como" precisam ser respondidas em todos os estágios de um treinamento. Por que estamos fazendo isso? Qual a sua utilidade? Como podemos fazer isso? Quais os processos utilizados? Quais são as etapas? Quais as informações necessárias?

Ao responder uma pergunta, faça primeiro essa pergunta: "Qual a intenção por trás dessa pergunta?" ou "O que essa pessoa precisa?".

Sempre agradeça à pessoa pela pergunta, principalmente se ela for interessante. Se você não entender, peça para explicá-la melhor.

Se alguém fizer uma pergunta que ajudará a compreensão da matéria, dar uma resposta que inclua exemplos extraídos dos interesses ou da profissão da pessoa que a fez funciona muito bem.

Quando um dos membros do grupo fizer uma pergunta, observe como o grupo reage a ela. Eles se inclinam ligeiramente para a frente, interessados na resposta? Há uma grande movimentação ou um silêncio mortal no grupo? Você também deve observar se a pessoa que fez a pergunta ficou satisfeita com a resposta. Se você não tiver certeza, pergunte. Preste mais atenção à sua linguagem corporal do que à sua resposta verbal, que pode ser apenas educada. Se o grupo demonstrou interesse, ele ficou satisfeito com a resposta? É preciso habilidade para saber quando parar de responder, observando a pessoa que fez a pergunta. Evite respostas muito complicadas que possam levantar outras questões, às vezes indesejáveis.

## Utilizando perguntas

Um bom instrutor é capaz de utilizar qualquer coisa que aconteça para atingir o objetivo desejado, e as perguntas não são uma exceção. Você pode usar perguntas para introduzir o novo assunto em sua resposta ou para reunir elementos intelectuais diferentes. Você também pode reestruturar as perguntas ou utilizá-las como um ponto de partida para explorar uma área ou mudar o tema. Algumas vezes, você pode usar os elementos da pergunta para respondê-la. Dessa forma, o grupo recebe duas respostas — uma conscientemente, no nível intelectual, e outra, menos consciente, no nível comportamental. Uma pergunta pode se transformar em qualquer coisa que você queira.

Estávamos no meio de um seminário sobre reuniões e habilidades de negociação explicando que, quando todos concordam com o objetivo da reunião, você pode usá-lo para desafiar qualquer pessoa que desvie o rumo da reunião. Alguém me pediu para esclarecer esse desafio de relevância. Ela não havia entendido o seu significado e não sabia como fazê-lo. Comecei dizendo: "O desafio de relevância é uma idéia muito útil. Por exemplo, na semana passada eu estava numa reunião, não, foi na semana retrasada, acho que na quinta-feira. O trânsito estava difícil e precisei fazer um lanche rápido no restaurante da auto-estrada. Esses restaurantes são *horrorosos*. Eles estão sempre lotados e eu precisei esperar para arranjar um lugar. Eu estava com muita fome e, assim, pensei que seria uma boa idéia pedir purê de batatas com carne moída. Pensei: 'Não há muito o que errar pedindo purê de batatas com carne moída'...".

Nesse ponto, a pessoa que fez a pergunta já estava impaciente e disse: "Como exatamente isso responde à minha pergunta?". A minha tagarelice obrigou-a a fazer um desafio de relevância — assim, ela aprendeu fazendo.

Eis um exemplo de como responder a uma pergunta com o padrão solicitado: pediram-nos para explicar como reverter a leitura mental e, naturalmente, respondemos: "Você sabia que não poderíamos responder isso!".

Isso faz parte de um padrão mais generalizado que liga a sua resposta à experiência sensorial real de quem faz a pergunta, bem como à sua compreensão intelectual. Você pode usar a oportunidade oferecida por uma pergunta para contar uma história ou dar um exemplo pessoal.

Você também pode responder perguntas através do comportamento. Lembro-me de um exemplo engraçado, quando eu estava fazendo um treinamento sobre hipnose e alguém perguntou o que era uma alucinação negativa. Olhei em volta e perguntei: "Quem disse isso?". Quando a pessoa repetiu a pergunta, fiz novamente a mesma coisa. Ela entendeu, em meio à risada geral, que alucinação negativa significa não enxergar alguma coisa que está presente. (Alguma vez você já perdeu as chaves do carro e depois, quando já estava desistindo de procurar, encontrou-as no lugar mais óbvio?)

Considere as perguntas como indicações das partes da sua apresentação que não estão claras ou completas. Existem duas ou três perguntas ou objeções que quase sempre se repetem durante um treinamento? Provavelmente, você pode respondê-las facilmente. De que maneira você poderia modificar sua apresentação, para que tais perguntas não precisassem mais ser feitas?

Uma maneira muito eficaz de utilizar perguntas é responder com uma pergunta ou dar uma tarefa para quem a fez, permitindo que ela descubra a resposta sozinha. Por exemplo, num dos nossos seminários fizeram uma pergunta sobre objetivos: "Não há perigo de ficarmos tão envolvidos no processo de estabelecer objetivos a ponto de não percebermos que isso não está fazendo nenhuma diferença?". Essa é uma pergunta fechada, sugerindo "sim" ou "não" como resposta. A resposta que demos foi mais ou menos assim: "Sim, a evidência é uma parte importante na realização dos objetivos. A não ser que você preste atenção, você não perceberá se os está alcançando. Só você pode responder isso para si mesmo — desse modo". Sugerimos que a pessoa fizesse um diário de objetivos, acompanhando-os semanalmente, determinando prazos para cada um e registrando os progressos de cada um deles. Assim, a primeira metade da pergunta ofereceu a resposta para a segunda metade.

Também contamos uma metáfora: "Um instrutor muito bom que conhecemos era piloto. Ele nos contou que em qualquer vôo de San Francisco para o Havaí o avião ficava fora do curso 95% do tempo. Ele só sabia que estava fora de curso porque os instrumentos do painel eram muito sensíveis. Sempre que ele percebia isso, corrigia o curso do avião e, depois de algum tempo, o avião saía do curso novamente. Mesmo assim, ele sempre chegava ao Havaí".

## *Lidando com perguntas difíceis*

Como lidar com uma pergunta do tipo "parada cardíaca"? Com freqüência, os desafios e as críticas diretos vêm disfarçados em perguntas, tornando-os mais aceitáveis e difíceis de ser evitados. Se precisar, use a estratégia para lidar com críticas (veja a página 119).

Também é complicado considerar a matéria a partir de um ponto de vista que jamais lhe ocorreu. Em primeiro lugar, qualquer pergunta é difícil quando você está num estado sem recursos. Portanto, mantenha-o ou recupere-o antes de dar uma resposta. Segundo, separe mentalmente a intenção de quem fez, da pergunta em si. Pergunte-se: "O que essa pessoa deseja?" ou, algumas vezes: "O que essa pessoa deseja e ela não sabe que deseja?".

Também existem pressuposições incorporadas a qualquer pergunta. "O que deve ser importante para essa pessoa para que ela faça essa pergunta?" Isso é muito significativo quando você não consegue entender de que maneira aquilo que ela está perguntando poderia ser um problema.

Você se lembra da Lei de Murphy? "Se alguma coisa pode dar errado, dará." No treinamento, a sua equivalente é: "Tudo o que pode dar errado dará errado, se você treinar bastante". Esteja bem preparado. Pense em algumas perguntas que possivelmente poderiam ser feitas e que o pressionariam. Não importa se elas nunca foram feitas (ainda). Pense num contexto no qual elas poderiam ser feitas. Que matéria você estaria apresentando? Agora, como você poderia responder, utilizando a matéria que estivesse treinando e também favorecendo os objetivos mais amplos do treinamento?

Se você não souber, não tente blefar. Os instrutores não precisam ser oniscientes. Se você blefar e os treinandos perceberem, a sua credibilidade será irremediavelmente perdida. É melhor ficar calado e ser considerado um tolo do que abrir a boca e provar que é.

Certifique-se de que uma pergunta seja difícil apenas *uma vez*. Quer você considere boa ou não a sua resposta, no final pergunte: "De que outra maneira eu poderia ter lidado com essa pergunta?". Crie pelo menos três opções. Assim, essa pergunta e outras iguais a ela não serão novamente um problema.

Algumas perguntas surgem como avisos. Tenha cuidado com as que começam assim: "Eu não quero ser negativo, mas...". Esse é um aviso claro de que alguma coisa negativa está para ser dita. Qualquer pergunta que comece com: "Eu não quero ser....mas...", com certeza, será assim. Preencha os espaços em branco.

Uma maneira para lidar com um padrão negativo é devolver o mesmo padrão. Portanto, responda: "Eu não quero ignorar sua pergunta, mas..." e, então, dispense-a (com elegância, é claro). Aqui, o grupo irá receber a mensagem inconsciente. Alguns podem até percebê-la conscientemente e rir. Uma outra opção é dizer: "Então, como você reformularia essa pergunta, expressando-a de maneira mais positiva?".

Por outro lado, a frase: "Desculpe-me por fazer uma pergunta chata..." geralmente garante que ela será desafiadora e intensa. A pessoa que perguntou pode estar querendo encostá-lo na parede. Do mesmo modo, a frase "Eu quero ser construtivo...." pode significar: "Eu vou fazer picadinho do seu argumento".

Depois, há aquela maravilhosa palavra: "mas". Numa frase, "mas" qualifica ou nega as palavras precedentes. Por exemplo: "Acho que você está absolutamente certo, mas...". Por isso, evite usar "mas" em suas respostas. Use "e" em seu lugar. Pode ser difícil, mas vale a pena. E você sempre pode escolher.

Se alguém estiver fazendo perguntas que parecem mostrar que a pessoa quer discutir, diga que ela está certa. Não é possível discutir com alguém que concorda com você. É?...Bem, você está absolutamente certo!

Se você não tiver compreendido o propósito da questão, pergunte: "O que você conseguiria com uma resposta a essa pergunta?". Isso atinge um nível mais elevado e a pessoa que perguntou pode perceber exatamente o que ela deseja. A pergunta pode ser muito generalizada; portanto, você talvez queira pedir à pessoa para ser mais específica ou para dar um exemplo específico. Se puder, dê também um exemplo específico em sua resposta.

Uma pergunta também pode pegá-lo desprevenido e você precisa de tempo para pensar. Respostas automáticas lhe darão mais tempo para pensar:

"Deixe-me pensar na melhor maneira de responder."
"Esse é um ponto importante. Obrigado por mencioná-lo agora."
"Há diversas maneiras para responder a essa pergunta."

Se você precisar de mais tempo, use estas:

"Boa pergunta. Eu gostaria que todos pensassem nela e, mais tarde, nós iremos comentá-la." (Isso é conhecido como a técnica de "ricochete".) "Isso é o que se chama de uma 'boa pergunta', e eu gostaria de um pouco mais de tempo para pensar nela, antes de responder. Na próxima sessão eu a responderei."

Eis duas maneiras diferentes para reestruturar e transformar qualquer pergunta:

1. Você pode segmentar para cima, a partir da pergunta original. Basicamente, você diz: "Essa pergunta é um exemplo sobre esse problema". Então, você se dirige a esse problema mais amplo — o que significa que, necessariamente, não precisa responder à pergunta específica em detalhes.
2. Você também pode segmentar a pergunta para baixo. Basicamente, você diz: "Há uma parte importante dessa pergunta que precisa ser discutida antes de podermos respondê-la". Então, você pega uma parte menor da pergunta e a discute.

Por exemplo, lembro-me de uma pergunta: "Como você mantém a sua própria integridade e, ao mesmo tempo, se adapta à empresa para a qual está trabalhando?". A resposta que demos foi: "A primeira questão aqui é, primeiramente, ter certeza de que você examinou a cultura organizacional, antes de aceitar o contrato. Você assina o contrato somente se estiver se sentindo congruente com relação ao trabalho que fai fazer".

O humor pode funcionar maravilhosamente para responder às perguntas difíceis — ou pode deixá-lo numa situação mais difícil. Você talvez experimente aquilo que os comediantes chamam de "morrer" no palco. Portanto, pise com cuidado. Um dos seus principais recursos será uma reserva de analogias e metáforas cuidadosamente escolhidas. Elas vão direto ao cérebro direito e é difícil questioná-las. Identifique algumas das perguntas habituais e então saia à caça de analogias e metáforas adequadas para respondê-las.

Como exemplo, uma das habituais perguntas sobre a PNL é a questão da manipulação. A PNL tem habilidades e técnicas muito efetivas. Quando as pessoas começam a perceber como elas são efetivas, podem se sentir desconfortáveis, pensando em como essas habilidades podem ser usadas para influenciar as pessoas, especialmente num contexto de vendas ou de negócios, contra os seus interesses.

Uma das respostas que utilizamos é por meio da analogia. Ela é breve e eficaz: "A maioria das pessoas pode comprar um carro possante, que é extremamente útil para levá-las de um lugar a outro. Ele também pode ser fatal se dirigido sem o devido cuidado e atenção, e pode ser terrível quando dirigido irresponsavelmente. Entretanto, quase ninguém acha que isso é motivo para se abolir os carros".

Uma outra resposta é mais direta: a ética de quem usa as técnicas ou habilidades é uma questão à parte no que se refere ao seu poder e utilidade. Você também pode argumentar que, para evitar possíveis explorações, *todos* precisam conhecer essas poderosas ferramentas de comunicação. Você não pode deixar de influenciar as pessoas. Entretanto, você pode ter consciência dessa influência. As habilidades de comunicação da PNL oferecem mais precisão e mais oportunidades para criar uma situação equilibrada.

Ou você pode dizer: "Naturalmente, você tem razão. As habilidades da PNL são muito poderosas e não deveriam ser utilizadas de modo abusivo. Se houver alguém nessa sala planejando utilizá-las de maneira antiética, por favor, saia agora!".

## Perguntas

*Pontos-chave*

- A qualidade do seu raciocínio se reflete na qualidade de suas perguntas.
- As perguntas orientam a comunicação.
- *Metaperguntas* são perguntas sobre perguntas. Uma importante metapergunta que você deve se fazer é: "Qual a melhor pergunta a ser feita?".
- Fazendo perguntas:
  - As perguntas são uma das suas ferramentas mais poderosas para favorecer os objetivos do treinamento. Quando as fizer, saiba quais são os seus objetivos.
  - Tenha cuidado se você usar o "método Socrático", o "veneno lento" ou a "parada cardíaca".
- Evocando perguntas:
  - Use pressuposições, intencionalmente, quando estiver solicitando perguntas.
  - Use a coreografia para mostrar quando você quer perguntas e quando não quer.
  - Estruture as sessões de perguntas para determinar quaisquer limites que você queira — as estruturas podem ser abertas ou muito rígidas, conforme a necessidade.
- Respondendo às perguntas:
  - Use perguntas para progredir em direção aos objetivos do treinamento.
  - Quando as perguntas estiverem fora dos limites da estrutura que você estabeleceu, use o desafio de relevância para adiá-las.
  - Certifique-se de que todas as perguntas e respostas fluam de você e não entre o grupo (a não ser que você queira isso).
  - Use o padrão de interrupção e peça um resumo das perguntas confusas.
  - Não deixe que o espaço reservado às perguntas seja utilizado apenas por uns poucos treinandos mais falantes.

- Respondendo às perguntas:
  - Preste atenção às afirmações ou problemas que estão por trás da pergunta.
  - Não responda às perguntas fechadas, responda às pressuposições que estão por trás da pergunta.
  - As perguntas abertas solicitam informações. Dê a informação, se você a tiver. Se você não souber, diga. Então, você pode perguntar ao grupo ou se oferecer para encontrar a resposta.
  - Perceba qual é o objetivo da pessoa que pergunta. Se ela não for clara, peça esclarecimentos.
  - Calibre-se com a fisiologia do outro para saber se quem perguntou, ou o grupo todo, recebeu uma resposta satisfatória. Dê respostas simples e cale-se assim que obtiver esses sinais.
- Utilizando perguntas:
  - Use as perguntas que lhe fazem, de qualquer maneira, que favoreça os objetivos do treinamento.
  - Sempre que puder, responda nos dois níveis: uma demonstração comportamental, bem como uma resposta verbal.
  - Use os tipos de pergunta feitas como um *feedback* para saber como modificar sua matéria ou apresentação.
  - Quando possível, deixe a pessoa que pergunta descobrir a própria resposta, fazendo-lhe uma pergunta ou dando-lhe uma tarefa.
  - Você pode usar as perguntas para ir em qualquer direção que considere útil.
- Lidando com perguntas difíceis:
  - É mais fácil evitar perguntas difíceis do que lidar com elas.
  - As perguntas difíceis são valiosas para o treinamento.
  - Planeje antecipadamente como você vai lidar com perguntas difíceis esperadas.
  - Certifique-se de que uma pergunta só seja difícil *uma vez*, criando três respostas diferentes.
  - Tenha algumas respostas automáticas para ganhar tempo para pensar.
  - Se você não souber, diga e passe a pergunta para o grupo ou adie sua resposta.
  - Reestruture a pergunta segmentando para cima ou para baixo e responda a essa questão.
  - Utilize o humor, a analogia ou a metáfora.
  - Se necessário, use a estratégia "aprendendo com as críticas".
  - Use a pergunta "aprendendo a aprender": *"O que eu faria diferente na próxima vez?"*.

# CAPÍTULO 21
# METÁFORAS

Há uma história contada pelo antropólogo e analista de sistemas Gregory Bateson, que escreveu extensivamente sobre cibernética, biologia e psicologia. Em seu livro *Steps to an Ecology of Mind*, ele conta a história de um homem que queria entender a mente, saber o que ela é na realidade e se algum dia os computadores poderiam ser tão inteligentes quanto os seres humanos. O homem digitou a seguinte pergunta no mais poderoso computador da época (que ocupava uma sala inteira de um departamento da universidade): "Você acha que algum dia vai pensar como um ser humano?".

A máquina zumbiu e murmurou enquanto começava a analisar os seus hábitos de computador. Finalmente, a máquina imprimiu sua resposta numa folha de papel. O homem precipitou-se excitadamente para pegá-la e encontrou essas palavras, caprichosamente digitadas: "Isso me faz lembrar de uma história...".

Utilizaremos a palavra *metáfora* para denominar qualquer história, piada, parábola, experiência ou exemplo que se refira direta ou indiretamente à matéria que você está apresentando. Um exemplo fácil seria uma analogia. Este capítulo é como um jogo de aventura. O objetivo é aproveitá-lo, e a expectativa do inesperado é uma parte importante daquilo que o torna prazeroso. A história do computador de Bateson é mais complexa e talvez a sua mente ainda esteja pensando nela enquanto continua lendo.

Nós poderíamos ter preferido contar sobre o trabalho de Arbib, um importante pesquisador científico da área neurológica. Em seu livro *The Metaphorical Brain*, ele apresentou fortes argumentos de que a mente humana é literalmente controlada pela metáfora, uma vez que não há mais nada à vista, a não ser a metáfora. Todas as coisas são metafóricas, pois representam alguma coisa que não existe. Enquanto você lê esta frase, esses rabiscos pretos engraçados são transformados em impulsos neurais, que adquirem a forma de palavras e, a seguir, são transformadas em sons. Então, por meio de complexos processos inconscientes de associação, você cria seqüências de imagens, sensações e mais sons de palavras. Finalmente, sua mente consciente percebe algum significado. Agora, uma pergunta interessante: qual das histórias você prefere, a de Bateson ou a descrição literal?

183

A maioria das pessoas adora ouvir histórias. Contar uma história, ou dar um exemplo, é uma maneira de tornar o assunto mais significativo. Quando estiver apresentando idéias, dê alguns exemplos específicos para torná-las reais. Para isso, há diversas maneiras, e a mais fácil é lembrar-se de um exemplo pessoal. As metáforas não precisam ser histórias brilhantes, e, geralmente, contar uma simples experiência pessoal consegue transmitir muito bem sua mensagem. Cada pessoa criará um significado relevante para si mesma. O poder de uma metáfora não é avaliado por quem conta a história, mas por quem a ouve e pelo que a sua mente inconsciente faz com a história. É difícil transmitir uma compreensão precisa, consciente. Como todos têm experiências e modelos diferentes do mundo, quanto mais preciso for o seu modelo, paradoxalmente, atingirá menos pessoas no grupo. Por outro lado, as metáforas não podem ser certas ou erradas, elas são apenas... histórias. Uma boa metáfora terá diferentes níveis de significado, permitindo que você se dirija a cada pessoa individual e simultaneamente.

Lembro-me de quando eu era criança. Meu pai me contava histórias na hora de dormir, e eu esperava ansiosamente por elas. É provável que você se recorde das histórias favoritas de sua infância. Das que me lembro, as melhores são aquelas que meu pai e eu inventávamos juntos. Eu dava uma idéia ou um personagem e ele os incluía numa história conhecida e, pouco depois, toda a história estava transformada. Naquela época eu não percebia que os personagens das histórias geralmente enfrentavam situações de algum modo relacionadas às experiências e problemas de minha jovem vida.

Como as histórias eram criadas à medida que eram contadas, eu não tinha idéia do que aconteceria a seguir e duvido que meu pai a tivesse. Nós tínhamos um início e a história parecia avançar, imprevisivelmente, para um final feliz, que era o que eu desejava. Suponho que meu pai combinasse experiências pessoais, temas arquetípicos e histórias que ele lera, filmes e peças às quais assistira, para criar um conto cheio de vida, do princípio ao fim. Nem sempre ele terminava a história na mesma noite. Ele sabia quando fazer suspense para me deixar com uma sensação de expectativa e, dessa maneira, eu sempre tinha alguma coisa para esperar...

Como é muito importante jamais explicar uma metáfora, eu realmente não deveria contar que quando estava fazendo o meu treinamento de *Practitioner* em PNL, com John Grinder, descobri que podemos criar uma metáfora para qualquer situação. Tudo o que você precisa é conhecer um pouco a situação e o objetivo da pessoa. Então, você o transfere para uma situação diferente com uma estrutura semelhante e cria uma solução para o problema.

Outro dia, fui até uma loja de conveniência comprar o jornal e encontrei uma senhora idosa bastante traumatizada, contando ao vendedor como ela acabara de ser assaltada. A história continuou e ficou cada vez pior. Esperando a minha vez para ser atendido, interrompi a senhora e contei a história de uma amiga que foi surrada dentro da própria casa e que não conseguia tirar o incidente da cabeça. Então, algumas semanas depois, ao perceber o que estava fazendo, ela disse: "Levar uma surra já é bastante ruim, mas diabos me levem se eu vou lhes dar a satisfação de arruinar a minha vida", e decidiu tirar o caso da sua mente a ponto de esquecê-lo completamente... "Pode me dar o *Guardian*, por favor?".

A velha senhora parou, os olhos perdidos na distância e, então, seu estado mudou. Calmamente, ela saiu da loja. Enquanto eu saía com o meu jornal, inesperadamente, a pessoa que estava atrás de mim sorriu e disse-me duas palavras: "Bom trabalho".

O que você acha que teria acontecido se eu tivesse tentado explicar a metáfora para a velha senhora? Explicar uma metáfora é como explicar uma piada. Se explicar, não tem graça.

*Humor*

Seja cuidadoso quando for escolher, antecipadamente, as histórias ou piadas que você vai contar. A essência do humor e da intuição é a espontaneidade. É preciso ter a habilidade de um comediante para que as piadas preparadas funcionem. É muito mais fácil ser espontâneo. As melhores piadas parecem ser aquelas que fluem naturalmente do assunto e que vêm à nossa mente na hora certa.

Isso acontecerá facilmente se você criar uma coleção particular de histórias, piadas e analogias. Você não precisa lembrar-se conscientemente de todas elas. Sempre que ouvir ou ler uma que lhe agrade, anote-a. Você se surpreenderá ao ver como elas surgem na hora certa. Depois de ter criado um "filtro" para elas, você as encontrará em livros, filmes e em qualquer lugar. A tradição religiosa sufista é particularmente abundante de histórias muito boas. Anote aquelas que você ouvir e elas serão suas pelo resto da vida.

*Analogia*

As metáforas casuais podem ser tão simples quanto uma analogia. A analogia certa funciona como a chave certa para abrir a porta da compreensão. Você quase pode ouvir o clique! Eis um exercício para três pessoas, para criar analogias muito úteis:

**Exercício de analogias**

1. A primeira pessoa faz uma afirmação sobre o conteúdo do treinamento, algum fato, teoria ou suposição básica, como por exemplo: "Não existe fracasso, só *feedback*".
2. A segunda pessoa especifica um contexto, ao acaso, por exemplo: "No contexto de fazer compras numa loja".
3. A terceira pessoa cria, tão rapidamente quanto possível, uma analogia para ilustrar a afirmação: "Se você sair para comprar alguma coisa e o produto

estiver em falta, você não pensa 'Eu fracassei'. Você sai e vai comprar em outro lugar".

Continue mudando os papéis. Você também pode usar esse método para criar exemplos próprios. Anote aqueles que lhe agradarem.

## *Citações*

Um padrão simples que vem com o nome de metáfora é chamado de "citação". Citação é quando você diz alguma coisa que deseja dizer diretamente, mas a atribui a uma outra pessoa. Assim, quando discutimos com nossa editora o plano para escrever este livro, ela disse: "Um livro sobre treinamento, focalizando esses tipos de habilidades será único e realmente valioso".

Usando citações ninguém poderá discutir com você diretamente, porque não foi *você* quem disse aquilo, foi uma outra pessoa. Entretanto, mesmo assim, elas causam impacto. Naturalmente, somos muito modestos para dizer: "Nós acreditamos que este livro é realmente muito útil". Ou para contar sobre um colega que disse: "Este livro abrirá os olhos dos instrutores para o vasto potencial oferecido pela PNL para aumentar a aprendizagem humana". Mas as citações são um padrão para o qual você pode descobrir uma utilização.

## *Metáforas para o treinamento*

Você pode planejar e realizar um seminário baseado numa metáfora abrangente. Um treinamento sobre modelagem de habilidades extraordinárias de interpretação começou com uma frase de Shakespeare: "O mundo é um palco e, homens e mulheres, são apenas atores". Ela nos proporcionou um rico contexto para explorarmos as habilidades de interpretação e a noção da escolha de um papel em qualquer situação para obter o máximo dela.

Pense um pouco nos seminários que você realizou. Há alguma metáfora que venha à sua mente, suficientemente curta para ser lembrada, embora cheia de significado e que você poderia usar como base para o treinamento?

Isso nos leva à questão da metáfora que descreveria a sua maneira de pensar no treinamento de modo geral. Que metáfora vem à sua mente com relação ao treinamento? Uma dança? Um teste de resistência de longa distância? Um jogo de xadrez tridimensional? Uma massagem cerebral? Um livro para colorir? Você não precisa limitar-se a uma só descrição. Anote as primeiras metáforas que surgirem em sua mente.

# O treinamento é como...

Que respostas você obteve? Examine uma ou duas dessas respostas. Se o treinamento é como tal coisa, o que viria a seguir, numa seqüência lógica? Desenvolva a metáfora. Por exemplo, no início desta seção do livro, "Durante o Treinamento", fizemos algumas descrições metafóricas do treinamento. Se elas não foram percebidas conscientemente, volte ao início e encontre-as:

- "O local está arrumado, você e os treinandos estão prontos... Agora, a sua platéia espera por você."
- "As pessoas interagem numa complexa dança de comunicação: algumas vezes uma pessoa conduzindo, algumas vezes, outra."

O treinamento é como uma peça. O treinamento é como uma dança. Para nós, essas são metáforas úteis que tornam o treinamento um prazer. De vez em quando, eu me pego pensando na última hora de um treinamento de fim de semana: "OK! Agora chegamos à etapa final". Eu nunca disse isso em voz alta. Se dissesse, poderia empurrar a fisiologia do grupo ladeira abaixo (outra metáfora) pois eles perceberiam (inconscientemente) que os dois últimos dias foram uma maratona. Nunca subestime o poder de uma metáfora tóxica.

Aprenda a ouvir as metáforas que as outras pessoas usam e isso aguçará os seus filtros metafóricos para as que todos utilizamos no dia-a-dia. Tenho um amigo, um respeitado e inteligente consultor, que usa metáforas de operação como ferramenta principal para classificar culturas organizacionais. As metáforas de operação são pressuposições básicas, invisíveis, mudas, que fazem a diferença, especialmente quando treinamos.

As metáforas podem ser encaixadas umas dentro das outras. Você pode iniciar uma e, sem terminá-la, passar para uma outra e, então, para outra. Isso cria expectativa, e o grupo ficará esperando pelo final das histórias. Você conseguirá a atenção deles. Alguns instrutores usam metáforas como âncoras para que as palavras-chave tragam de volta a idéia da história em determinados momentos durante o treinamento.

### *Usando metáforas para resolver dificuldades*

As situações difíceis no treinamento podem ser elegantemente tratadas com metáforas. É difícil discutir com uma história. Lembro-me de um treinamento para instrutores, no qual os treinandos estavam numa livre negociação para determinar como queriam estruturar a última noite do treinamento. Os treinandos apresentaram algumas estruturas e orientações, reservando-se a opção de comentar o processo, se fosse necessário. Depois de uma hora, o processo encalhou. O grupo ainda estava no estágio de descobrir o que todos queriam, longe de tentar negociar uma estrutura mais ampla com a qual todos concordassem. Passaram-se duas horas.

Contei-lhes sobre uma conferência ocorrida há alguns anos. Era uma conferência bastante incomum, dirigida a especialistas em conferências. O objetivo mais amplo era criar um documento e algumas orientações definitivas a esse respeito. Como se tratava de especialistas, estavam muito familiarizados com o rumo típico seguido por qualquer conferência. Eles sabiam que a primeira metade seria desperdiçada numa batalha de egos, disputas por posição e estabelecimento de objetivos sobre a melhor maneira para alcançar os objetivos mais amplos. Eles também sabiam que, em determinado momento, mais ou menos na metade do tempo estabelecido, os participantes perceberiam que não estavam realmente criando coisa alguma e começariam a trabalhar. Conseqüentemente, não ficaram preocupados quando ainda não haviam feito nada até a metade do tempo estabelecido. Eles ainda estavam disputando posições, determinando objetivos e consideravam isso inevitável. Entretanto, como não estavam preocupados, não havia nenhum incentivo para *fazer alguma coisa diferente* e, assim, continuaram a discutir, e a conferência não produziu coisa alguma.

Algumas vezes, os treinandos podem achar que já sabem tudo. Há uma história sobre um professor americano que, durante toda a vida, estudara a cerimônia japonesa do chá. Ele era um especialista ocidental e tinha ouvido falar de um ancião que morava no Japão e que era mestre da cerimônia do chá. Ele nunca conversara com esse mestre; portanto, fez uma viagem especial ao Japão para conhecê-lo. O mestre morava numa pequena casa, num subúrbio de Tóquio, e eles sentaram-se para tomar chá. Imediatamente, o professor começou a falar sobre a cerimônia do chá, sobre o estudo que fizera a seu respeito, sobre todas as coisas que sabia e como estava ansioso para partilhar sua aprendizagem. O ancião não dizia nada, mas despejava chá na xícara do professor. Enquanto o professor falava, o ancião continuava enchendo a xícara. O professor continuou falando e o ancião continuou despejando. O chá transbordou da xícara, mas o ancião não parou de despejá-lo. "Pare!", disse o professor. "Você está louco! Não cabe mais chá nessa xícara. Ela está cheia!".

"Eu só estava praticando", respondeu o ancião, "para a tarefa de tentar ensinar alguma coisa para uma mente que já está cheia".

## *Estrutura de metáforas*

As metáforas também oferecem informações pela forma como são estruturadas. Quando você olhou este livro pela primeira vez, sua estrutura e apresentação lhe deram uma mensagem sobre o tipo de livro que é, mesmo antes de conhecer seu conteúdo.

Isso me faz lembrar de um incidente ocorrido na classe de minha filha, na escola primária. Toda a classe deveria escrever uma história de aventura. Na semana seguinte, a professora pediu para alguns alunos lerem em voz alta as suas histórias, e um menininho, que se chamava James, foi o primeiro a ler. Ele ficou em pé e leu: "Os piratas foram para a ilha e pegaram o tesouro". Sabiamente, a professora não perguntou mais nada naquele momento, embora todas as outras histórias fossem muito mais ricas em detalhes e enredo.

Mais tarde, quando ela lhe perguntou por que sua história era tão curta, descobriu que ele tinha em sua mente uma versão da história, completa e inacreditavelmente rica. Quando ela perguntou por que ele não escrevera toda a história, ele respondeu algo como: "Mas todos já não conhecem a história? Eles podem inventá-la como eu fiz; portanto, não há motivo para escrevê-la inteira". Quando a professora explicou que nem todos podiam criar imagens tão detalhadas e vívidas quanto ele, o menino ficou surpreso. Ele foi para casa e escreveu a história completa.

Aprender a usar metáforas é um pouco como aprender a nadar. Quanto mais você pratica, mais eficiente e competente você se torna. E todos possuem diferentes estilos e ritmos de aprendizagem. Algumas pessoas "colocam um dedo na água e dão um pequeno passo por vez". Minha filha Lara adquiriu confiança de maneira um pouco diferente. Ela começou a aprender a nadar muito pequena, freqüentando as aulas uma ou duas vezes por semana. Ela sempre usava bóias nos braços e agarrava-se à mãe como se sua vida dependesse disso. Ela nunca se soltava dentro da água e era desapontador vê-la constantemente agarrada. Começamos a imaginar se ela iria adquirir confiança dentro da água.

Um dia, quando ela estava com dois anos e meio, fomos a uma piscina na Califórnia. Era final de tarde, o calor diminuíra. Era uma hora perfeita para nadar e relaxar. Imperiosamente, Lara ordenou que minha mulher e eu saíssemos da água e começou a nadar, dando cinco voltas sem parar. Ela nunca faz nada antes de estar pronta. Então, ela apenas faz.

Você nunca sabe qual o rumo das metáforas nem o efeito que elas têm. As metáforas bem colocadas podem ser uma das influências mais poderosas para mudanças. Elas crescem e têm vida própria. Algumas das histórias que meu pai me contava há tantos anos foram contadas na televisão muitos anos depois e publicadas num livro.

E isso me faz lembrar de outra história...

# Metáforas

*Pontos-chave*

- De certo modo, todas as explicações são metáforas: elas falam sobre aquilo que descrevem.
- Metáforas, histórias, analogias, parábolas, exemplos pessoais e piadas dão vida ao treinamento.
- Desenvolva a habilidade de criar histórias para qualquer situação.
- As metáforas podem ser diretas para a mente consciente, ou indiretas, para a inconsciente.
- Invente uma coleção de histórias e piadas que você possa contar espontaneamente.
- Observe as suas metáforas para o treinamento e escolha aquelas que funcionam melhor para você.

# CAPÍTULO 22
# ENCERRAMENTO

Como você encerra um treinamento? O encerramento é uma parte importante e muito negligenciada. Primeiramente, a metáfora musical: ao apresentar-se em público, não deixe de tocar corretamente as últimas notas porque é delas que o público vai se lembrar. As notas erradas do meio serão esquecidas. Segundo, há o suposto "efeito halo": nossa memória é boa para lembrar dos inícios e dos finais, e ruim para lembrar o que aconteceu no meio. Uma das funções dos intervalos é oferecer uma série de mini-inícios e mini-encerramentos para ajudar a memorização dos treinandos.

Em termos de satisfação para a mente consciente dos treinandos, um bom encerramento pode fazer uma grande diferença. Se você estiver utilizando folhas de papel para respostas escritas, pode distribuí-las no final e pedir que os treinandos as preencham antes de sair. Isso funciona muito bem, apesar de desperdiçar energia e tornar o encerramento sem graça. Geralmente, é melhor distribuir as folhas antes do último intervalo, para que o grupo possa preenchê-las durante esse período.

Novamente, como uma composição musical, o encerramento tenderá a fluir naturalmente do resto do treinamento. Um encerramento comedido para um treinamento animado pode parecer incongruente e vice-versa.

Existem cinco coisas necessárias para um bom encerramento:

- recapitulação das informações;
- impacto emocional;
- integração;
- ponte ao futuro
- e a sensação de encerramento.

### Recapitulação das informações

Um bom encerramento recapitulará a matéria, ajudando os trèinandos a separar as informações mais importantes. Isso pode ser feito de diversas maneiras. A mais simples é apresentar um resumo dos pontos importantes no encerramento do treinamento. Você também pode repetir as anotações feitas no *flip chart* durante o treinamento ou distribuir um resumo com os principais pontos, talvez na forma de um diagrama.

Durante o treinamento você utilizou algumas palavras e frases-chave, talvez em determinado tom de voz ou com um gesto. Utilize-as durante a recapitulação, pois proporcionarão uma ligação imediata com o resto da matéria que estava associada a elas.

## Impacto emocional

O impacto emocional pode ocorrer de diversas formas. Tristeza porque o treinamento terminou, gratidão por aquilo que foi alcançado ou a excitação de sair e aplicar as habilidades. Não é preciso ser um encerramento agitado, barulhento, para haver impacto emocional.

## Integração

Você pode planejar um exercício para integrar todas as habilidades do treinamento. Um excelente exercício de integração é utilizar os níveis neurológicos, conduzindo as pessoas por meio de níveis de experiência cada vez mais amplos.

**Exercício de integração dos níveis neurológicos**

Comece pedindo ao grupo para ficar em pé num dos cantos da sala, com espaço suficiente para caminhar seis passos à frente, sem impedimentos. Conduza o grupo pelo processo, mais ou menos como explicado abaixo, acrescentando seu estilo próprio e adaptando suas palavras ao conteúdo do treinamento.

- Ambiente
"Pense no ambiente para o qual você deseja levar sua aprendizagem... Imagine estar nesse ambiente e observe como ele é enquanto você vê essa imagem mental... e ouça os sons... Crie essa imagem do lugar onde você deseja usar essas habilidades, da maneira mais vívida possível... Quando estiver pronto, dê um passo à frente e comece a pensar no que você estará fazendo nesse ambiente..."
*Espere até que todos tenham dado um passo à frente.*

- Comportamento
"O que você está fazendo nesse ambiente...? O que você quer fazer...? Observe por um momento como você se comporta aqui... e quando estiver pronto... dê um passo à frente e comece a pensar nas suas habilidades.."
*Espere até que todos tenham dado um passo à frente.*

- Capacidades
"Agora, pense nas suas habilidades... Que habilidades você já tem nessa situação...? Que habilidades você deseja...? Que habilidades você deseja

usar... e que habilidades você aprendeu nesse treinamento e que pode usar?... Recapitule as suas habilidades aqui... e, quando estiver pronto, dê um passo à frente..."
*Espere até que todos tenham dado um passo à frente.*

- Crenças e valores
"Em que você acredita aqui...? Quais as suas crenças sobre si mesmo e sobre as outras pessoas nessa situação...? Observe de que maneira as suas crenças podem ter se modificado durante esse treinamento... O que você gostaria de acreditar que é possível...? O que é importante para você...? Quais são os seus valores nesse contexto...? Leve o tempo que precisar para explorar algumas das suas principais crenças e valores... e, quando estiver pronto, dê um passo à frente para começar a pensar em você como uma pessoa inteira..."
*Espere até que todos tenham dado um passo à frente.*

- Identidade
"Agora, pense em quem é você, essa pessoa única que é você... Qual a sua missão na vida...? O que você realmente quer fazer...? Quais as coisas que o tornam único... e como você expressa sua singularidade...? Leve o tempo que precisar para pensar nisso... e quando estiver pronto... dê um passo à frente para considerar sua ligação com os outros..."
*Espere até que todos tenham dado um passo à frente.*

- Ligação com os outros/espiritual
"Pense em como você está ligado às outras pessoas, não apenas à sua família, mas a todas as pessoas... Talvez você tenha uma maneira espiritual ou religiosa de pensar a esse respeito. Talvez você tenha uma maneira diferente de pensar... Seja qual for a sua maneira... pense no que significa para você estar ligado aos outros... Leve o tempo que precisar..."
*Depois de algum tempo, peça que todos se voltem e comecem a retornar através dos níveis, integrando cada nível enquanto caminham.*

- Voltando e integrando
"Quando você estiver pronto... entre no espaço da sua identidade, trazendo com você a sensação de ligação... Deixe que essa sensação de ligação o enriqueça...
Quando estiver pronto... traga com você essa autoconsciência plena e entre no espaço das suas crenças e valores... Observe como as suas crenças e valores estão enriquecidos... Perceba quaisquer mudanças...
Quando estiver pronto... traga com você essas crenças e valores e observe como elas o libertam e lhe permitem fazer coisas que satisfazem você e os outros... Avalie como esses níveis mais elevados de si mesmo o enriquecem e ampliam suas habilidades... como você é muito mais eficaz

naquilo que faz ao contar com o apoio desses outros níveis... como você está agindo como uma pessoa inteira... completando esse processo no seu próprio ritmo e à sua maneira... seja consciente ou inconscientemente... Agora, traga com você essas habilidades e observe como elas transformam aquilo que você faz... tornando tudo melhor e mais satisfatório para você e para as outras pessoas...
Entre no espaço do ambiente para onde você vai... Veja quantas coisas mais você pode levar para ele agora... Desfrute isso por um instante... enquanto volta sua atenção para o aqui e o agora.
Quando tiver terminado, você pode voltar para o seu lugar."

*Ponte ao futuro*

O exercício de integração dos níveis neurológicos é poderoso, pois não somente integra, mas também age como uma ponte ao futuro daquilo que os participantes aprenderam.

A ponte ao futuro mais direta é um exercício para duas ou três pessoas. Cada uma delas pergunta à outra sobre o local e a maneira como vai utilizar essas novas habilidades e informações. A terceira pessoa ouve ou ajuda a perguntar. Alternativamente, você pode fazer isso em grupos maiores com a participação geral, para que todos possam trocar idéias.

*Uma sensação de encerramento*

Uma outra opção é pedir aos membros do grupo uma palavra que resuma o treinamento. Escreva as palavras no *flip chart*. Elas não precisam ser comentadas. Se o treinamento focalizou determinada habilidade, como por exemplo a assertividade, peça palavras para completar a frase: "Ser assertivo é como...". Os resultados podem ser reveladores e engraçados. Lembro-me de estar dando um treinamento sobre modelagem: como adquirir a habilidade de uma outra pessoa, aprender como ela faz as coisas para que você também possa fazer e ensinar aos outros. Uma das respostas para completar a frase "A modelagem é como..." foi: "A modelagem é como fazer malabarismo com as bolas de outra pessoa!".

Um ritual de encerramento satisfatório é fazer todos prenderem uma folha de papel nas costas. Então, forma-se um círculo e cada um escreve, nas costas do outro, alguma coisa (pelo menos) que gostou e valorizou naquela pessoa. Todos acabam com uma folha de papel repleta de elogios feitos pelas outras pessoas do treinamento.

Uma outra forma de encerrar o treinamento (e nenhum desses exclui qualquer um dos outros), é fazer uma sessão de relaxamento ou transe rápido:

Ao iniciar essa fase final, diminuindo o volume e o ritmo da sua voz, você pode convidar o público para ficar à vontade, realmente confortável sentindo o peso do próprio corpo sobre a cadeira... enquanto focaliza sua atenção em... e você fica cada vez mais consciente... de como são agradáveis as sensações do conforto profundo... ficando mais relaxado a cada respiração... enquanto sua mente inconsciente... explora as possibilidades daquilo que você aprendeu... e você pode começar a imaginar... quais as mudanças... que você perceberá em primeiro lugar... enquanto utiliza a sua aprendizagem... de maneira satisfatória... tornando-se mais... curioso... sobre as possibilidades... e você não precisa ter consciência delas ainda... porque você sabe que elas sempre virão... na hora certa... com sabedoria e equilíbrio... que lhe permitem... realmente aproveitar a sensação de ainda não saber quando... você terá uma agradável surpresa... ao descobrir que está usando sua aprendizagem e habilidades... e lembrando que... haverá muito mais oportunidades de aprendizagem para você aguardar.

*Volte a falar no ritmo e tom de voz normais.*

Enquanto sua atenção está se voltando para aquilo que nós gostamos de chamar de estado "normal" de consciência, perceba quando você deseja se movimentar ou espreguiçar.

Agradeça e dê parabéns a todos. Dê um aviso prático, como, por exemplo, onde deixar a folha de respostas, e encerre. Quer você seja ou não aplaudido espontaneamente, você mereceu. Dê parabéns para você.

Agora, a cortina fechou, a peça acabou, a dança terminou, essa parte do treinamento se encerrou e a próxima se inicia.

## Encerramentos

### *Pontos-chave*

- Os treinandos se lembram dos encerramentos.
- Procure oferecer uma recapitulação das informações, impacto emocional, integração, ponte ao futuro e encerramento.
- Recapitule, sistematicamente, utilizando auxílios visuais e associações que você estabeleceu.
- Use exercícios finais que incorporem a ponte ao futuro, bem como alguma combinação de impacto emocional, integração e encerramento, como:
  · níveis neurológicos;
  · ensaio mental;
  · relaxamento orientado.
- Faça ponte ao futuro do treinamento.
- Dê parabéns e agradeça ao seu público, dê um aviso prático qualquer e encerre.

# PARTE QUATRO
# AVALIAÇÃO

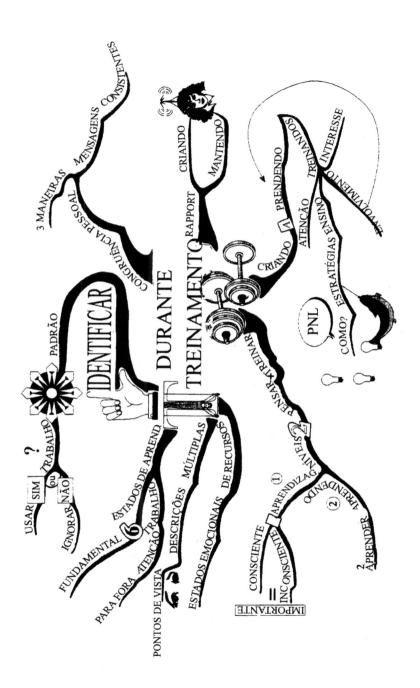

# CAPÍTULO 23
# AVALIANDO O TREINAMENTO

A avaliação é a parte final do ciclo de treinamento e o quarto papel principal nos Padrões Nacionais de Treinamento e Desenvolvimento. Que diferença fez o treinamento? Pense por um instante em sua maneira de avaliar os resultados dos seus cursos de treinamento.

Esta é a nossa definição de avaliação: "A avaliação sistemática considera os resultados do treinamento, nota a diferença que ele fez e determina o seu valor de acordo com medidas preestabelecidas. Esses resultados são utilizados como *feedback* para aperfeiçoar o treinamento".

Essas frases são complexas e precisam ser melhor explicadas.

**Sistemático**

Em primeiro lugar, reunir informações é *sistemático*. Isso significa ser não apenas meticuloso e cuidadoso, mas também sistêmico, isto é, você está considerando a interligação de todo o sistema.

Quer você esteja procurando mudanças em pessoas ou organizações, a causa e o efeito nem sempre estão interligados de maneira óbvia. Quase sempre há uma defasagem e, geralmente, conseqüências inesperadas. Pense cuidadosamente em como você considera os resultados do treinamento.

**Resultados**

Os resultados são as coisas realmente alcançadas pelo treinamento, não aquelas que se pretende alcançar, embora, felizmente, as duas estejam relacionadas. A avaliação envolve diversas maneiras de reunir informações e evidências desses resultados: observação, entrevistas e teste de desempenho.

**Diferença**

Agora, chegamos àquela pequena, porém significativa, palavra: "diferença". Diferença envolve dois estados e uma comparação. Você precisa de informações sobre a situação, antes e depois do treinamento, para fazer uma comparação válida.

A não ser que o treinamento tenha um propósito, uma necessidade identificada que o treinando perceba, o treinamento não significará nada mais do que um "OK" em sua ficha. Para evitar isso, o gerente precisa ter boas habilidades interpessoais e um bom relacionamento com o treinando, o suficiente para que o treinando realmente compreenda os benefícios e sinta-se motivado. Geralmente, isso significa envolver o treinando no processo da Análise das Necessidades do Treinamento (ANT). A ANT e/ou as QVN/Es determinam os objetivos e os padrões iniciais, e o treinamento e a aprendizagem são avaliados em função desses objetivos preestabelecidos. O treinamento sem objetivos é jogar dinheiro fora.

**Nível**

Os objetivos podem estar no nível organizacional, ocupacional ou individual. O treinamento através de seminários públicos, provavelmente, encontra-se apenas no nível individual. O treinamento no local de trabalho abrange os três níveis. Está claro que, se não houver mudança no nível individual, não haverá mudanças nos outros dois níveis, mas você não pode pressupor que a aprendizagem individual, necessariamente, provocará diferenças nos outros dois níveis.

A avaliação mais completa será feita nos três níveis, e a maneira de obter e reunir informações será diferente para cada nível. Esse é um dos aspectos da avaliação sistemática que considera os resultados em cada nível, de acordo com os objetivos preestabelecidos e alcançados.

**Valores**

A própria palavra "avaliação" inclui os valores: um julgamento sobre o que é importante. Os seus valores criam filtros para as informações que você obtém. Portanto, a avaliação está intimamente ligada aos valores no nível organizacional, bem como no individual. Nenhuma das informações avaliadas tem qualquer *significado*, a não ser que estejam associadas a valores.

Uma pessoa pode achar que o treinamento foi valioso caso tenha sido divertido e a tenha tornado mais eficaz no trabalho ou tenha proporcionado novas habilidades de raciocínio. Necessariamente, não precisa fazê-la ganhar mais dinheiro — os seus valores sobre o trabalho podem estar focalizados na melhora do desempenho e maior satisfação na função.

Entretanto, os valores organizacionais geralmente estão relacionados aos lucros. De algum modo, a organização desejará um retorno financeiro ao seu investimento:

- *Eficiência*
  O dinheiro pode surgir com a melhora na eficiência organizacional, que significa obter os mesmos resultados a um custo inferior. A avaliação da efi-

ciência do treinamento em si irá considerar se o programa atingiu seus objetivos de maneira razoavelmente econômica.

- *Eficácia*
O treinamento pode proporcionar mais eficácia organizacional, o que significa obter melhores resultados sem aumentar os custos. Trata-se da melhora no desempenho. Um treinamento efetivo provoca importantes mudanças sem a necessidade de recursos ou esforços extra.

- *Produtividade*
Trata-se de obter melhores resultados com menos esforço. Um programa de treinamento que consegue isso é muito valioso. É eficiente e eficaz, e é aqui que os programas de qualidade buscam fazer uma diferença dentro da empresa.

Esses três princípios podem ser aplicados ao indivíduo, bem como à função e à empresa. Você é mais eficiente quando consegue os mesmos resultados com menos esforço, tempo ou recursos. Você é mais eficaz quando os seus resultados melhoram, utilizando o mesmo esforço, tempo e recursos. Você pode ser mais produtivo obtendo mais com menos. Todos eles são evidências da aprendizagem.

## Tipos de avaliação

A avaliação deve ser realizada em três diferentes estágios e dedicaremos uma seção a cada um deles.

Primeiro, há a *avaliação ao vivo*, na qual você acompanha o que acontece minuto a minuto. Lembre-se do vôo do avião. Você só permanece no curso se ajustar e observar constantemente os seus instrumentos. Um navegador que consulta a bússola às 9h 30 e só volta a consultá-la na hora do almoço pode descobrir que está desastrosamente fora do curso.
Segundo, há a avaliação do *final do treinamento*, quando os treinandos avaliam o treinamento e o instrutor. O instrutor também avalia o treinamento e o seu desempenho.
Terceiro, há a *avaliação da transferência*: por melhor que os treinandos tenham se saído, se deixarem suas habilidades na sala de treinamento, quando forem embora, ele foi inútil. As habilidades foram transferidas para o lugar onde são desejadas?
Finalmente, há a *avaliação organizacional*: de que maneira o treinamento contribuiu para as metas organizacionais?

O propósito final da avaliação é oferecer *feedback* para o aperfeiçoamento do ciclo de treinamento. Isso pode incluir alguns dados de pesquisas que melhoram nossa compreensão sobre os princípios do treinamento. O papel da avaliação é controlar a qualidade. O instrutor e os treinandos atingiram seus objetivos? As necessidades originais foram atendidas em todos os níveis? Se o treinamento não tiver alcançado os objetivos, isso não é fracasso, mas sim *feedback* — uma informação bastante útil que lhe permitirá melhorar e aperfeiçoar o próximo treinamento.

## *Avaliação pública*

A avaliação pode estar ligada a um certificado público, que talvez tenha como base as QVN/Es. Os padrões das QVN/Es estão inseridos em grupos coerentes, valiosos para propósitos de emprego.

Existem cinco níveis de qualificação definidos de maneira abrangente:

Nível 1 — Competência num nível de atividade rotineira.
Nível 2 — Competência numa série de atividades mais variadas.
Nível 3 — Competência em tarefas complexas com maior autonomia e responsabilidade.
Nível 4 — Competência numa série mais ampla de atividades complexas, geralmente com responsabilidade por outras pessoas.
Nível 5 — Aplicação dos princípios e técnicas numa ampla variedade de tarefas com responsabilidade por parte e, geralmente, pelo trabalho dos outros.

*Os direitos autorais de todas as citações das QVN/Es são da Crown, reproduzidas com a permissão do* Controller of Her Majesty's Stationery Office.

Atualmente, o *Training and Development Lead Body* (1993) estabelece os três níveis de qualificações para instrutores:

O nível 3 é realizar um treinamento planejado e especificado por outras pessoas e avaliar os objetivos. E, também, planejar o treinamento.
O nível 4 é planejar, realizar e avaliar o treinamento para alcançar objetivos individuais e organizacionais.
O nível 5 é o do planejamento estratégico e identificação de futuras exigências.

No nível do certificado público, as regras são fixas. A competência do instrutor deve estar acima do nível que está sendo avaliado e ele deve jogar de acordo com as regras.

Portanto, a avaliação é uma idéia simples, embora possa mudar como um camaleão, dependendo do seu ponto de vista. Quanto mais pontos de vista, mais completo será o seu mapa. Quanto mais completo for o seu mapa, mais escolhas você terá, com relação à direção que deseja seguir e mais fácil será chegar lá.

# Avaliando o treinamento

*Pontos-chave*

- A avaliação é o estágio final no ciclo de treinamento.
- A avaliação sistemática considera os resultados do treinamento, nota a diferença que ele fez e determina o seu valor de acordo com medidas preestabelecidas. Esses resultados são usados como *feedback* para aperfeiçoar o treinamento.
- A avaliação lida com o estabelecimento e realização de objetivos importantes para o indivíduo ou para a organização.
- O treinamento pode melhorar a eficiência (mesmos resultados e custo menor), a eficácia (melhores resultados ao mesmo custo) ou a produtividade (melhores resultados a um custo inferior).
- Há quatro estágios de avaliação:
  1. Avaliação ao vivo, durante o treinamento.
  2. Avaliação após o treinamento.
  3. Avaliação da transferência de conhecimento e habilidades para a vida e para o trabalho do indivíduo.
  4. Avaliação organizacional: como o treinamento favorece as metas organizacionais.
- A avaliação oferece *feedback* para aperfeiçoar o ciclo.
- Ela também pode fazer parte da avaliação e certificados públicos.

# CAPÍTULO 24
# AVALIAÇÃO AO VIVO

## Monitorando o treinamento

Monitorar o curso ao vivo é como consultar a bússola para verificar se você está no curso certo — presumindo que você tenha determinado um curso em primeiro lugar. Até mesmo o menor componente do seu comportamento, se for intencional, terá um estágio de avaliação incorporado. Por exemplo, lembre-se de um momento em que você estava apresentando um ponto importante do treinamento. Você avalia para saber se já disse o suficiente para continuar.

Durante um seminário, a avaliação é o processo que o informa se o seu objetivo foi alcançado e se é hora de continuar ou se ele ainda não foi alcançado e é necessário fazer alguma outra coisa para atingi-lo. Sem esse processo de avaliação, você poderia deixar muitas pessoas do grupo para trás ou extremamente entediadas. Você deve manter a atenção totalmente voltada para fora, pois quanto mais prestar atenção ao grupo, mais precisa será sua avaliação. Bons instrutores acompanham por meio da avaliação contínua, sem pensar nela conscientemente.

*Avaliação pessoal*

Você desejará avaliar o próprio desempenho para aperfeiçoar as suas habilidades de treinamento. *Você está satisfeito, independente da opinião de qualquer outra pessoa?* Você está atingindo seus objetivos?

*Experiência dos treinandos*

Você também precisa assumir a segunda posição, colocando-se no lugar dos treinandos para compreender sua descrição. Na opinião deles, eles estão atingindo os objetivos que você estabeleceu? Na sua imaginação, coloque-se no lugar deles e siga sua intuição sobre o que está acontecendo na experiência deles.

Essa é uma poderosa estratégia para saber o que fazer em seguida, e os bons instrutores a utilizam com precisão excepcional. Entretanto, essa é uma habilidade que funciona principalmente no nível da competência inconsciente, portanto, é improvável que, conscientemente, eles saibam como fazem isso. Para desenvolver essa habilidade, utilize-a conscientemente sempre que se lembrar. Estabeleça para si mesmo o objetivo de utilizá-la pelo menos a cada vinte minutos e sempre que se sentir confuso. Faça com que a "sensação de estar confuso" se transforme num sinal para sua imediata utilização.

Mesmo sem esse salto mental, o comportamento não-verbal, do grupo ou do indivíduo, pode lhe dizer muito sobre o que está acontecendo.

Se nada funcionar, pergunte diretamente. Uma pergunta geral para o grupo como: "Como vocês estão se saindo?", lhe dará um *feedback*. Faça a pergunta e *olhe*. O *feedback* verbal pode ser útil. O não-verbal, com certeza, o será. Particularmente, observe o líder inconsciente do grupo. Essa é a pessoa que reflete com maior exatidão o estado do grupo. Se ele ou ela estiver satisfeito, geralmente, tudo está bem. Você pode saber antecipadamente quem é o líder, observando a pessoa cujos movimentos fazem as outras pessoas se movimentarem. Não é fácil perceber isso na hora em que acontece, mas se o grupo foi gravado em vídeo, você pode assisti-lo mais tarde, em velocidade rápida e sem som, e perceber os padrões e repercussões de movimento. Procure o seu "epicentro". Os grupos maiores (com mais de 18 pessoas) terão mais do que um líder.

Uma outra forma de avaliar e obter *feedback* é perguntar ao grupo como ele se classificaria numa escala de um a dez, na qual um significa semicomatoso, e dez, um maravilhoso estado de aprendizagem. Peça que eles observem onde se encaixam, e se alguém não ficar satisfeito com a própria classificação, convide-o a explorar como mudar isso, do jeito que puder. Estabelecendo essa estrutura desde o início, você criará um meio para o grupo acompanhar o próprio estado de aprendizagem e também para assumi-lo com mais responsabilidade, sem depender do seu estímulo.

Você pode solicitar *feedback* em situações específicas. Por exemplo, após criar um exercício, você pode usar a técnica de votação com o grupo todo, pedindo que levantem as mãos para responder às perguntas: "Quem entendeu bem o exercício e está pronto para executá-lo?" ou "Quem preferiria ter um resumo final?". Assim, você avalia a prontidão para determinada tarefa. A facilidade na execução do exercício mostra se ele foi bem organizado e lhe dá mais *feedback*. Enxergar a diferença entre aquilo que você pretendia e o que realmente conseguiu lhe revelará o que modificar na próxima vez. Você pode usar os intervalos para rever aquilo que fez, o que aconteceu e o que você faria de outra maneira, no futuro.

Se você perceber que determinadas pessoas parecem estar encontrando alguma dificuldade, pode lhes perguntar informalmente, durante o intervalo: "Como vocês estão se saindo?" e descobrir quais são as suas preocupações.

### *Avaliação dos colegas*

Uma outra estratégia de avaliação ao vivo — geralmente a mais útil — é a dos observadores e colegas. Eles podem ser instrutores principiantes, co-instrutores, gerentes ou avaliadores de treinamento.

Escolha o tipo de avaliação que você deseja, e peça. Aproveite todas as oportunidades. O *feedback*, como dizem, é o café da manhã dos vitoriosos. Tenha sempre pronta uma estratégia para reação a críticas, para lidar com qualquer *feedback* inadequado e evitar uma indigestão. Lembre-se: se não ajudá-lo a fazer alguma coisa de maneira diferente, então não é *feedback*.

## Combinando avaliações

Reunidas, essas estratégias lhe permitem obter descrições avaliatórias a partir do seu próprio ponto de vista, do ponto de vista dos treinandos e daquele de qualquer observador habilidoso. Se o seu treinamento estiver focalizando principalmente as áreas de habilidades "flexíveis", em lugar das áreas de habilidades técnicas "rígidas", é particularmente importante obter um bom *feedback*. As áreas flexíveis do treinamento, que incluem as habilidades interpessoais, desenvolvimento pessoal ou mudança de atitude, são muito mais difíceis de avaliar.

Uma dica para o instrutor: vale a pena ter à mão o seu diário de instrutor em todos os seus treinamentos, anotando tudo o que você precisa fazer antes ou durante o próximo treinamento.

Numa empresa, se a Análise das Necessidades do Treinamento (ANT) estiver significativamente fora de curso, seja na seleção dos treinandos ou no conteúdo do treinamento, então, de qualquer forma, seu treinamento estará rumando para o destino errado. Continuando a metáfora, você pode ser um piloto excepcional, pilotar brilhantemente, pousar em Heathrow e descobrir que os passageiros queriam ir para as Bahamas. A avaliação ao vivo vai mantê-lo no curso estabelecido. A ANT e o seu planejamento, baseado nela, determinam o destino que é avaliado num nível mais elevado.

## Avaliação ao vivo das habilidades

No caso de treinamento de habilidades, haverá momentos em que você desejará avaliar as habilidades dos alunos durante o treinamento. Se você estiver lidando com habilidades rígidas, técnicas ou sensório-motoras, geralmente existem maneiras bastante diretas para avaliá-las. Por exemplo, com uma habilidade sensório-motora como datilografar, você avalia a velocidade e a precisão, as palavras datilografadas por minuto e o índice de erros. Se você estiver ensinando habilidades de computação mais sofisticadas, pode determinar uma série de tarefas e avaliar a competência baseando-se nelas.

A avaliação das habilidades interpessoais é muito mais subjetiva. Ao lidar com habilidades interpessoais, como o treinamento, você pode começar dividindo-as em algumas partes importantes. Por exemplo, uma parte é a habilidade para evocar um objetivo viável. A seguir, você precisa planejar um exercício cuja principal meta seja a avaliação dessa parte. Pode ser um exercício de desempenho de papel num contexto simulado, tão semelhante quanto possível a uma situação real.

## Descrição múltipla

Aqui, o seu maior problema será a imprecisão da avaliação, e existem duas maneiras para lidar com ele. Primeiro, use um avaliador muito habilidoso. Entretanto, pode ser um problema para uma pessoa sozinha observar uma amostra satisfatória de todos os treinandos. Mesmo que você tenha um avaliador muito habilidoso, consiga o máximo de descrições possíveis, tendo mais pessoas para fazer a avaliação. Você pode usar uma combinação de instrutores, gerentes de linha, assistentes ou treinandos (auto-avaliação e dos colegas). As descrições não precisam concordar entre si. Quanto mais descrições você conseguir, melhor será a qualidade da informação e maiores as suas chances de chegar a uma avaliação clara e precisa. Um número maior de pessoas também será capaz de abranger todos os treinandos no curto período de tempo disponível.

Na prática, você pode obter uma avaliação e uma aprendizagem de boa qualidade combinando avaliadores habilidosos com a descrição múltipla dos colegas e da auto-avaliação.

Eis o esboço de um exemplo para avaliar a habilidade, para evocar um objetivo viável. Ao ler esse exemplo, você talvez ache bom substituir uma habilidade que lhe interessa avaliar e pensar nas mudanças que precisaria fazer para o processo funcionar no seu exemplo.

### Identificar sub-habilidades importantes

Reduza a habilidade a um número mínimo de sub-habilidades necessárias e suficientes, usando a navalha de Occam (não devemos pressupor que existem mais coisas do que aquelas que são absolutamente necessárias). Nesse caso, o treinando primeiramente precisará das habilidades para obter *rapport*, para desenvolver e manter o relacionamento com o cliente, fazendo todas as perguntas relacionadas ao objetivo.

### Habilidades de *rapport*
- *Rapport* através da linguagem corporal:
  calibração, acompanhamento e condução da linguagem corporal

- *Rapport* através do tom de voz:
  calibração, acompanhamento e condução do tom de voz

- *Rapport* verbal:
  calibração e acompanhamento das palavras-chave, crenças e valores

**Habilidades para evocação de objetivo**
* Conhecer os cinco critérios básicos de viabilidade.
* Evocar um objetivo viável com perguntas adequadas, conforme necessário:
  1. Identificar formulações negativas de objetivos e evocar alternativas positivas.
  2. Identificar formulações centradas fora da pessoa e evocar alternativas que estejam dentro do controle da pessoa.
  3. Identificar afirmações muito vagas e evocar alternativas mais específicas.
  4. Identificar qualquer objetivo que não apresente evidências sensoriais e evocar a evidência que poderia estar faltando.
  5. Identificar as conseqüências mais abrangentes da realização do objetivo. Evocar objetivos ou ações alternativas necessárias para a solução dos possíveis problemas.

**Identificar a evidência de cada um**

Especifique os seus critérios de competência para cada uma das habilidades em questão. Os critérios devem se basear nas evidências sensoriais, isto é, aquilo que o observador veria, ouviria e sentiria, para saber que um padrão básico de competência foi atingido. Por exemplo, a evidência de que o primeiro critério foi satisfeito seria ouvir o cliente descrever qualquer objetivo na forma negativa, e o programador fazer uma pergunta para levar o cliente a transformar a formulação negativa em positiva. Por exemplo, a resposta para "Eu não quero 'X'" é: "O que você gostaria no lugar de 'X'?".

**Planejar o exercício**

Planeje, para o exercício, uma estrutura que ofereça oportunidades suficientes para que ocorram avaliações múltiplas. Por exemplo:

* Três papéis: programador, cliente e observador.
* Três séries de 15 minutos para cada pessoa em cada um dos papéis.

* Tarefas do programador:
  · estabelecer e manter o *rapport* com o cliente;
  · identificar um problema real adequado, escolhido pelo cliente;
  · fazer perguntas que permitam ao cliente transformar o problema num objetivo;
  · avaliar o próprio desempenho.

* Tarefa do cliente:
  · identificar um problema real adequado que ele gostaria de explorar;
  · ser ele mesmo;
  · observar as coisas que ajudam ou atrapalham naquilo que o programador faz.

- Tarefa do observador:
  - prestar atenção à interação e buscar evidência comportamental do programador para cada uma das habilidades;
  - avaliar os níveis de habilidade deles.

- Tarefa do instrutor:
  - criar o exercício;
  - controlar as estruturas temporais;
  - administrar a equipe de avaliadores;
  - observar cada programador em ação.

Cada pessoa terá uma folha de avaliação com critérios para cada uma das partes da habilidade.

| Exercício.................................................. Programador......................... |
| Avaliador.................................................. |
| **Habilidades para evocação de objetivo:** |

| Forças | Potenciais<br>áreas para desenvolver | Classificação |
|---|---|---|
| Palavras-chave<br>que refletem<br>o *feedback* verbal | Palavras-chave<br>que refletem<br>o *feedback* verbal | Escore<br>de 1 a 10 |

*Figura 4.1 Folha de avaliação*

No final de cada série, há dez minutos para o *feedback* e a avaliação:
 dois minutos para o programador apresentar uma auto-avaliação verbal;
 dois minutos para o observador apresentar uma avaliação verbal para o programador;
 dois minutos para o cliente apresentar uma avaliação verbal para o programador;
 quatro minutos para cada um deles anotar a classificação numérica e as palavras-chave na folha de avaliação para o programador.

No final de cada série, o programador terá três formulários de avaliação, um preenchido pelo cliente, um pelo observador e outro por ele mesmo.
 Reúna todas as folhas de avaliação, julgue a habilidade dos avaliadores e compare-as, digamos 3:1 avaliadores: treinandos.
 Calcule as médias ponderadas para cada treinando em cada uma das principais habilidades, começando com o primeiro conjunto, nesse caso, as habilidades para evocar um objetivo.

Por exemplo:

21 treinandos
Três avaliadores
O treinando A obtém um escore sete do observador, oito do cliente e sete dele próprio: Total 22
Ele obtém sete de cada um dos três avaliadores mais habilidosos. Total 21.
Multiplique esse número por três para ponderá-lo: Total 63. Some esse número ao escore dos treinandos: 63 + 22 = 85.
O número total de escores (2 + dele próprio + 3 x 3 avaliadores) = 12 com um máximo de dez para cada um
Média ponderada = 85 em possíveis 120 = 70,83% para a habilidade de evocação de objetivo

O significado dessa estimativa dependerá das circunstâncias. Por exemplo, se ela for muito maior ou menor do que a média total, então ela é significativa. Se for muito maior ou muito menor do que os escores para outras habilidades na folha, também é significativa. Aqueles que obtêm os escores mais baixos são candidatos a um treinamento extra. Os que obtêm escores mais elevados são indicados para uma modelagem sobre como eles os atingem, e é isso que você precisa para ensinar os que obtiveram escores inferiores.

As técnicas de avaliação baseadas na descrição múltipla são, provavelmente, a melhor maneira para avaliar habilidades muito subjetivas durante um treinamento. Você pode criar uma versão adequada às suas necessidades.

## Avaliação ao vivo

*Pontos-chave*

- A avaliação ao vivo é feita constantemente durante o seminário para verificar se ele está no rumo certo.
- Tudo o que você faz no treinamento e que tem um propósito incluirá uma avaliação.
- O instrutor fará uma avaliação ao vivo a partir de três pontos de vista:
  - o próprio ponto de vista (primeira posição);
  - o ponto de vista do treinando — por intuição, perguntando e observando o comportamento não-verbal (segunda posição);
  - o ponto de vista dos observadores e colaboradores (terceira posição).
- A avaliação ao vivo segue o seu curso predeterminado. Para uma avaliação total de um treinamento numa empresa, você também deve considerar a Análise das Necessidades do Treinamento.

- É relativamente simples avaliar quantitativamente as habilidades "rígidas", como rapidez, precisão, qualidade.
- As habilidades "flexíveis" podem ser avaliadas pelos exercícios de avaliação de descrição múltipla.
- Você pode avaliar combinando a descrição múltipla e dividindo a habilidade em segmentos menores:
  - tendo diversos avaliadores;
  - dividindo a habilidade em sub-habilidades;
  - escolhendo critérios para o desempenho competente;
  - planejando um exercício para testar as sub-habilidades;
  - reunindo os diferentes relatórios dos avaliadores.

# CAPÍTULO 25
# AVALIAÇÃO DO SEMINÁRIO

*Avaliação imediata*

A avaliação imediata, no final do seminário, é o processo mais utilizado. O objetivo da avaliação imediata do seminário é:

- Relembrar objetivamente o seminário. Observar o que deu certo e o que você faria para melhorá-lo na próxima vez.
- Descobrir o que os treinandos acharam do seminário. O *feedback* deles oferece uma importante descrição do treinamento.
- Avaliar o seminário e as suas técnicas de treinamento a partir do seu ponto de vista pessoal e obter *feedback* dos colegas.

Então, você pode avaliar os objetivos do seu curso sob todos os três pontos de vista.

*Auto-avaliação*

Há diversas atividades que podem ser feitas para tornar o treinamento completo para si mesmo e aprender o máximo com ele:

- Tente prever as reações dos treinandos antes de ler o seu *feedback*. Isso é útil para verificar as suas habilidades na segunda posição. Se você achou que eles adoraram e o *feedback* escrito demonstrou o contrário, já sabe que precisa aprender alguma coisa.
- Pergunte-se o que deu certo e o que não deu. Da próxima vez, você pode modificar o que fez, por dois motivos: primeiro, o que você fez funcionou tão bem que deixou de ser interessante e você deseja um novo desafio, fazendo as coisas de maneira diferente; ou segundo, o que você fez não conseguiu atingir o objetivo.
- Avalie os objetivos do processo. As tarefas que você estabeleceu para o seu autodesenvolvimento foram realizadas?
- O conteúdo do seminário era bom? Existem lacunas que precisam ser preenchidas?
- O local era adequado? Você precisa dar algum *feedback* a esse respeito?

- Peça aos colegas de treinamento — co-instrutores, assistentes, gerentes de treinamento, avaliadores — um *feedback* sobre o seminário e sobre o seu desempenho.
- Dê um *feedback* aos seus colegas sobre o que eles fizeram.
- Anote em seu diário os pontos-chave e as providências a serem tomadas.

## Avaliação pelos treinandos

A forma clássica de avaliação de um seminário é um questionário preenchido pelos treinandos mais ou menos dez minutos antes de terminar. O seu ponto fraco óbvio é que os treinandos não têm tempo suficiente para avaliar o que obtiveram do treinamento e sentir-se pressionados, deixando de analisar cuidadosamente as respostas. E mais, as respostas obtidas serão tão úteis quanto as perguntas que você fez.

### Perguntas qualitativas

Geralmente, o questionário incluirá dois tipos diferentes de perguntas. As perguntas fechadas, que pedem avaliações quantitativas ou numéricas de uma ou mais habilidades "flexíveis". Isso pode ser feito através de uma porcentagem, de uma classificação de um a dez ou assinalando um dos itens de uma série de opções que vão do "insatisfatório" ao "excelente".

Seja cuidadoso ao interpretar esses números. Por exemplo, você pode obter do grupo um índice médio excelente de 85% para o treinamento. Isso é bom? É, se a sua média habitual é de 75 ou 95%. Uma pessoa pode classificá-lo como insatisfatório porque na última semana passou dois dias surpreendentes, transformadores, fazendo um treinamento com o melhor instrutor do mundo.

Essas perguntas irão revelar pessoas muito insatisfeitas ou muito satisfeitas. Com o tempo, a média do grupo lhe dará um referencial sobre a sua habilidade de treinamento a partir do ponto de vista deles.

Haverá também algumas perguntas qualitativas abertas sem restrições para os treinandos, solicitando respostas curtas. Por exemplo:

O que você mais gostou no seminário?
O que você gostaria que tivesse sido diferente no seminário?
O que você aprendeu de mais útil no seminário?

Uma pergunta pode ser tão simples e aberta quanto: "Por favor, escrevam a sua avaliação do seminário".

A força de perguntas abertas sem restrições é que você pode fazê-las para reunir informações sobre qualquer aspecto do treinamento. Entretanto, é um pesadelo tentar obter qualquer estatística significativa com elas. Até mesmo juntá-las para fazer um resumo é difícil. Siga algumas regras simples.

Se o número de pessoas que afirmam que você foi depressa demais for mais ou menos igual ao daquelas que dizem que você foi muito devagar, então você saberá que quase conseguiu o ritmo certo. Se, ao contrário, você só conseguir comentários sobre a sua rapidez e ninguém disser que você foi muito lento, então você sabe que deveria ter ido mais devagar.

Na prática, a maioria dos questionários incluirá uma mistura de perguntas quantitativas fechadas e perguntas qualitativas abertas. Faça um questionário curto com o menor número de perguntas possível. As perguntas acima funcionam bem e só precisam de cinco minutos para serem respondidas. Os treinandos não gostarão de um questionário longo e complexo no final do dia e, se você insistir, seu *feedback* será de qualidade muito inferior.

Você não precisa tentar abranger todas as eventualidades no questionário, simplesmente deixe um espaço no final para "Outros comentários", que lhe permitirão perceber qualquer questão não abrangida e que as pessoas consideram importante. Se alguém pedir para levar o formulário para casa e completá-lo em sua hora de folga, lembre-se de que, se isso acontecer, você tem menos de 10% de chance de recebê-lo de volta.

Utilizando um método tão simples quanto esse, você saberá muitas coisas (desde que você o mantenha constante durante algum tempo e não fique fazendo modificações). Por exemplo, durante os últimos seis meses, o índice médio dos nossos seminários de PNL foi de cerca de 87%, com uma distribuição normal entre os extremos de 79 e 97%. Os índices individuais dos treinandos mostraram uma curva da distribuição entre 70 e 100%, conforme mostrado na Figura 4.2.

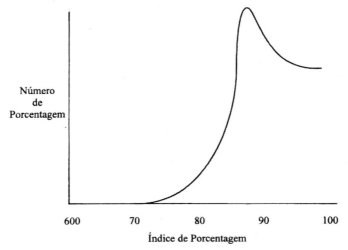

*Figura 4.2 Curva da distribuição das classificações individuais dos treinandos*

Os gráficos desse tipo são muito simples e podem ser perfeitamente adequados como uma indicação da qualidade da linha de base. Lembre-se do ditado: "Existem mentiras, mentiras abomináveis e estatísticas". As estatísticas podem dar qualquer impressão que você quiser, dependendo do contexto em que forem colocadas. Certifique-se de que elas estejam comparando a mesma coisa e então decida se qualquer desvio é ou não significativo. Se for, então é preciso agir.

**Avaliação da qualidade**

O índice médio numérico para cada seminário está bem correlacionado com as diferentes avaliações dos treinandos sobre o seminário. Os instrutores experientes podem prever o índice numérico de um seminário que acabaram de apresentar, com uma margem de erro de um ou dois por cento. Isso nos oferece uma posição numérica fixa sobre a qualidade de cada seminário e uma importante avaliação do controle de qualidade da satisfação dos treinandos. Entretanto, por mais gratificante que seja, como instrutores, receber bons escores nas folhas de resposta e, por mais que saibamos que o divertimento é uma precondição necessária para a aprendizagem, pouco sabemos sobre a aprendizagem realmente ocorrida. Para isso, precisamos de uma avaliação da aprendizagem.

## Avaliação do seminário

*Pontos-chave*

- O propósito da avaliação imediata do seminário é:
  - relembrar objetivamente o seminário e aprender com ele;
  - descobrir o que os participantes acharam do seminário;
  - avaliar o seminário e as suas habilidades de treinamento a partir do seu ponto de vista pessoal e obter *feedback* dos colegas.
- Uma auto-avaliação é útil para:
  - rever todo o treinamento;
  - identificar o que deu certo e o que você modificaria.
- A avaliação pelos treinandos geralmente é obtida pela folha de respostas. Pede-se aos treinandos:
  - um índice numérico para o treinamento;
  - comentários sobre o treinamento.
- Você pode utilizar o índice numérico como uma avaliação do controle da qualidade geral.
- Você pode usar os comentários escritos dos treinandos como um *feedback* das suas percepções sobre o treinamento.

# CAPÍTULO 26
# AVALIAÇÃO DA APRENDIZAGEM

*Aprendizagem individual*

No estágio da avaliação não estamos mais preocupados com o processo de aprendizagem, apenas com os resultados. Como você sabe que aprendeu alguma coisa? É preciso haver alguma mudança em sua maneira de pensar ou agir. Os treinandos levarão essas mudanças para sua vida e seu trabalho. O propósito do treinamento no local de trabalho é fazer essas mudanças proporcionarem um desempenho melhor no trabalho e, talvez, uma conseqüente melhora na eficácia organizacional. Porém, tudo começa com a aprendizagem individual.

Há diferentes maneiras para pensar a respeito do que aprendemos e, portanto, do que avaliamos. Usaremos o conhecimento, a atitude e as habilidades como uma estrutura ampla. Eles não existem isoladamente — qualquer treinamento contém os três —, mas, geralmente, um deles será predominante.

Muitas pesquisas feitas com gerentes têm a seguinte pergunta: "Por que os subordinados fracassam?". As três respostas que, invariavelmente, surgem no topo da lista são:

1. Eles não sabem *o que* se espera que façam. Essa é uma falta de conhecimento e também um triste comentário sobre a prevalência do "sistema cogumelo de gerenciamento" (manter os empregados no escuro e cobri-los com adubo).
2. Eles não sabem *por que* devem fazer. Esse é o território do treinamento sobre valores e atitudes.
3. Eles não sabem *como* fazer. Essa é a área do treinamento de habilidades.

As pesquisas também indicam que mais ou menos dois terços das causas desses problemas estão na área de controle do gerente, não do subordinado. Deming afirma que são 90%.

## Avaliação do conhecimento

É fácil avaliar o conhecimento (fatos lembrados) com um questionário de múltipla escolha, consistindo de diversas perguntas, cada uma com quatro ou cinco respostas possíveis. O treinando marca a resposta que escolheu. Por exemplo:

O que significa PNL?

a) Processamento Natural da Linguagem
b) Programação Neurolingüística
c) Lipopigmento Neuronal
d) Processador de Nano-Longevidade

As respostas certas são a, b, c (todas elas existem, mas nós inventamos a resposta d) — o que mostra as armadilhas desses testes. A pergunta original deve ser mais específica, isto é, o que significa PNL neste livro?
    Os questionários de múltipla escolha devem ser claros. Inclua somente afirmações positivas e não forneça pistas com repetição de palavras-chave na resposta certa. As respostas incorretas devem ser plausíveis e em ordem aleatória. Para eliminar o efeito de palpites corretos, os escores devem ser reescalados, para que o número de respostas corretas obtidas por palpites casuais se torne a linha de base.
    Utilizando um questinário de múltipla escolha no final de um treinamento, você terá uma medida do *conhecimento*, mas se você não souber quanto os treinandos já sabiam ao iniciar o curso de treinamento, você não terá uma medida da *aprendizagem*. Para avaliar a aprendizagem, isto é, a *mudança* no conhecimento, você precisa de um "pré-teste", que é um questionário semelhante, feito antes do treinamento ou no local de trabalho, para avaliar o nível de conhecimento existente. Não utilize o mesmo questionário que você usará no final, mas crie um pré-teste com perguntas semelhantes. A diferença entre os escores dos treinandos no pré-teste e no pós-teste lhe darão a medida exata do conhecimento adquirido durante o curso.

### Aprendizagem e diferença

Eis uma proposta interessante: a pessoa que mostra a maior melhora no seu escore, independente do seu escore absoluto, aprendeu mais. Portanto, uma pessoa que conseguiu 10% no pré-teste e 60% no pós-teste aprendeu mais do que o seu amigo que obteve 80% e depois 90%.
    Se o padrão visado for de 75%, então os 90% passam e os 60% não. Entretanto, se estamos interessados na aprendizagem, aquele que obteve 60% aprendeu mais.

### Aumento da porcentagem

Você pode ser mais sofisticado e considerar um "aumento da porcentagem" incluindo diferentes escores no pré-teste. Calcule assim o ganho de porcentagem:

$$\textbf{Aumento da porcentagem} = \frac{\textbf{Escore do pós-teste - escore do pré-teste} \times \textbf{100}}{\textbf{Maior escore possível - escore do pré-teste}}$$

O primeiro treinando teria conseguido um aumento de porcentagem de 55% e o segundo de 50%.

Assim, podemos medir a eficácia do programa para ensinar o que um indivíduo precisa aprender. A razão de ganho médio de todos os treinandos oferece uma avaliação útil da eficácia do curso. As pesquisas têm demonstrado que um bom instrutor conseguirá uma média de cerca de 50%, combinando recursos e prática. O ensino individual mostrará aumentos mais elevados, e o treinamento individual por computador pode ultrapassar os 70%, enquanto uma conversa com perguntas ficará em torno de 20%.

Numa empresa, o conhecimento será ensinado baseado na crença de que ele é útil na função para a qual a pessoa está retornando. Vale a pena verificar isso posteriormente com um questionário, perguntando quanto o conhecimento é útil no trabalho e quais as dificuldades, se houver alguma, encontradas pelos treinandos para aplicá-lo.

## Avaliação da atitude

É mais difícil avaliar as mudanças de atitude do que as habilidades ou o conhecimento. Atitudes são crenças, valores e opiniões. Elas se encontram num nível mais elevado do que a habilidade e não se influenciam com facilidade. Os exemplos de um treinamento de atitudes seriam o treinamento para gerar na equipe de linha de frente de uma empresa um impulso mais forte para servir bem o consumidor ou o treinamento de conscientização sobre racismo, preconceitos sexuais e práticas antidiscriminatórias em geral.

O treinamento de habilidades efetivas influenciará as atitudes porque para utilizar uma habilidade você precisa enxergar algum valor nela. Por exemplo, a não ser que o treinamento nos convença de que determinadas habilidades de comunicação são valiosas, podemos utilizá-las com perfeição e, mesmo assim, não nos preocuparmos com isso. Para que a habilidade realmente faça uma diferença em sua vida, você precisa estar motivado para usá-la e acreditar que pode. Se você veio para o treinamento pensando que essas habilidades não eram muito úteis, isso pode envolver uma mudança de atitude e, também, uma mudança de crenças, se você não acreditava que seria capaz de utilizá-la. Portanto, qualquer treinamento de habilidades deve instalar as crenças e os valores de que a habilidade é possível e valiosa (se elas ainda não existiam).

Teoricamente, as crenças e os valores não aumentam o nível de habilidade, mas se a pessoa quiser usar a habilidade da melhor maneira possível, eles são necessários. A mudança de atitude levará a mudanças no comportamento, mas não, necessariamente, na habilidade. É por isso que alguns treinamentos de "habilidades interpessoais" são desapontadores. Eles são chamados de treinamentos de habilidades, mas, na verdade, são apenas treinamentos de atitudes.

## Questionários sobre atitudes

Como avaliar uma mudança de atitude, valor ou crença? Que mudanças comportamentais serão vísiveis como resultado?

As mudanças de atitude podem ser percebidas de maneira informal no final de um curso, por meio de perguntas como: "Quais foram as coisas importantes nesse treinamento?" e "O que você vai fazer de maneira diferente quando voltar ao trabalho?". Para avaliar a mudança, deve haver um pré-teste, geralmente pela auto-análise ou pelo inventário de personalidade. O mesmo inventário, efetuado após o treinamento, captará quaisquer mudanças, desde que a pessoa não responda aquilo que ela acha que o avaliador quer ouvir.

A avaliação mais simples sobre mudanças de atitude é um tipo de questionário de auto-análise chamado de "diferencial semântico".

## Diferenciais semânticos

Um diferencial semântico começa com um conceito que é uma crença ou valor e uma escala para marcar uma opinião situada entre dois extremos. Por exemplo:

*"O significado da comunicação é a resposta que ela obtém."*
*Circule o número 1 se você realmente acredita que esse é um conceito útil.*
*Circule o número 5 se você realmente acredita que é um conceito inútil.*
*Os números intermediários indicam os diversos graus de crença.*
*Faça o mesmo para cada conjunto de extremos.*

| útil | 1 | 2 | 3 | 4 | 5 | inútil |
|---|---|---|---|---|---|---|
| verdadeiro | 1 | 2 | 3 | 4 | 5 | falso |
| prático | 1 | 2 | 3 | 4 | 5 | acadêmico |
| forte | 1 | 2 | 3 | 4 | 5 | fraco |
| quente | 1 | 2 | 3 | 4 | 5 | frio |

*Figura 4.3 Diferencial semântico*

Existem outras variações interessantes. Primeiro, a coluna da direita pode ser deixada em branco para que os treinandos coloquem as suas palavras para o oposto da coluna da esquerda. Mais radicalmente, os treinandos podem ser convidados a preencher ambos os lados e apresentar sete pares de afirmações opostas ou complementares.

Isso pode ser ampliado para um exercício em grupo. Pegue o valor, crença ou atitude e peça ao grupo algumas descrições possíveis. Assim, você pode desenvolver definições individuais ou grupais sobre atitudes importantes, durante todo o treinamento, e as descrições criadas pelo grupo podem tornar-se mais sofisticadas à medida que eles compreenderem melhor o que o valor significa na prática. Aqui, é essencial um facilitador habilidoso para administrar o processo.

## Mudança de comportamento

Será que a mudança de atitude tem qualquer valor se não houver mudança no comportamento? Podemos afirmar que ela realmente existe? O que as pessoas fazem é uma indicação melhor de como elas pensam do que o que elas dizem. Portanto, ao buscar mudanças de atitude, observe as mudanças no comportamento.

Há diversas técnicas de avaliação chamadas de "escalas comportamentais", criadas especificamente para avaliar mudanças no comportamento. Um dos trabalhos pioneiros nessa área foi realizado por Rackham e Morgan e está descrito no *Behavioural Analysis In Training* (1977). As escalas seguintes foram adaptadas desse trabalho:

**Apoio** envolve uma declaração direta e consciente de apoio ou concordância com outra pessoa ou conceito.

**Discordância** é uma declaração direta de diferença de opinião ou crítica sobre o conceito de outra pessoa, com motivos.

**Defesa** fortalece defensivamente a própria posição de um indivíduo.

**Ataque** ataca outra pessoa e geralmente envolve manifestações emocionais e julgamento de valores.

**Comportamento aberto** é o contrário da defesa. Expõe a pessoa que o demonstra à perda de *status*. Por exemplo, a admissão de erros sem desculpas.

**Teste de compreensão** procura compreender se uma contribuição anterior foi entendida.

**Resumo** reitera discussões anteriores.

**Proposta** apresenta um novo conceito ou curso de ação.

**Criação** amplia ou desenvolve a proposta de outra pessoa.

**Bloqueio** apresenta uma dificuldade ou bloqueio para uma proposta, sem apresentar um motivo ou uma alternativa. Por exemplo: "Não vai dar certo" ou "Eu não posso fazer isso".

**Busca de informação** procura fatos, opiniões ou esclarecimento com os outros.

**Fornecimento de informação** oferece fatos, opiniões ou esclarecimento para os outros.

**Exclusão** tenta excluir outro membro do grupo, por exemplo, pela interrupção.

**Inclusão** é o oposto da exclusão e tenta envolver diretamente outro membro do grupo.

Adaptado de "Categories of behaviour" em *Evaluating Trainer Effectiveness* (McGraw-Hill, 1991) por Peter Bramley; fonte: *Behavioural Analysis in Training* (McGraw-Hill, 1977) por N. Rackham e T. Morgan; utilizado com permissão.

Esta lista pode ser útil. Ela é bastante específica e descreve o comportamento que podemos ver e ouvir, freqüentemente, acontecendo durante uma interação. Você pode adaptá-la a diferentes situações e incluir exemplos de determinado comportamento antes e após o treinamento de atitudes, para avaliar as mudanças.

Por exemplo, quando um gerente estiver ensinando um empregado você esperaria um elevado índice de:

- inclusão
- busca de informação
- teste de compreensão
- proposta
- apoio
- criação

e um índice baixo de:

- exclusão
- bloqueio
- ataque
- defesa

## *Linguagem*

A outra indicação de mudança de atitude é aquilo que as pessoas dizem. A fala é um comportamento bastante revelador, apesar de geralmente não pensarmos nela dessa maneira. É fácil ver como as escalas comportamentais se refletem na linguagem das pessoas. A linguagem e o comportamento estão integrados.

Atualmente, há muitos treinamentos de conscientização sobre prática antidiscriminatória contra o racismo, o preconceito sexual e outras formas de discriminação. A correção política é o resultado extremo da simples ligação entre linguagem, atitude, pensamento e ação. Esse é um assunto amplo, mas o instrutor tem duas importantes questões:

- Uma mudança de atitude geralmente resultará numa mudança na linguagem, porém, não o contrário. Uma pessoa pode facilmente usar as palavras certas sem pensar ou agir de maneira diferente.
- A linguagem tem muitas repercussões no nível pessoal, cultural e político. Ela é tão complexa que não pode ser considerada isoladamente. As ações falam mais alto do que as palavras.

## Avaliação da habilidade

As ações, conhecimento e valores nos levam à área de habilidades. Habilidade é a capacidade para realizar constantemente alguma tarefa, dentro de um padrão específico. Em qualquer habilidade há um componente mental e físico.

A habilidade matemática é principalmente mental; trocar as marchas de um carro é uma habilidade principalmente física. Quando modelamos habilidades com a PNL, consideramos as ações físicas, as crenças e as estratégias de raciocínio como um todo integrado.

A avaliação das habilidades pode se basear em tarefas. Há duas maneiras diferentes de abordagem:

- Determina-se uma tarefa e o resultado é examinado. É possível medir o resultado quantitativamente. Se a habilidade for a engenharia de precisão, podem-se medir os resultados para verificar como eles se comparam aos padrões industriais. A habilidade pode ser complexa, mas o resultado pode ser medido numericamente com facilidade. Aqui, há também a questão da eficiência. Uma pessoa pode levar uma hora, e outras cinco horas, para atingir o padrão. Entretanto, as habilidades mais complexas não podem ser medidas de maneira tão direta, e é particularmente difícil avaliar as habilidades interpessoais.
- Determina-se uma tarefa e o treinando é observado durante a sua realização, para verificar como ele se sai. Assim, avalia-se o método, bem como o resultado, e isso é muito mais útil. Os resultados são apenas tão bons quanto o método utilizado. Se os resultados forem insatisfatórios, pode-se analisar e avaliar o método para saber o que precisa ser modificado.

*Avaliação subjetiva*

Quando as habilidades que o interessam estiverem na extremidade "flexível" do espectro, só podendo ser avaliadas subjetiva e qualitativamente, como, por exemplo, as habilidades de liderança, então, mais uma vez, a descrição múltipla torna-se útil.

Primeiro, identifique as principais habilidades para a avaliação. O que é mais útil avaliar? Então, escolha os melhores avaliadores. Uma descrição múltipla feita por você, pelos colegas e pelo gerente é ideal.

Escolha os critérios para avaliar a habilidade e descreva-os da maneira mais clara e específica que puder. Então, planeje ou escolha o método de avaliação. Esse método pode variar de um simples questionário até a utilização real da habilidade, sob observação. Peça aos diferentes avaliadores para reunirem as suas observações. Você talvez queira adotar um sistema ponderado. As descrições não precisam ser iguais. Quanto mais descrições você obtiver, melhor a qualidade da informação e melhores as chances de chegar a uma avaliação justa e precisa.

## Análise das habilidades

O método da QVN é adequado para a avaliação de habilidades mais complexas. As habilidades são divididas em pequenos componentes, cada um associado a um padrão. A teoria é que, se após atingir o padrão de cada uma, elas forem reunidas, teremos a habilidade complexa, integrada como um todo.

Entretanto, ao utilizar esse método de decomposição das habilidades complexas em seus elementos, você precisa saber quando parar, caso contrário, continuará dissecando até ficar confuso.

Na Parte Dois, Antes do Treinamento, discutimos a aprendizagem pela criação de pequenos segmentos *versus* aprendizagem por meio de segmentos amplos no nível inconsciente. Agora, podemos integrar esses dois métodos, pois a maneira como aprendemos uma habilidade não precisa ser a mesma como nós a avaliamos. Podemos aprender uma habilidade complexa e depois avaliar os seus componentes. Se aprendermos corretamente, todos os componentes estarão lá para serem avaliados por esse método. Portanto, o estágio de avaliação é quando o aluno se torna consciente de todas as sub-habilidades que captou inconscientemente.

## Modelagem de projetos

Seja qual for o método que você utiliza para avaliar habilidades, provavelmente encontrará uma distribuição de capacidades mais ou menos normal — a maioria das pessoas se encontra na faixa média, algumas são excelentes realizadoras e poucas se encontram no outro extremo da escala. As últimas podem melhorar se forem treinadas novamente.

Realizadores excelentes possuem habilidades e capacidades que são uma potencial mina de ouro em termos de desenvolvimento da eficácia e produtividade organizacional. O problema é saber como chegar a essas riquezas. Agora, usando as técnicas de modelagem da PNL, é possível modelar realizadores excelentes para saber como eles apresentam seus resultados excepcionais. A partir daí, podemos planejar um treinamento específico para o ensino dessas estratégias eficazes aos realizadores médios, para que eles melhorem seus resultados.

Por exemplo, fomos chamados por um dos mais conhecidos fabricantes de automóveis do Reino Unido, que havia reorganizado sua produção em aproximadamente vinte equipes de trabalho, cada uma com um líder. Muitos

líderes estavam encontrando problemas, mas três deles eram soberbos. Eles eram amplamente reconhecidos como os melhores. Esse tipo de situação, em que existem alguns realizadores excepcionais, é ideal para um projeto de modelagem com o objetivo de descobrir as diferenças que fazem diferença, para torná-las acessíveis a todos.
Uma seqüência típica para esse tipo de trabalho é a seguinte:

1. Entrevistas preliminares com a empresa, para identificar o conjunto de competências que vale a pena modelar, quais os realizadores excepcionais, quantas pessoas serão modeladas, qual a verba e, então, elaborar um plano de ação.
2. Passar algum tempo com cada um dos modelos, observando-os em ação em diferentes contextos. Entrevistá-los para descobrir as suas crenças, estratégias, estados e metaprogramas com relação à habilidade que você está modelando deles. Entrevistar seus colegas para obter as suas descrições.
3. Observar alguns realizadores médios nos mesmos contextos. Entrevistá-los para obter as mesmas informações obtidas dos realizadores excepcionais. Pedir, também, a opinião dos seus colegas.
4. Fazer uma análise comparativa para descobrir o que os realizadores excepcionais fazem de diferente dos realizadores médios. Encontrar as diferenças críticas entre os realizadores excepcionais e os do controle.
5. Testar os seus resultados. Se, com a modelagem, você puder ensinar um realizador médio a obter os mesmos resultados dos realizadores excepcionais, você saberá que encontrou as diferenças críticas. Se não puder ensiná-lo, você precisa começar de novo e aperfeiçoar a modelagem.
6. Faça um relatório completo, incluindo o resumo original, a metodologia e a modelagem explícita. Essa modelagem abrange os níveis de identidade, crenças e capacidades até as estratégias mentais.
7. Planeje um treinamento para ensinar a modelagem aos realizadores médios, juntamente com os instrutores da empresa. Se tudo correr bem, treine os instrutores para ensiná-la e vá embora.

As etapas de 1 a 6 podem exigir aproximadamente vinte dias de trabalho, e a etapa 7, talvez, necessite da metade desse tempo.
  Esses pacotes de treinamento e modelagem são amplamente utilizados hoje por muitas empresas em diferentes países.
  A modelagem também pode ser usada para pesquisar importantes áreas de habilidades interpessoais. Por exemplo, a Fiat preocupou-se em assegurar-se de que seus futuros líderes fossem da mais alta qualidade, uma vez que essa era uma parte essencial da sua estratégia de desenvolvimento organizacional. Robert Dilts, instrutor de PNL, foi chamado para realizar um importante projeto de pesquisa usando a modelagem para identificar exatamente as habilidades usadas pelos bons líderes. Uma das descobertas foi uma série de estratégias para criar uma cultura compartilhada.

A modelagem sem o treinamento também é utilizada no recrutamento para determinadas tarefas. Basicamente, você modela excelentes realizadores e procura padrões semelhantes na seleção. De diversas maneiras, a modelagem da PNL está assumindo sua posição nos anos 90 como uma importante tecnologia da empresa que aprende.

## Avaliação da aprendizagem

*Pontos-chave*

- A evidência da aprendizagem é uma mudança em nossa maneira de pensar e agir.
- A avaliação mede os resultados da aprendizagem, não o processo.
- Aprendizagem pode ser conhecimento, atitude e habilidades.

CONHECIMENTO
- O conhecimento pode ser testado com questionários de múltipla escolha e o aumento dos índices pode ser calculado para mostrar a eficácia do treinamento para ensinar aquilo que cada treinando precisava aprender.

ATITUDE
- Atitudes são crenças e valores. As mudanças nas crenças não significam, necessariamente, uma mudança no nível de habilidade, mas podem ser necessárias para uma pessoa usar a habilidade.
- As atitudes podem ser avaliadas por meio de questionários sobre valores, antes e depois do treinamento, e a diferença pode ser avaliada.
- A melhor maneira para avaliar a atitude é pela mudança de comportamento.
- Você pode usar escalas comportamentais para medir a força e a freqüência de determinado comportamento para avaliar a mudança.
- Uma mudança de atitude resultará numa mudança na linguagem da pessoa, mas não necessariamente o contrário.

HABILIDADES
- Há duas maneiras para avaliar as habilidades:
  · determinar uma tarefa e avaliar os resultados;
  · determinar uma tarefa e avaliar o método utilizado em sua execução.
- Essas duas maneiras podem ser combinadas.
- Geralmente, os resultados podem ser medidos quantitativamente.

AVALIAÇÃO PELA DESCRIÇÃO MÚLTIPLA
- Habilidades flexíveis, como as habilidades interpessoais, podem ser avaliadas pela descrição múltipla.
- Você pode avaliar pela descrição múltipla:

- tendo diversos avaliadores;
- estabelecendo critérios para o desempenho competente;
- planejando um método para avaliar a habilidade;
- reunindo as diferentes avaliações dos avaliadores.

QVN/Es
- O método das QVN/Es divide habilidades complexas em pequenos componentes, cada um associado a um padrão. A habilidade complexa é construída parte por parte.
- As habilidades não precisam ser aprendidas da mesma maneira como são avaliadas.

MODELAGEM
- Em qualquer avaliação de habilidades haverá realizadores excelentes, médios e insatisfatórios.
- A modelagem permite que você explique como os realizadores excelentes conseguem resultados excepcionais.
- Então, você pode planejar um treinamento para transmitir essas habilidades aos realizadores médios.
- A modelagem pode ser usada para pesquisar as habilidades flexíveis e para recrutar realizadores excelentes.

# CAPÍTULO 27
# AVALIAÇÃO DA TRANSFERÊNCIA

Ao avaliar seus treinamentos, você pode torná-los mais eficientes. A próxima pergunta é: quão efetivos eles são? Eles são bem transferidos para o local de trabalho, onde gerentes e supervisores estarão procurando um desempenho melhor? Eles são bem transferidos para a vida da pessoa, onde ela deseja fazer mudanças? Um treinamento pode funcionar brilhantemente na sala de treinamento, mas como podemos garantir que ele será transferido para fora dela?

A maior parte das pesquisas educacionais deixa muito claro que a aprendizagem é um estado que depende do local, da situação e das pessoas presentes naquele momento, e tende a criar âncoras relacionadas a ele. É fácil aplicar habilidades interpessoais entre amigos, num ambiente de apoio, com um bom instrutor para administrar o processo. Mas é muito diferente fazê-lo numa manhã chuvosa de segunda-feira, a caminho do trabalho. Em nossa cultura, até mesmo a palavra "trabalho" pode modificar o estado de espírito de uma pessoa.

## Transferência de aprendizagem

Há três maneiras para considerar a transferência da aprendizagem. A primeira é fazer tudo o que pudermos para preparar os treinandos para a mudança de ambiente. A ponte ao futuro ou o ensaio mental conseguem isso. A segunda é sermos capazes de avaliar as mudanças após o treinamento para obter evidências do sucesso da transferência. A terceira é oferecer o máximo de apoio aos treinandos em sua vida pessoal ou profissional.

### Ponte ao futuro

A ponte ao futuro é um ensaio mental no qual imaginamos estar usando as novas habilidades no lugar em que as desejamos. Essa é uma parte essencial de qualquer programa de treinamento e alcança três objetivos:

- Lembra os treinandos de que eles deverão transferir as habilidades para uma outra realidade.
- Reforça a aprendizagem por meio do ensaio mental.
- Age como uma rede de segurança para os problemas.

Ao dar instruções para a ponte ao futuro, inclua possíveis dificuldades e sua solução, dizendo algo como: "Enquanto você imagina estar usando essa habilidade no local de trabalho, observe os fatores que podem dificultar sua aplicação. Enquanto você os observa, comece a pensar o que pode ser feito para contornar esses problemas e usá-la *agora*". Você também pode usar o gerador de novos comportamentos, como descrito na página 120.

Isso revelará alguns problemas, e os treinandos podem compartilhar soluções numa discussão em grupo. O instrutor também pode contar histórias de dificuldades e de como os heróis dessas histórias as superaram. Uma sessão final de matança de dragões e extinção de incêndio é uma boa preparação para sair no mundo e lutar.

É muito mais provável que as habilidades sejam transferidas se você alcançar os níveis de crenças, valores e identidade nos treinandos. Assim, elas irão se tornar uma parte da personalidade e serão consideradas valiosas em qualquer lugar, pois esses níveis são mais elevados do que o nível ambiental. O exercício de integração dos níveis neurológicos no final da última seção (veja página 191) será útil aqui.

## *Determinando objetivos*

Num curso de treinamento público, as pessoas algumas vezes acham difícil avaliar até que ponto o treinamento ajudou a fazer mudanças em sua vida; poucas pessoas trazem objetivos específicos, enquanto algumas têm objetivos tão amplos e irrealistas que, com certeza, ficarão desapontadas. O desapontamento, como dizem, precisa de um planejamento adequado. No final, cabe à sensação subjetiva do indivíduo sobre o curso e os seus valores (na maior parte inconscientes) quando compara o tempo e o dinheiro gastos com os resultados alcançados.

Há muitas maneiras para os instrutores estimularem os treinandos a avaliar sua experiência, certificando-se de que aquilo que aprenderam será transferido para suas vidas.

- Fazer todos estabelecerem objetivos deve ser uma das prioridades do curso.
- Estimular os treinandos a separar esses objetivos dos seus sentimentos sobre o curso irá agradá-los (você espera), mas você deve estar preparado para tornar-se impopular em suas tentativas para ajudá-los a atingir os objetivos. Para obter mudanças você pode pressionar as pessoas e parecer insensível. Portanto, apesar de este livro enfatizar que o treinamento deve ser diverti-

do, no curto prazo, talvez seja preciso ignorar esse ponto para beneficiar os treinandos a longo prazo.
- Os diários de objetivos são uma boa idéia. Pode ser difícil acompanhar os objetivos conscientemente e é fácil esquecer que você já alcançou aquilo que desejava. Assim que esses diários tiverem sido iniciados, estimule os treinandos a consultá-los, pelo menos uma vez por mês.
- Diga aos treinandos que as outras pessoas reagirão a eles de maneira diferente e que isso pode ser uma valiosa confirmação de que houve um progresso. Se nada mudou na vida deles, é um mau sinal, portanto, encoraje-os a procurar as diferenças.
- Lembre os treinandos de observarem as conseqüências indiretas das mudanças. As outras pessoas em suas vidas, especialmente esposas, maridos, amigos íntimos e parentes têm algumas expectativas rígidas a respeito deles. Agir de maneira radicalmente diferente pode perturbar as pessoas mais próximas e queridas. Uma das coisas que um instrutor pode fazer é encorajar as pessoas a *fingir* que são as mesmas durante algum tempo e introduzir as mudanças gradativamente. Essa é uma medida adequada porque acompanha as mudanças em suas vidas, respeita os seus relacionamentos e lhes dá o controle do processo de mostrar as mudanças.
- Pode haver outras questões de ecologia. Há uma história sobre a época em que John Grinder estava ensinando a habilidade para fazer perguntas precisas, conhecida como Metamodelo, pela primeira vez, numa aula de Lingüística na Universidade da Califórnia, Santa Cruz, no início dos anos 70. Esse modelo é sobre fazer perguntas muito específicas, algumas vezes desafiadoras, para obter informações claras. Na semana seguinte, a maior parte dos alunos parecia extremamente desanimada. Eles haviam afastado as pessoas amadas e hostilizado seus amigos, usando constantemente as perguntas. Portanto, para a transferência da aprendizagem, podem ser necessárias habilidades de apoio. Nesse caso, as habilidades foram muito bem transferidas, mas, sem as habilidades de apoio do *rapport*, elas fracassaram. Sem *rapport*, as habilidades tornaram-se muito arriscadas. Os alunos também as usaram indiscriminadamente e com excesso de entusiasmo.

### Acompanhamento de apoio

O acompanhamento após o treinamento ajudará a dar apoio aos treinandos. Manter contato com outros treinandos, praticar em grupo e participar de pacotes de aprendizagem a distância também ajuda. Nos treinamentos de *Practitioner* em PNL, realizados pela John Seymour Associates, os treinandos recebem muito estímulo e auxílio para se organizar e formar grupos. Um boletim informativo é publicado a cada quatro meses e há uma reunião anual, para a qual os treinandos antigos e atuais são convidados. Uma rede de apoio é importante para manter as novas habilidades em atividade num ambiente neutro ou adverso.

# Transferência para a empresa

O instrutor é responsável apenas por uma parte do ciclo de treinamento numa empresa, influenciando-a diretamente. O sucesso da transferência depende não somente do treinamento, mas também do sucesso da administração do ciclo completo do treinamento:

### Seleção dos treinandos
As empresas estão buscando melhores resultados. Se as pessoas erradas forem selecionadas para o treinamento, por mais motivadas que estejam, e por mais brilhante que seja o treinamento, os resultados *organizacionais* serão decepcionantes. O instrutor pode levar a culpa. E, sim, isso é injusto. Quanto mais o instrutor se envolver como consultor no ciclo completo do treinamento, mais efetivos serão os resultados.

### Preparação dos treinandos
Os treinandos devem ser adequadamente preparados e instruídos para terem expectativas razoáveis do treinamento. Talvez seja necessário fazer um pré-teste, permitindo uma avaliação posterior das mudanças.

### Motivação
Uma boa preparação lhe dará a certeza de que os treinandos estão motivados e consideram o treinamento tão valioso para eles próprios quanto para a empresa em que trabalham. De qualquer modo, sem motivação haverá pouca aprendizagem e poucas coisas para lembrar.

### Conteúdo do curso
O conteúdo é muito óbvio, mas os treinamentos sempre tropeçam aqui. Verifique se as competências que você vai instalar são aquelas que farão uma diferença. Você pode instalar brilhantemente o conjunto errado de competências nos treinandos. Então, eles voltam ao trabalho e descobrem que são realmente bons justamente nas habilidades desnecessárias... Resposta: envolva-se desde o início com a Análise das Necessidades do Treinamento. Mantenha bons canais de comunicação com os gerentes de linha e verifique se você está treinando aquilo que é necessário. Se essa análise estiver errada, as habilidades instaladas não atingirão os resultados exigidos. Você pode levar a culpa... embora injustamente.

### Medição
Primeiramente, certifique-se de ter uma medida da competência dos treinandos antes do treinamento, pois, caso contrário, você não terá uma linha básica para avaliar quaisquer mudanças. Antes de iniciar o treinamento, saiba como os treinandos serão testados ou avaliados no final do

treinamento para poder prepará-los para a avaliação. Você não quer que eles tenham uma surpresa desagradável quando retornarem ao trabalho e descobrirem que não estão preparados para a avaliação.

**Sistema organizacional**
Finalmente, os fatores que estão fora do controle dos treinandos podem tornar as mudanças impossíveis no ambiente de trabalho. Os treinandos podem ter um gerente de linha pouco cooperativo. Mais preocupante ainda, todo o sistema de gerenciamento pode, involuntariamente, dificultar as mudanças. Qualquer mudança no desempenho global pode ser absorvida pelo mau gerenciamento e desaparecer. Os treinandos podem ter os meios e a capacidade, mas não ter chances para usar aquilo que sabem.

Um dos desafios para a futura empresa que aprende é saber como criar uma cultura na qual a aprendizagem efetiva possa ser reconhecida e valorizada. Para isso, um instrutor precisa das habilidades de um consultor interno e de um agente de mudanças. Isso significa integrar o treinamento ao planejamento organizacional com o instrutor trabalhando mais estreitamente com a administração. Com essa atitude você dará dois importantes passos à frente. Primeiro, você obtém um rápido acesso aos treinandos onde interessa, em seu ambiente de trabalho. Você pode usar esse acesso para reunir informações para a Análise das Necessidades do Treinamento e avaliar a transferência de aprendizagem. Segundo, e talvez o mais importante, você pode criar uma parceria de colaboração, envolvendo os gerentes no processo de planejamento e avaliação das melhoras na eficácia.

*Avaliação do desempenho*

Desempenho é uma outra palavra de difícil compreensão. Geralmente, ela é definida simplesmente como a execução de uma tarefa. Aqui, ela indica como um indivíduo reúne conhecimento e habilidades para atingir seus objetivos: uma medida total daquilo que fazem.

O desempenho parece consistir de três fatores principais:

- A pessoa precisa *desejar* executar a tarefa. Essa é a área da motivação e dos valores. A pessoa precisa sentir-se atraída a executar a tarefa e considerá-la importante e valiosa. Se a tarefa entrar em conflito com crenças e valores individuais, a pessoa não será congruente e o desempenho não será bom. Essa é a área do treinamento de atitudes e valores.
- A pessoa precisa ter *oportunidade* para executar a tarefa. Se ela não tiver a oportunidade adequada, é improvável que obtenha um bom índice de desempenho.

- Ela também deve saber *como* executá-la. Essa é a área do conhecimento e do treinamento de habilidades.

Para avaliar a transferência é necessário avaliar o desempenho. Geralmente, o desempenho é avaliado imediatamente após o treinamento e por sistemas de avaliação contínua.

*Avaliação da transferência*

A transferência de habilidades é o salto da eficiência para a eficácia do treinamento. Se pudermos avaliar as mudanças de desempenho no trabalho após o treinamento, teremos evidências claras de sua eficácia.

Podemos recorrer à QVN para avaliar competências e habilidades que a compõem. A QVN insiste na afirmação de que as competências devem ser avaliadas no local de trabalho ou o mais próximo possível. Seja qual for o seu treinamento, siga o exemplo da QVN e faça o teste no local de trabalho, antes e após o treinamento, para comparar os resultados.

Em Deming e no TQM temos diversas avaliações e processos de aperfeiçoamento contínuo. Gerentes e funcionários podem ser envolvidos no planejamento de métodos e escalas para avaliar o desempenho no local de trabalho. O instrutor pode participar como consultor. As escalas devem avaliar tudo o que possa ser as variáveis mais significativas que afetam a eficácia global do trabalho. Lembre-se do princípio de Pareto: 80% dos resultados vêm de 20% do trabalho. Vise os 20% importantes. Você pode fazer isso criando os "diagramas de Pareto":

- Considere a categoria que você está examinando, por exemplo, queixas do consumidor.
- A seguir, conte o número de casos de queixas do consumidor, em áreas definidas, e faça um gráfico.
- Agora, pegue a categoria que tem o maior número de queixas e divida-a novamente em categorias com os números associados.
- Você pode continuar esse processo e localizar com precisão e rapidez as áreas importantes. (Na Figura 4.4. o componente A é o óbvio culpado.)

Após ter decidido o que avaliar, o próximo passo é decidir como avaliá-lo. Você pode fazer avaliações rígidas, numéricas ou flexíveis, dependendo daquilo que estiver avaliando. Um gerente pode ser julgado pelo rendimento do departamento ou pelo estado de espírito dos funcionários. O desempenho de um vendedor é facilmente avaliado pelo volume das vendas; o de um trabalhador da linha de produção, pelo número de peças produzidas por hora. Você pode usar todas as medidas de avaliação da aprendizagem descritas na última seção. E, também, pode criar suas próprias escalas comportamentais adequando-as às necessidades da empresa na qual estiver trabalhando.

*Transferência de princípios*

- Torne o contexto do treinamento tão semelhante quanto possível ao contexto do local de trabalho. A quantidade de transferência da aprendizagem dependerá diretamente do número de elementos essenciais, igualmente presentes no trabalho e no treinamento. Por exemplo, as habilidades psicomotoras são facilmente transferidas, porque o *feedback* fornecido no treinamento é essencialmente igual ao oferecido no local de trabalho. Ao contrário, as habilidades de comunicação não se transferem com facilidade porque na situação do treinamento o *feedback* é artificial. Se as pes-

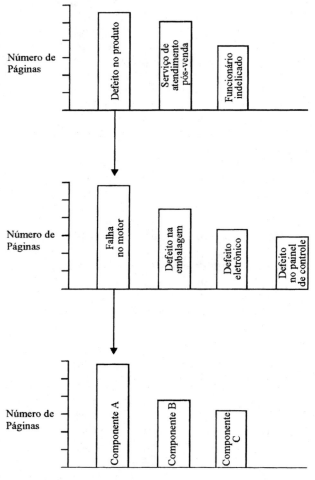

*Figura 4.4 Diagramas de Pareto*

soas presentes no treinamento não forem as mesmas com quem o treinando irá trabalhar, a transferência ficará duplamente difícil.
- Estimule os treinandos a estabelecer objetivos quando retornarem ao trabalho. Certifique-se de que existam evidências claras, avaliações do progresso e escalas de tempo para alcançar os objetivos.
- Os treinandos precisam usar as habilidades imediatamente. A memória e a aprendizagem diminuem muito rapidamente sem revisão e prática. Com um grande intervalo entre o treinamento e sua aplicação, é bem provável que se perca uma habilidade. Por esse mesmo motivo, os treinamentos simulados de incêndio são realizados com regularidade.
- O apoio é necessário na volta ao local de trabalho. A preparação é uma das melhores maneiras para consegui-lo.

*Apoio no local de trabalho*

Para que o treinamento seja transferido, são necessários apoio e questionários no local de trabalho, pois, caso contrário, pode ter início um ciclo vicioso prejudicial. Os indivíduos querem o treinamento. Algumas vezes, os gerentes o consideram um mal necessário que precisa ser feito e, com má vontade, permitem que os funcionários se afastem do trabalho. Entretanto, quando retornam, têm de começar a "trabalhar de verdade". O questionário pode consistir simplesmente da pergunta: "Vocês se divertiram?". A comparação com o treinamento no atletismo mostra como essa atitude é ridícula. O treinamento é uma parte integral da melhora de desempenho.

Quando uma pessoa não se sente apoiada em seu treinamento e o gerente não acredita que o treinamento realmente faça algum bem, ele se torna menos eficaz. Quanto mais o treinamento ficar marcado como algo diferente e separado do "verdadeiro trabalho", menos será transferido. Quanto mais os gerentes o apoiarem, mais a aprendizagem será transferida. Idealmente, o treinamento fora do local de trabalho deve ser integrado a um processo contínuo que é apoiado pela preparação e valorização no local de trabalho.

**Preparação**

Preparar é orientar e auxiliar os colegas com discussões e atividades dirigidas. Assim, ela é valiosa nas empresas, além da sua função na transferência da aprendizagem do treinamento. É um método usado pela empresa que aprende para apoiar e melhorar continuamente o desempenho dos seus empregados. A preparação cria confiança e soluciona problemas específicos.

As habilidades interpessoais necessárias na preparação podem não surgir com facilidade, e o treinamento nessa área é um excelente investimento. Seus dois principais benefícios são: os gerentes adquirem habilidades para preparar outras pessoas e melhorar o seu desempenho; e, por si só, também são valiosas habilidades interpessoais e gerenciais. Cada vez mais as empresas estão investindo nesse tipo de treinamento de habilidades interpessoais, e as habilidades da PNL são particularmente úteis e amplamente utilizadas nessa área. Isso evita os problemas do "princípio do pessoal" — gerentes que são promovidos a um nível no qual suas habilidades para lidar com o pessoal revelam-se insuficientes — a conseqüência menos conhecida do "Princípio de Peter"— as pessoas são promovidas ao seu nível de incompetência.

A preparação exige boas habilidades interpessoais como obter *rapport*, saber ouvir sem julgar, fazer perguntas úteis e oferecer um *feedback* construtivo. Essas habilidades são particularmente úteis, por exemplo, numa situação em que um empregado fracassou em alguma tarefa, deixando de apresentar um relatório a tempo. O *feedback* sobre um desempenho insatisfatório funciona melhor em ocasiões específicas e nos seguintes termos: o preparador expressa os próprios sentimentos ou pensamentos sobre o comportamento do funcionário, apresenta seus motivos e as conseqüências e informa aquilo que gostaria de ver. Assim, nesse exemplo, um preparador poderia dizer: "Percebi que esse mês você não entregou o seu relatório a tempo. Isso dificultou meu trabalho, pois sem esses números não pudemos terminar a tempo as estimativas das vendas mensais. O que podemos fazer para ter certeza de que no próximo mês seu relatório será entregue pontualmente?" Um exemplo de *feedback* ineficiente seria: "Por que você sempre entrega seu relatório com atraso?". Generalizar e culpar, baseado numa ocasião específica, é particularmente inadequado e prejudica o trabalho futuro, bem como o relacionamento.

**Apreciação**

O treinamento de apoio e avaliação também pode ser incorporado ao processo de apreciação. Numa apreciação, podemos verificar o desempenho e os objetivos e decidir as formas para avaliá-los. A apreciação inversa é uma prática cada vez mais usada por empresas mais esclarecidas. Numa apreciação inversa, a pessoa cujo desempenho está sendo examinado também avalia o desempenho do seu avaliador. Muitas empresas descobriram que é muito comum os gerentes supervalorizarem as suas habilidades interpessoais, quando comparadas às descrições de seus subordinados. Como as habilidades do gerente para lidar com o pessoal são muito importantes, uma apreciação inversa oferece um bom *feedback*.

Há ainda uma segunda vantagem nessa prática: empregados e gerentes de todos os níveis podem examinar os objetivos e o desempenho em diversas camadas de administração e enxergar o grau de alinhamento (se houver algum). Qualquer desigualdade importante surgirá durante a comparação dos objetivos nos diferentes níveis administrativos. O próprio ato de examinar começa a fazer com que todos se conscientizem do alinhamento sistêmico na empresa (ou da falta dele). Sem alinhamento, todos podem trabalhar muito, mas em direções diferentes e, assim, quanto mais trabalham (porque os negócios não estão indo bem), mais se afastam e os negócios pioram. Esse é um bom exemplo de como um tratamento para curar o sintoma, na verdade, o torna pior.

A apreciação mútua é um exemplo do raciocínio sistêmico dentro de uma empresa, o que nos leva diretamente à forma como o treinamento pode ser avaliado em toda a empresa.

## Avaliação da transferência

*Pontos-chave*

- Os treinamentos podem ser eficientes, mas nem sempre são eficazes, porque a aprendizagem se perde quando o treinando retorna ao trabalho e à vida normal.
- A aprendizagem depende do estado, torna-se associada ao local onde foi adquirida e às pessoas que estavam presentes naquela ocasião.
- Para lidar com o problema de transferência, os instrutores precisam:
  - fazer a ponte ao futuro no treinamento;
  - ser capazes de avaliar a mudança para obter evidências da transferência;
  - apoiar os treinandos após o treinamento e estimular a transferência, fazendo-os:
    - estabelecer objetivos;
    - separar seus sentimentos dos objetivos;
  - obter descrições múltiplas das mudanças com as pessoas que fazem parte da sua vida;
    - verificar a ecologia das suas mudanças;
    - certificar-se de que possuem as habilidades de apoio necessárias.
- O sucesso da transferência da aprendizagem depende do ciclo total do treinamento:
  - a seleção inicial, a preparação e a motivação dos treinandos são importantes;
  - a Análise das Necessidades do Treinamento deve ser precisa;
  - os treinandos devem estar preparados para a avaliação;
  - os gerentes e o sistema administrativo devem oferecer apoio.
- Como o treinamento está se tornando cada vez mais integrado à empresa, o trabalho do instrutor se amplia, incluindo a consultoria de gerenciamento.
- O desempenho é uma medida da motivação, oportunidade e habilidade. Deve ser medido de alguma forma para a avaliação da transferência, imediatamente após o treinamento e por uma apreciação contínua.
- A QVN avalia as competências e suas habilidades componentes no local de trabalho.

- As escalas comportamentais podem ser feitas com a administração para avaliar os principais indicadores de desempenho e as formas para avaliá-los. As áreas principais podem ser identificadas por meio de métodos tais como os diagramas de Pareto.
- Princípios da transferência bem-sucedida:
  - faça o contexto do treinamento tão semelhante quanto possível ao contexto do trabalho;
  - estimule os treinandos a estabelecer objetivos quando retornarem ao trabalho (isso pode fazer parte de um processo formal de apreciação);
  - os treinandos precisam usar as habilidades imediatamente;
  - oferecer apoio no local de trabalho.

PREPARAÇÃO
- A preparação é uma maneira de dar apoio no local de trabalho.
- A preparação orienta e apóia os colegas e ajuda a solucionar problemas específicos.
- O apoio ao treinamento e a avaliação da aprendizagem e da transferência também podem ser incorporados ao processo de apreciação.
- A apreciação mútua pelos diferentes níveis de administração é uma maneira para começar a perceber o alinhamento sistêmico dentro da empresa.

# CAPÍTULO 28
# AVALIAÇÃO NA ORGANIZAÇÃO

Se você acha que o treinamento é caro — experimente a ignorância.
*Anon*

Agora, atingimos o nível mais elevado de avaliação. O papel do treinamento na mudança e no desenvolvimento organizacionais é um imenso labirinto. O objetivo aqui é apresentar um encadeamento prático para servir de guia.

## O sistema organizacional

Os cursos de treinamento treinam indivíduos e eles aprendem, crescem e se desenvolvem. Um grupo é mais do que a soma dos seus indivíduos, e a eficácia de uma empresa é mais do que a eficácia total de cada um dos seus componentes. Chegamos a um círculo vicioso e precisamos raciocinar sistematicamente. As empresas são sistemas complexos; você não pode modificá-las simplesmente modificando os indivíduos que fazem parte delas. Como podemos considerar o treinamento como parte do sistema total e começar a separar os efeitos do treinamento de todas as outras mudanças que estão acontecendo?

Os sistemas organizacionais têm algumas características em comum:

**Cultura**

Está incorporada aos valores e à afirmação da missão da empresa. É um aspecto forte, embora intangível. Para avaliar o que pode significar uma diferença de cultura, pense na IBM e depois nos computadores Apple. Ou pense na Virgin sob a direção de Richard Branson e, então, pense no império Disney. A cultura responde à pergunta: "Como é trabalhar para essa empresa?".

**Processo**

Esse é o sistema de produção, mercadorias e serviços que ele oferece — qualquer coisa, desde a fabricação de microchips até a administração de uma rede de ferrovias. Os processos mantêm a empresa em funcionamento.

**Estrutura**

É como todas as partes se encaixam, quais os sistemas administrativos e como eles se comunicam.

Há também dois outros aspectos num nível diferente. O primeiro é o que é avaliado, e de que maneira, tanto por avaliações rígidas, numéricas, quanto por avaliações flexíveis, não-quantitativas. As avaliações parecem muito objetivas, mas tudo depende do seu ponto de vista. Um milhão de libras pode representar o dobro ou um décimo da receita de uma empresa. O seu significado depende do contexto. Uma ou duas telefonistas indelicadas podem fazer uma empresa perder dezenas de pedidos. Se você não prestar atenção a esse tipo de habilidades interpessoais, não perceberá o seu efeito nos negócios.

Segundo, há a visão global ou *metavisão*: como a empresa se relaciona com o ambiente externo e com outras empresas, por exemplo, cooperativa ou competitivamente.

O treinamento pode visar qualquer um desses aspectos organizacionais. A maioria dos treinamentos escolhe o processo para tornar a produção mais eficiente ou eficaz, aumentando as habilidades das pessoas, embora o treinamento de atitudes possa buscar influenciar a cultura, geralmente sem sucesso, porque a cultura tende a surgir como subproduto dos outros aspectos. É muito difícil influenciá-la diretamente.

O ponto importante é que o treinamento será um sucesso ou um fracasso, dependendo de todos esses aspectos, e a modificação de apenas um deles pode não alterar a eficácia da empresa como um todo. A cultura pode esmagar as novas habilidades do processo ou as avaliações estabelecidas podem simplesmente não detectar qualquer mudança, porque elas não estão voltadas para o lugar certo. O treinamento precisa de um planejamento estratégico para que o efeito total de um programa de treinamento ultrapasse a soma de suas partes.

Considere os diferentes aspectos da empresa para verificar a eficácia do treinamento. As avaliações da eficácia do treinamento podem ser efetuadas no nível estrutural. Aqui, o treinamento pode fazer uma diferença na comunicação entre as diferentes partes da empresa. Considere também a cultura organizacional, bem como o estado de espírito dos empregados e a sensação de fazer parte da empresa e estar comprometido com ela. O nível de motivação dos empregados, a satisfação com o trabalho e com o sistema de recompensa são exemplos dessas questões mais flexíveis. Não é fácil avaliá-las diretamente, mas você pode observar a incidência de problemas quando o estado de espírito dos empregados está baixo:

- rotatividade de pessoal (e, conseqüentemente, custos com novos treinamentos e eficiência);
- faltas;
- consultas médicas;

- índices de acidentes;
- suspensões;
- injustiças;
- queixas oficiais e não-oficiais.

Se esses problemas ocorrem com freqüência, podem custar caro; portanto, o treinamento das habilidades interpessoais pode ser um excelente investimento. A tentativa de maximizar apenas uma parte de qualquer sistema complexo pressiona as outras partes e o todo deixa de funcionar bem. Esse simples exemplo de raciocínio aplicado aos sistemas pode ser o motivo por que os negócios são menos viáveis do que nós. Três quartos das empresas morrem na infância e as outras atingem, em média, quarenta anos. Pense no sistema como um todo e considere os lucros como uma evidência de sucesso e não como um objetivo a ser alcançado a qualquer custo.

## *Análise de custo*

Com essa advertência em mente, todas as empresas entendem avaliação por dinheiro. Muitos empresários argumentam que o objetivo total de um negócio é ganhar dinheiro, sem fazer a distinção entre dinheiro como um subproduto ou como um produto final. Portanto, uma das maneiras para se avaliar o treinamento é por meio da análise de custo. Não se esqueça de que muitas empresas consideram o treinamento como uma despesa que não podem arcar e esquecem o custo da ignorância. Na verdade, o treinamento é um investimento que não pode deixar de ser feito.

Há duas maneiras de se fazer uma análise de custo no treinamento. A primeira é que, considerando-se os objetivos organizacionais, o treinamento é, entre todas as escolhas possíveis, a maneira mais econômica de alcançá-los. Essa é a comparação custo-eficiência. A segunda é mostrar que a melhora no desempenho, que seria proporcionada pelo treinamento, é maior do que o custo do treinamento. Essa é a análise custo-benefício.

### Comparação custo-eficiência

Ao comparar os custos do treinamento com outros métodos, faça um cálculo detalhado. O treinamento incluirá no mínimo:

- O custo de manutenção do departamento de treinamento.
- O custo do planejamento. Como regra geral para o treinamento, considere um planejamento de sete dias (pesquisa e desenvolvimento) para cada dia de apresentação. Com a aprendizagem por computador, essa proporção pode atingir 400:1.
- O custo com a realização do evento: taxas, despesas, acomodação, equipamento, alimentação.
- O custo da avaliação: entrevistas de acompanhamento e questionários.

- O custo para a empresa com o comparecimento dos treinandos ao curso em vez de trabalhar.

**Análise custo-benefício**

Os estudos de TQM mostraram que as indústrias geralmente têm problemas com a qualidade, que custam cerca de 25% da receita bruta. Se você acha que esse é um custo elevado, saiba que as empresas de prestação de serviços geralmente têm problemas com qualidade, que custam 35 a 40% da receita bruta. Geralmente, as empresas não têm consciência desses custos ocultos e consideram normal essa situação. É por isso que a melhora contínua vale ouro. Você estrutura os custos do treinamento como investimentos que podem apresentar um índice de retorno elevadíssimo.

Por exemplo, há alguns anos, o Girobank decidiu melhorar a qualidade do seu principal centro de processamento, promovendo 69 *workshops* de conscientização da qualidade, com um dia de duração cada um. Os estudos de acompanhamento mostraram uma economia aproximada de um milhão de libras para um investimento de 25 mil libras com o treinamento. Esse é um impressionante retorno de investimento.

Uma outra opção é considerar o treinamento como um valor adicionado aos empregados. Depois do treinamento eles devem apresentar um desempenho melhor e ser mais valiosos para a empresa. Pense nisso dessa maneira: qualquer grupo de empregados terá diferentes níveis de habilidade. Sejam quais forem os níveis absolutos, cerca de 40% estarão próximos da média, cerca de 25% estarão abaixo da média e cerca de 5% serão muito ruins; 25% estarão acima da média e 5% serão realmente excelentes. Em outras palavras, pode-se considerar como uma distribuição normal.

Como vimos no último capítulo, esse é um solo fértil para um projeto de modelagem. Um consultor de PNL pode criar um projeto para modelar os 5% excelentes e então planejar um curso de treinamento para transferir o *know how* desses 5% para os outros. A modelagem dos realizadores excelentes e o ensino das habilidades no local de trabalho cuidaria da maior parte dos problemas de transferência. A eficácia pode ser avaliada usando-se as medidas já empregadas para definir os realizadores excelentes.

Os níveis de motivação seguirão um padrão semelhante, mas você não pode presumir que os trabalhadores mais habilidosos serão os mais motivados. O grupo realmente excelente, que é altamente motivado e habilidoso, pode ser considerado para uma promoção (após o projeto de modelagem). Aqueles que têm menos habilidades e pouca motivação podem ser considerados para uma redistribuição. O treinamento para qualquer um desses grupos é um mau investimento. Para aqueles que são pouco motivados, embora tenham as habilidades, o melhor investimento seria o treinamento com supervisor e instrutor para o próximo nível de gerenciamento. Para a maioria, aqueles com habilidades e motivação médias, o treinamento é uma boa opção e o valor adicionado pode ser calculado como uma proporção do seu salário.

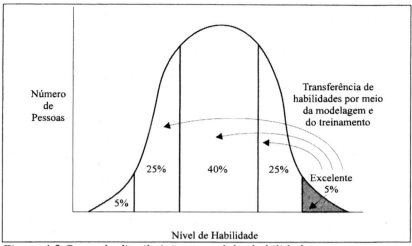

*Figura 4.5 Curva da distribuição normal das habilidades*

Este tipo de análise é importante para direcionar o treinamento. Se o treinamento pode proporcionar uma melhora na motivação e/ou habilidades a uma parte significativa da força de trabalho, ele fará uma diferença para a empresa. Os cálculos do valor adicionado podem estabelecer o valor de pequenos benefícios, e impedir que eles sejam ignorados simplesmente por serem de difícil avaliação.

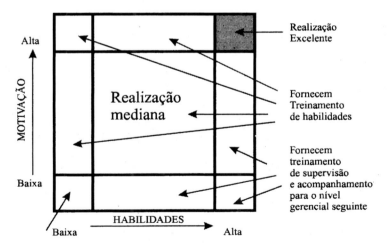

*Figura 4.6 Opções para um grupo com diferentes níveis de desempenho*

O outro aspecto dos sistemas é que pode haver um intervalo de tempo entre causa e efeito. O investimento no treinamento é feito de maneira direta, enquanto os benefícios, geralmente, se acumulam durante alguns anos com o tipo de curva de retorno do investimento apresentada na Figura 4.7.

Todo bom treinamento trará algum benefício. A função do instrutor é determinar a área mais benéfica e apresentá-la aos gerentes de maneira clara. Essa análise deve incluir:

- o benefício;
- o custo;
- o custo das alternativas.

O benefício pode ser considerado em função do aumento de lucros, seja pela melhora na eficiência (mesmo desempenho, custo menor) ou melhora na eficácia (melhor desempenho, mesmo custo).

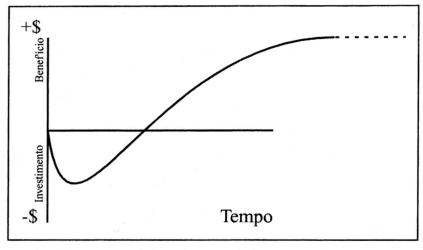

*Figura 4.7 Curva de retorno do investimento*

## Desenvolvimento da equipe

A equipe é o estágio intermediário entre o indivíduo e a empresa. Ao acompanhar apenas o desempenho individual, você perderá de vista o desempenho do grupo em diferentes partes da empresa. A criação da equipe é uma importante parte do treinamento. Existem três abordagens principais:

- Primeiro, você pode aumentar a conscientização da dinâmica de grupo e dos papéis da equipe. As equipes precisam ser equilibradas — por exemplo,

uma equipe de pessoas muito criativas pode planejar irrealisticamente, se não houver alguém para manter os seus pés no chão. Belbin (1981) descreve modelos de papéis bastante úteis para equilibrar uma equipe (veja a Bibliografia).
- Segundo, o treinamento de habilidades interpessoais pode melhorar a comunicação e a cooperação entre as equipes. Quanto mais complexa a tarefa, mais importante os relacionamentos dentro do grupo. Os problemas simples exigem apenas que os componentes da equipe sejam competentes, educados e organizados. Problemas como decisões estratégicas exigem as habilidades de ser bom ouvinte, de colaboração e de negociação. Os problemas de gerenciamento de empregados exigirão elevados níveis de habilidades interpessoais, de raciocínio e a capacidade para revelar e usar os sentimentos.
- Terceiro, há o método do "círculo de qualidade", que consiste de um pequeno grupo com interesses de trabalho semelhantes e que se encontra regularmente para melhorar a qualidade. O grupo selecionará e definirá problemas, sugerirá idéias, reunirá informações e buscará respostas antes de apresentá-las à administração.

## *Qualidade*

Um dos melhores lugares para buscar ferramentas de avaliação é o Movimento de Qualidade Total (MQT), porque sua base é a crença de que se desejamos ser mais eficazes em qualquer coisa, devemos ter as medidas adequadas de desempenho para saber se estamos melhorando.

Vale a pena pensar um pouco mais profundamente na palavra "qualidade". Ela pode ser um adjetivo descritivo, por exemplo, um carro de qualidade. Usada como um substantivo ela é abstrata, você não pode segurá-la na mão. O que você precisa fazer para obter qualidade? Qual é o verbo oculto? Deve ser "avaliar", "qualificar" ou "quantificar". Agora, temos mais algumas perguntas:

- Quem está avaliando? (sujeito)
- O que está sendo avaliado? (objeto)
- Quais os critérios utilizados?
- Quais os valores mínimos para os critérios? (Valor mínimo é um padrão que deve ser atingido sem exceções. Do contrário é uma orientação.)

Um exemplo seria um carro de corrida de qualidade (objeto) para um piloto (sujeito) para o qual velocidade máxima (critério) deve ser acima de 200 km por hora (valor mínimo). Numa empresa de prestação de serviços como os Correios, um exemplo seria um serviço de entrega de cartas para o consumidor (sujeito), entregar a carta (objeto) no dia seguinte (valor mínimo).

Nas medições de qualidade, os consumidores são os únicos que determinam e avaliam a qualidade. Eles estabelecem os critérios e o valor mínimo. Todo programa de qualidade enfatiza esse ponto e sofre para descobrir o que o consumidor deseja. O posicionamento do mercado trata da instalação dos critérios e valores mínimos no mercado-alvo. A empresa sabe se atingiu esse alvo pela resposta dos consumidores: eles voltam a procurar o produto? O significado da ação organizacional é determinado pela resposta que obtém do consumidor.

As empresas tradicionais combinam especificações e tentam obter o mesmo padrão. A abordagem do MQT procura a melhora contínua, considerando as diferenças. Ela procura o que está errado para melhorá-lo e não se contenta em fazer o que sempre fez. Ela está mais voltada para o futuro do que as abordagens tradicionais. A empresa é apenas tão efetiva quanto sua parte mais fraca.

Com freqüência, as empresas utilizam *referências*: o processo de comparar seu desempenho com os líderes de mercado na sua área. Aqui, você usa os seus melhores concorrentes como um padrão de comparação. A qualidade torna-se uma medida da eficácia organizacional. Se o treinamento pode melhorar a qualidade dos produtos, quer eles sejam máquinas operatrizes ou serviços ao consumidor, por meio dos critérios e valores mínimos do consumidor, avaliados pelo consumidor, então ele mais do que justifica o investimento feito.

Você deve ter notado que o raciocínio do MQT possui algumas semelhanças com o da QVN. Ambos especificam a qualidade. A estrutura da QVN tem um *Lead Body* (sujeito) que faz as avaliações de treinamento (objeto). Tem uma estrutura dividida em cinco níveis de competência (critérios) e avalia as competências dentro de padrões definidos (valores mínimos).

Assim como a abordagem da QVN não lhe diz *como* atingir os padrões, a do MQT não explica *como* o instrutor pode fazer uma diferença. É precisamente isso que a PNL faz.

## Treinamento da qualidade

O tema recorrente deste livro é o de que o treinamento está voltado para o cliente. O treinamento não é alguma coisa que você faz para um grupo; é um processo de mão dupla, uma interação mútua. Na melhor das hipóteses, você não consegue saber quem está conduzindo e quem está seguindo. No nível organizacional, seu cliente é a empresa. Os intrutores devem sugerir uma linguagem, uma estrutura e um conteúdo de uma especificação de primeira classe para o treinamento e, então, comunicá-los. Durante o treinamento, seu cliente é o grupo. Descubra quais são os critérios, padrões e medidas de sucesso do seu cliente e satisfaça-os. Esse é o segredo de um treinamento bem-sucedido. Simples, não?

Começamos este livro falando sobre as mudanças nas empresas e como elas influenciam o treinamento e, agora, chegamos a um círculo vicioso. Há uma dança entre o treinamento e o desenvolvimento organizacional. Algumas vezes um conduz, algumas vezes, o outro. Conduzir sempre dará certo se você levar a outra parte para onde ela quer ir; do contrário, é chamado de "forçar". A empresa que aprende cria o tipo de treinamento que irá criá-la. Vale a pena trabalhar pelos valores da empresa — aprendizagem, transferência de habilidades e autodesenvolvimento — e pelo treinamento que os criam. Especialmente porque se torna cada vez mais satisfatório fazê-lo.

As abordagens da QVN baseadas na competência nos oferecem uma maneira de considerar as habilidades que treinamos e as que usamos. A PNL nos oferece os meios para desenvolvê-las. A empresa que aprende nos oferece o contexto e os valores. A qualidade é o alvo, as pessoas são o foco e o seu desafio, instrutor e agente de desenvolvimento, é criar essas oportunidades. Poucos são tão privilegiados.

Começamos este livro com uma citação:

Que você possa viver em épocas interessantes.

Você vive. Isso foi entendido como uma maldição. Agora, pode ser uma bênção disfarçada...

## Avaliação na organização

*Pontos-chave*

- A avaliação organizacional deve considerar dois problemas:
  - as empresas são sistemas complexos e mais do que a soma do desempenho individual;
  - como separar os efeitos do treinamento de todos os outros processos.
- Há três partes principais num sistema organizacional:
  - cultura: valores corporativos;
  - processo: produção de mercadorias e serviços;
  - estrutura: sistemas de gerenciamento e comunicações.
- Há também o aspecto de avaliação: o que e como as coisas são avaliadas; e a metavisão: como a empresa se relaciona com outras empresas.
- O treinamento pode visar qualquer um desses aspectos para aumentar a eficácia organizacional. Geralmente, ele visa o processo.
- Considere todos os diferentes aspectos da empresa para avaliar a eficiência do treinamento.
- Há duas maneiras para avaliar por meio da análise de custos:
  - mostrar que, considerando os objetivos organizacionais, o treinamento é, entre todas as possíveis escolhas, a maneira mais econômica de alcançá-los (comparações custo-eficiência);

- mostrar que a melhora no desempenho proporcionada pelo treinamento é maior do que o custo do treinamento (análise custo-benefício)
- A análise custo-benefício pode usar a melhora resultante na qualidade e no valor adicionado aos empregados na avaliação do treinamento.
- O instrutor pode apresentar uma análise detalhando:
  - um benefício mensurável na eficiência e/ou eficácia;
  - o custo;
  - o custo das alternativas.
- A criação da equipe é uma ligação entre o indivíduo e a empresa.
- O treinamento pode aumentar a conscientização da dinâmica do grupo e dos papéis da equipe.
- O treinamento das habilidades interpessoais pode melhorar a comunicação e a cooperação.
- Círculos de qualidade são pequenos grupos que compartilham os mesmos interesses de trabalho e se encontram regularmente para melhorar a qualidade e planejar ações.
- O MQT baseia-se na crença de que se você deseja ser mais eficaz em qualquer coisa, deve ter as medidas de desempenho adequadas.
- Qualidade é um substantivo abstrato derivado do verbo "qualificar"ou "avaliar".
- Nas medições de qualidade, os clientes são os únicos que determinam e avaliam a qualidade. Eles estabelecem os critérios e o valor mínimo.
- Qualidade pode ser uma medida da eficácia organizacional. Se o treinamento pode melhorar a qualidade do produto, avaliada pelos critérios e valores mínimos do cliente, então ele justifica o investimento.
- A PNL e o raciocínio sistêmico são ferramentas para melhorar a qualidade.
- As empresas são os clientes dos instrutores. Os instrutores devem descobrir e atender aos seus padrões, critérios e à maneira como são avaliados e atendidos.
- A empresa que aprende cria o treinamento que irá criá-la por meio de valores de transferência de habilidades e aprendizagem.

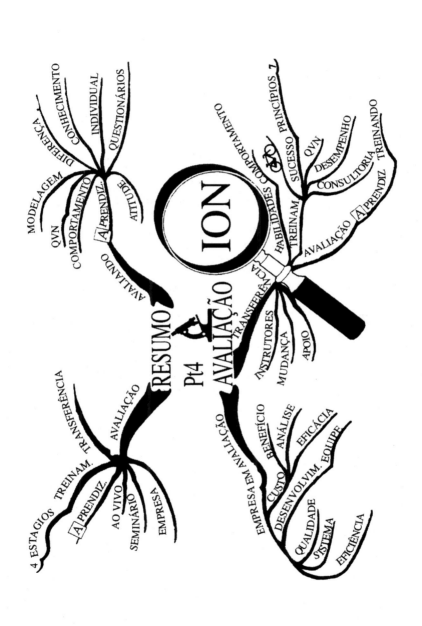

# GLOSSÁRIO DE TERMOS DE PNL E HABILIDADES DE TREINAMENTO

*Acessar os recursos da platéia*
evocar e utilizar os recursos e estados de aprendizagem dos treinandos.

*Acompanhar*
Juntar-se à realidade dos outros e criar *rapport* antes de conduzir para outro lugar. Por exemplo, acompanhar a postura. Acompanhar não é imitar, que é a cópia exata, consciente, do comportamento de outra pessoa. Você pode acompanhar em qualquer nível, desde o comportamental até o dos valores e crenças.

*Acuidade sensorial*
Treinar os seus sentidos para notar diferenças mais úteis e refinadas no mundo. Uma parte importante na aprendizagem da leitura da linguagem corporal.

*Administrar a estrutura temporal*
Usar o tempo para adquirir o maior número de vantagens no treinamento, para que as atividades não sejam desnecessariamente curtas ou longas.

*Ambiente*
O contexto físico que você cria para a aprendizagem, por exemplo, a sala, a disposição dos móveis, materiais, folhetos explicativos, equipamentos e auxílios visuais.

*Âncora*
Qualquer estímulo associado a uma reação específica. As âncoras podem ocorrer naturalmente. Elas também podem ser criadas intencionalmente, por exemplo, tocar um sino para obter a atenção de um grupo ou posicionar-se em determinado lugar para ouvir perguntas.

*Ancoragem*
O processo de criar uma associação entre uma coisa e outra.

*Ancorar recursos*
Um processo simples para trazer estados de recursos ao momento presente, sempre que eles forem necessários.

*Aprendizagem*
O processo de adquirir conhecimento, habilidades, experiência ou valores por meio do estudo, da experiência ou do treinamento.

| | |
|---|---|
| *Calibrar* | Perceber atentamente o estado de outra pessoa ou de um grupo, lendo os sinais não-verbais. Por exemplo, calibrar-se com um nível elevado de atenção para poder percebê-lo no grupo. |
| *Canais sensoriais* | Os nossos seis sentidos como canais de comunicação com o mundo: visão, audição, tato, olfato, paladar e equilíbrio. Veja *sistemas representacionais*. |
| *Ciclo de aprendizagem* | Estágios de aprendizagem para desenvolver habilidades regulares — incompetência inconsciente, depois incompetência consciente, a seguir competência consciente e, finalmente, competência inconsciente. |
| *Citações* | Elas já foram definidas como: "Um padrão lingüístico no qual a sua mensagem é expressa como se fosse de outra pessoa". |
| *Comandos embutidos* | É o que você faz quando *marca determinadas frases* que poderiam simbolizar comandos, *mudando* o seu *tom* de voz ou gesticulando para *que eles* não *sejam* percebidos conscientemente, apenas *inconscientemente*. |
| *Competência consciente* | O terceiro estágio do ciclo de aprendizagem no qual ainda é necessária toda a atenção consciente para executar uma atividade. A habilidade ainda não está totalmente integrada e não se tornou um hábito. |
| *Competência inconsciente* | O quarto estágio do ciclo de aprendizagem no qual a habilidade foi plenamente integrada e torna-se um hábito. |
| *Comportamento* | Qualquer atividade na qual nos envolvemos, incluindo os processos de pensamento. Um dos *níveis neurológicos*. |
| *Conciliação de objetivos* | O processo de agrupar vários objetivos para criar uma situação onde todos ganham. É a base de acordos e negociações. Parte da função do instrutor é conciliar diferentes objetivos no treinamento. |
| *Conduzir* | Modificar aquilo que você faz com *rapport* suficiente para que a outra pessoa ou grupo o sigam. |
| *Congruência* | Alinhamento constante e harmonia de diferentes partes: i) congruência pessoal — alinhamento de crenças, valores, habilidades e ações; estar em *rapport* consigo mesmo; ii) congruência mensagem-mensageiro — quando o instrutor é uma representação e modelo das habilidades ou valores que está treinando; iii) congruência de alinhamento — quando todas as partes da sua comunicação — palavras, tom de voz e linguagem corporal — transmitem a mesma mensagem. |

| | |
|---|---|
| *Conteúdo* | As palavras que você diz, comparadas à sua maneira de dizê-las. |
| *Coreografia* | Durante o treinamento, posicionar-se sistematicamente em lugares diferentes para tipos diferentes de comportamento. Por exemplo, ficar em pé ou sentar-se numa posição diferente para dar informações, criar um exercício, fazer e responder perguntas, contar histórias etc., criando âncoras espaciais para o grupo. |
| *Credibilidade* | A sua reputação, o seu grau de sinceridade, competência e congruência perante o grupo. Estabelecer sua credibilidade ajuda a estabelecer expectativas positivas que aumentam a aprendizagem do grupo. Algumas vezes, é necessário revelar as suas qualificações como autoridade no assunto. |
| *Crenças* | Generalizações que fazemos a nosso respeito, dos outros e do mundo. As crenças agem como profecias auto-realizadoras que influenciam todo nosso comportamento. Um dos *níveis neurológicos*. |
| *Demonstração* | Apresentar um modelo da atividade que o grupo fará. Uma demonstração clara proporciona um modelo compreensível e é uma das influências mais importantes para o sucesso da atividade. |
| *Desacompanhar* | Adotar padrões de comportamento diferentes dos de outra pessoa para redirecionar ou interromper uma reunião ou conversa. |
| *Desafio de relevância* | Perguntar de que maneira uma afirmação ou comportamento específico estão ajudando a alcançar um objetivo estabelecido. |
| *Descrição baseada no sensorial* | Descrição relacionada àquilo que uma pessoa veria, ouviria e sentiria, em vez de interpretar e alucinar aquilo que você acha que está acontecendo. |
| *Descrição múltipla* | Adotar diferentes pontos de vista para reunir o máximo de informações possíveis sobre uma pessoa ou situação. Por exemplo, observar o treinamento do seu próprio ponto de vista, do ponto de vista dos treinandos e do ponto de vista organizacional ou, primeira, segunda e metaposição. |
| *Disposição* | A maneira como você estrutura o ambiente do treinamento (por exemplo, a disposição das cadeiras em fileiras ou formando um círculo). A disposição dará uma metamensagem sobre o treinamento. |
| Downtime | É quando você volta sua atenção para os próprios pensamentos e sensações. A interiorização é útil depois do treinamento para processar, relaxar e cuidar de você. |

| | |
|---|---|
| *Elaborar exercícios* | Apresentar um exercício de tal forma que as pessoas queiram fazê-lo e compreendam o que, por que e como elas o farão. |
| *Estado* | Indica o estado fisiológico, que é como um instantâneo da neurologia total: a experiência mental, emocional e física. Gerenciar o nosso estado e o dos treinandos é, provavelmente, a habilidade mais importante no treinamento. |
| *Estados de recursos* | Uma combinação de pensamentos, sensações e fisiologia que torna qualquer tarefa mais fácil e agradável. |
| *Estilos de aprendizagem* | Diferentes maneiras preferidas para aprender. Existem diferentes modelos, incluindo sentidos diferentes, metaprogramas ou conceito-estrutura-aplicação. Uma importante habilidade é abranger todos os estilos, em vez de ensinar no seu estilo preferido e inconsciente. E mais, o grupo pode ter uma preferência global. |
| *Estratégias de aprendizagem* | Seqüências de imagens, sons e sensações que levam à aprendizagem. Do ponto de vista do treinamento, certifique-se de proporcionar uma combinação entre ver, ouvir e fazer para abranger todas as estratégias. |
| *Estratégias de recuperação* | Uma forma de sentir-se com recursos e gerar novas escolhas quando você ficar confuso ou estiver sob pressão. |
| *Estrutura aberta* (open frame) | Uma oportunidade para os treinandos fazerem comentários ou perguntas que consideram interessantes sobre a matéria. |
| *Estrutura "como se"* | Usar suposições, imaginar ou fingir poder fazer alguma coisa que você nunca fez antes. Pergunte: "Como seria se eu pudesse...?". |
| *Estrutura de controle* | Estabelecer um limite para a abrangência ou tempo de uma atividade, por exemplo, o processamento de um exercício. |
| *Estruturar* | Instruções sobre como compreender e interpretar a matéria, no que prestar atenção e o que desconsiderar. Um exemplo seria estabelecer uma estrutura de objetivo e examinar cada parte do treinamento para verificar de que maneira ela contribui para a realização dos seus objetivos. Veja também ressignificar e *outframing*. |
| *Evocar* | A habilidade de evocar comportamentos dos outros, como comentários, perguntas, objetivos, estados e habilidades. Pode ser feita verbal ou não-verbalmente, de modo declarado ou oculto. |
| *Exercícios* | Atividades estruturadas com um objetivo: a essência do treinamento experimental. Os bons exercícios criam um contexto no qual a aprendizagem é fácil. Os |

| | |
|---|---|
| *Exercícios de processamento* | estágios de um exercício são: planejamento, estabelecimento, demonstração, treino e processamento. Uma sessão de perguntas e comentários após um exercício para revelar diferentes pontos de aprendizagem. |
| Feedback | As reações que você obtém com as suas ações. Você precisa de acuidade sensorial para observá-las e de flexibilidade para adaptar as suas ações e não desviar dos seus objetivos. |
| *Filtros* | Veja *filtros perceptivos*. |
| *Filtros perceptivos* | O mundo é sempre mais rico do que a nossa experiência dele. Nossos filtros perceptivos determinam aquilo que notamos e aquilo que omitimos. Você pode criar filtros para todos os padrões desse glossário. Por exemplo, o estado emocional de um grupo etc. |
| *Fisiologia* | Relativa ao corpo, não à mente. Se você deseja saber o que está ocorrendo com os outros, desenvolva a habilidade de calibrar-se com mudanças sutis na fisiologia. |
| *Gerador de novos comportamentos* | Uma técnica simples e efetiva para o ensaio mental de novas habilidades e comportamentos ou para provocar mudanças no comportamento existente. |
| *Habilidade* | Ação ou raciocínio contínuos e eficientes que alcançam o objetivo desejado e que são apoiados por crenças poderosas. |
| *Habilidade de treinamento* | Saber quando e como interferir num processo para possibilitar a aprendizagem. Com freqüência, usando perguntas para redirecionar a atenção de alguém, permitindo que a mudança desejada no comportamento aconteça voluntariamente. |
| *Identidade* | A auto-imagem ou autoconceito. Quem a pessoa acha que é. Um dos níveis neurológicos. |
| *Incompetência consciente* | O segundo estágio do ciclo de aprendizagem no qual a atenção consciente está voltada para a tarefa e os resultados variam. Embora desconfortável, esse é o estágio em que o índice de aprendizagem é maior. |
| *Incompetência inconsciente* | O primeiro estágio do ciclo de aprendizagem no qual não temos consciência de uma habilidade. |

| | |
|---|---|
| *Incongruência* | Contradição ou conflito entre partes de si mesmo, crenças, valores ou ações. Pode ser seqüencial — uma ação seguida por outra que a contradiz — ou simultânea — palavras positivas expressas num tom de voz inseguro. |
| *Integridade* | Congruência e honestidade. A integridade pessoal e as atitudes éticas são necessárias para um nível elevado de habilidade. Sem elas, as habilidades da PNL terão um resultado oposto ao desejado. |
| *Intenção* | O propósito ou objetivo desejado por qualquer comportamento. |
| *Intenção positiva* | O propósito positivo subjacente a qualquer comportamento "difícil", o que ele proporciona à pessoa que o demonstra e que é importante para ela. Descobrir a intenção positiva é a chave para saber como responder efetivamente. |
| *Intervenção* | Interromper uma interação para mudar o objetivo. A intervenção eficaz significa saber quando fazer (acuidade sensorial) e como fazer (flexibilidade comportamental). Tenha como propósito obter a maior vantagem com a menor intervenção. |
| *Ligar* | Fazer conexões explícitas entre as diferentes partes do treinamento enquanto você passa de uma para outra, para proporcionar continuidade aos treinandos. |
| *Linguagem* | Embora sendo o menor canal de comunicação nas apresentações, representando 7% do total, a linguagem ainda é essencialmente importante. Ela consiste de afirmações ou perguntas que podem ser muito específicas (Metamodelo) ou propositalmente vagas (Modelo Milton). |
| *Linguagem corporal* | O maior canal de comunicação com a sua platéia (55%). Use a sua linguagem corporal para influenciar o grupo e observar a deles, como um *feedback*, à medida que o treinamento prossegue. |
| *Marcação analógica* | Usando o seu tom de voz, linguagem corporal, gestos etc., para marcar alguma parte importante da matéria do treinamento. |
| *Marcação espacial* | Usar diferentes espaços para diferentes ações, para associar o local à ação. Veja *Coreografia*. |
| *Marcação tonal* | Usar a voz para *marcar* determinadas palavras como sendo significativas. |
| *Mente consciente* | A parte de nossa mente que está na nossa percepção no momento presente. Ela só pode prestar atenção a |

| | |
|---|---|
| | algumas variáveis ao mesmo tempo e não enxerga conseqüências mais profundas ou de longo prazo. |
| *Mente inconsciente* | Nossa mente inconsciente consiste de todas as coisas relacionadas à nossa realidade interna, que não estão dentro da nossa percepção no momento presente. |
| *Meta* | Aquilo que existe num nível diferente de alguma outra coisa. Derivado do grego, significa "acima e além". |
| *Metacognição* | Ter conhecimento de uma habilidade não somente para realizá-la bem, mas ser capaz de explicar como é bem realizada. Ser capaz de ter uma opinião imparcial sobre suas habilidades. |
| *Metacomentário* | Fazer um comentário sobre um processo que está ocorrendo, por exemplo, *você está lendo esta explicação*. No treinamento, ele ajuda a marcá-los espacialmente. |
| *Metáfora* | Comunicação indireta que utiliza uma história ou uma figura de linguagem e implica uma comparação. Na PNL a metáfora inclui parábolas, alegorias e similaridades. |
| *Metamensagem* | Literalmente uma mensagem sobre uma mensagem. O seu comportamento não-verbal está constantemente enviando ao grupo metamensagens sobre você e a matéria. |
| *Metamodelo* | Um poderoso conjunto de padrões de linguagem e perguntas da PNL que liga a linguagem à experiência sensorial. Perguntas-chave para esclarecer e especificar o significado. |
| *Metaposição* | A terceira posição perceptiva, o observador imparcial e benevolente, de si mesmo e dos outros. |
| *Metaprogramas* | Filtros sistemáticos e habituais que aplicamos à nossa experiência, geralmente inconscientes. Por exemplo, sentir-se motivado pelas recompensas, em vez de se afastar das conseqüências desagradáveis. A consciência desses padrões pode tornar o treinamento mais fácil e mais eficaz. |
| *Modelagem* | Agir como um modelo comportamental para os outros, por exemplo, ao fazer demonstrações, ou o processo de revelar as seqüências de pensamentos e comportamentos que permitem a alguém executar uma tarefa ou habilidade. A modelagem é a base da PNL e da aprendizagem acelerada. |
| *Modelo Milton* | Da PNL, o inverso do metamodelo, utilizando padrões de linguagem propositalmente vagos para que as pessoas possam dar o significado específico mais útil para elas, a partir de sua própria experiência. |

| | |
|---|---|
| *Monitoramento múltiplo* | A habilidade para lidar com muitas coisas diferentes ao mesmo tempo — por exemplo, ao ouvir uma pergunta, avaliar o que a pessoa realmente deseja de você (segunda posição), o tempo disponível, os níveis de interesse do grupo, diversas respostas diferentes e o que o grupo obteria com cada uma — antes de abrir a boca! |
| *Negociação* | A habilidade para negociar diferenças e obter um acordo em que ambas as partes saiam ganhando. |
| *Níveis neurológicos* | Também conhecidos como níveis lógicos da experiência: ambiente, comportamento, capacidade, crença, identidade e espiritual. |
| *Objetivo* | Uma meta que satisfaça às seguintes condições: é formulado positivamente, especifica o envolvimento da pessoa para atingi-lo e os recursos que ela tem para isso, é suficientemente específico para oferecer evidências sensoriais e considera as conseqüências imprevistas. |
| *Oculto* | Alguma coisa sutil ou fora da percepção consciente. |
| Outframing | Estabelece uma estrura que exclui possíveis objeções. |
| *Padrão de interrupção* | Qualquer interferência para interromper um comportamento contínuo...k$yr per centbnf&pd@lfd...para que você possa conduzir a algo mais proveitoso. |
| *Perguntas* | Será que as perguntas representam a interseção da linguagem e da aprendizagem? Você pode evocar, estruturar, utilizar perguntas e respondê-las fazendo uma outra pergunta? Quanto você acha que a qualidade das perguntas que você faz para si mesmo determina a qualidade dos resultados que você obtém? |
| *Planejamento* | A estrutura, o processo e o conteúdo de um treinamento, planejados para alcançar os objetivos do treinamento. |
| *Ponte para o futuro* | Ensaio mental de novas habilidades, conhecimento ou atitudes, num futuro imaginário no qual eles serão necessários. Essencial na transferência da aprendizagem para fora da sala de treinamento. |
| *Posição perceptiva* | O ponto de vista que adotamos em determinado momento pode ser o nosso (primeira posição), o de outra pessoa (segunda posição) ou o de um observador objetivo e benevolente (terceira posição). |
| *Pressuposição* | Algo que deve ser considerado como certo para que um comportamento ou afirmação façam sentido. |

| | |
|---|---|
| *Primeira posição* | Perceber o mundo do seu próprio ponto de vista e estar em contato com a sua própria realidade. Uma das três principais posições perceptivas. As outras são a segunda e terceira posições, ou metaposição. Juntas, elas proporcionam uma descrição múltipla. |
| *Processo e conteúdo* | Conteúdo é aquilo que é feito, enquanto o processo trata de como é feito. Por exemplo, o *que* você diz é o conteúdo e *como* você diz é o processo. Geralmente, nós só percebemos o conteúdo. Durante o treinamento, mantenha sua atenção no nível do processo. |
| *Programação neurolingüística* | O estudo da excelência e o modelo de como as pessoas estruturam sua experiência. |
| *Qualidade da voz* | O segundo canal mais importante de comunicacão e influência nas apresentações. As pesquisas sugerem que ele é responsável por 38% do impacto total da comunicação. |
| Rapport | O processo de construir e manter uma relação de mútua confiança e compreensão. A capacidade de evocar reações de outras pessoas. Com freqüência, atua nos níveis das palavras, ações, valores e crenças. |
| *Recapitular* | Um resumo bastante preciso, usando as mesmas palavras-chave no mesmo tom de voz em que elas foram originalmente pronunciadas. Isso evita a distorção das idéias originais e é útil para rever pontos importantes. |
| *Representações internas* | Todos os nossos pensamentos e sensações. As imagens mentais, sons e sensações de que nos lembramos e criamos. |
| *Resistência* | Um bloqueio na compreensão ou ação. Qualquer resistência só existe devido a uma pressão contínua em direção oposta. Portanto, durante o treinamento, uma pergunta útil a ser feita é: "O que eu estou fazendo e que está contribuindo para a resistência dessa pessoa?". |
| *Ressignificar* | Mudar a maneira de compreender uma afirmação ou comportamento, dando-lhe um novo significado. |
| *Segmentar* | Mudar as percepções subindo ou descendo os níveis. Segmentar para cima é subir a um nível que inclua aquilo que se está estudando. Por exemplo, considerar a intenção por trás de uma pergunta é segmentar a pergunta para cima. Segmentar para baixo é des- |

| | |
|---|---|
| | cer a um nível e considerar um exemplo mais específico ou uma parte daquilo que se está estudando. Por exemplo, o primeiro passo para formular um objetivo é expressá-lo positivamente. |
| *Segunda posição* | Perceber o mundo do ponto de vista de outra pessoa para compreender sua realidade. Uma das três *posições perceptivas*. |
| *Sistemas representacionais* | A maneira como codificamos mentalmente a informação em um ou mais canais sensoriais: visual, auditivo, cinestésico (movimento e emoções), olfativo (odores), gustativo (paladar) e vestibular (equilíbrio). Usar internamente os nossos sentidos. |
| *Sistêmico* | Relativo aos sistemas, observar os relacionamentos e conseqüências considerando o tempo e o espaço, em vez da causa e efeito lineares. |
| *Suavizadores* | Diminuir o impacto de uma pergunta ou afirmação direta usando um tom de voz suave ou uma introdução como: "Você gostaria de me contar X?", em lugar de: "Conte-me X". |
| *Submodalidades* | As qualidades das imagens mentais, sons e sensações. Por exemplo: as imagens podem ser grandes ou pequenas, em movimento ou imóveis, em cores ou em preto e branco. |
| *Terceira posição* | Veja *Metaposição*. |
| *Transe* | Um estado alterado em que a atenção está voltada para dentro. |
| *Treinamento experimental* | Criar aprendizagem por meio da experiência. Nós aprendemos melhor as habilidades praticando, porque a prática envolve tanto a mente consciente quanto a inconsciente. O conhecimento cognitivo envolve apenas a mente consciente e uma boa memória. |
| Uptime | Um estado no qual sua atenção está voltada para fora e você se sente muito alerta e com muitos recursos. |
| *Utilização* | A habilidade para modificar qualquer comportamento ou eventualidade para favorecer os objetivos do treinamento. |
| *Valores* | Aquilo que é importante para nós. Eles orientam nossas ações. |

# QVN/E E TREINAMENTO

O sistema das Qualificações Vocacionais Nacionais (QVN) e as Qualificações Vocacionais Escocesas (QVE) são um conjunto de padrões de competência para facilitar a aprendizagem de habilidades mais efetivas em todas as principais indústrias.

Na década de 80, tornou-se claro que o sistema de treinamento e educação vocacional existente no Reino Unido não poderia atender à demanda dos empregadores por uma força de trabalho habilitada. Os métodos de avaliação existentes mostravam uma tendência a avaliar o conhecimento, enquanto os empregadores desejavam a *aplicação* competente das habilidades e do conhecimento.

Em 1986, o governo criou o Conselho Nacional para as Qualificações Vocacionais. Sua tarefa era modificar as qualificações vocacionais, definindo a competência e os padrões dentro de uma ampla variedade de profissões. Com esse propósito, foram criados os *Industrial Lead Bodies* (Corpos de Orientação Industrial) para diferentes setores da indústria e do comércio. Cada *Industrial Lead Body* desenvolveu padrões de competência ocupacional para sua própria indústria.

O Conselho Nacional para as Qualificações Vocacionais é o corpo geral oficial e concede as Qualificações Vocacionais Nacionais às pessoas que satisfazem esses padrões. Há, ainda, o Conselho de Educação Vocacional Escocês.

Os *Industry Lead Bodies* consideram as habilidades ocupacionais e as dividem em pequenos elementos, proporcionando um mapa lógico e seqüencial. Um instrutor pode considerar as habilidades em detalhes cada vez mais refinados e verificar os padrões de competência exigidos e os critérios pelos quais serão julgados.

### *O Training and Development Lead Body (TDLB)**

O TDLB estabelece padrões nacionais e administra as QVNs para os instrutores. Ele foi criado em 1989 para definir padrões e elaborar qualificações

---

* Corpo Orientador de Treinamento e Desenvolvimento.

vocacionais para pessoas da área de treinamento e desenvolvimento — instrutores de tempo integral e parcial, supervisores e gerentes de linha. Os padrões definem mais do que a prática existente e foram planejados para ser indicadores da melhor prática. Os padrões também ajudam a estabelecer objetivos em treinamentos de instrutores e avaliar a eficácia dos materiais de treinamentos existentes.

*Padrões de treinamento*

Os padrões nacionais para o treinamento e desenvolvimento estão dispostos numa hierarquia estruturada. Em primeiro lugar está o principal propósito do treinamento:

> Desenvolver o potencial humano para ajudar organizações e indivíduos a atingirem os seus objetivos.

Esse propósito principal está dividido em cinco áreas de competência que acompanham, de perto, o ciclo de treinamento:

- Diagnóstico: identificar as necessidades de treinamento e desenvolvimento.
- O planejamento e esboço do treinamento.
- A apresentação do treinamento, a oferta de oportunidades e recursos de aprendizagem.
- Avaliar a eficácia do treinamento e do desenvolvimento.
- Apoiar os progressos no treinamento e desenvolvimento.

Cada uma dessas áreas está dividida em dois subcomponentes. Por exemplo, o diagnóstico se divide na identificação das exigências organizacionais e das necessidades de aprendizagem de indivíduos e grupos. Cada um desses dez subcomponentes é analisado, posteriormente, em diversos *elementos de competência*.

Os padrões são formados por três partes:

**Elementos de competência.** São os resultados que se espera que uma pessoa competente alcance.
**Critérios de desempenho.** É a evidência pela qual você julgaria um desempenho competente.
**Abrangência de aplicações.** É o tipo de recurso, local, tempo etc., no qual o elemento deve ser alcançado.

Como um exemplo, a terceira área, C, apresentação do treinamento, divide-se em dois elementos de competência:
C1 Obter e alocar recursos para apresentar o treinamento e os planos de desenvolvimento.

C2  Oferecer oportunidades de aprendizagem e apoio para que os indivíduos e grupos atinjam os objetivos.

Esses dois elementos dividem-se em dez unidades, C11-C28.

Por sua vez, as unidades C11-C28 dividem-se em 31 padrões, cada um com critérios de avaliação e diversas afirmações.

Está claro que os padrões das QVN focalizam diversos graus. Existem 126 elementos no total: uma lista que pode ser experimentada para definir diferentes atividades de treinamento. Eles podem ser usados para estruturar as qualificações vocacionais e também são uma base para descrever funções e desenvolver programas de treinamento. Quando os padrões são usados como base para as qualificações vocacionais, eles são agrupados em unidades de competência mais amplas, para refletir as necessidades do trabalho. Atualmente, existem cinco níveis de qualificação.

*Padrões como um mapa*

Os padrões são um mapa do treinamento e do desenvolvimento. Eles são úteis porque focalizam o desempenho, com evidências daquilo que constitui um desempenho competente. Um indivíduo que alcança os padrões, preenchendo os critérios, obtém o nível adequado de QVN. Esses níveis formam a base da estrutura profissional, dependendo do empregador em questão.

O rápido crescimento do sistema de QVN tem implicações semelhantes para empregadores e instrutores. Os empregadores têm a oportunidade de influenciar e estabelecer padrões coerentes de desempenho para a força de trabalho de suas indústrias. A avaliação do desempenho ocorre no local de trabalho, tornando mais eficaz a Análise das Necessidades do Treinamento. Com um treinamento mais direcionado e o desenvolvimento da força de trabalho, o investimento no treinamento torna-se mais atraente. Os instrutores terão metas claras a serem atingidas, definidas pelas competências no local de trabalho.

*Padrões nacionais para treinamento e desenvolvimento*
*Área C: Oferecer oportunidades de aprendizagem, recursos e apoio*

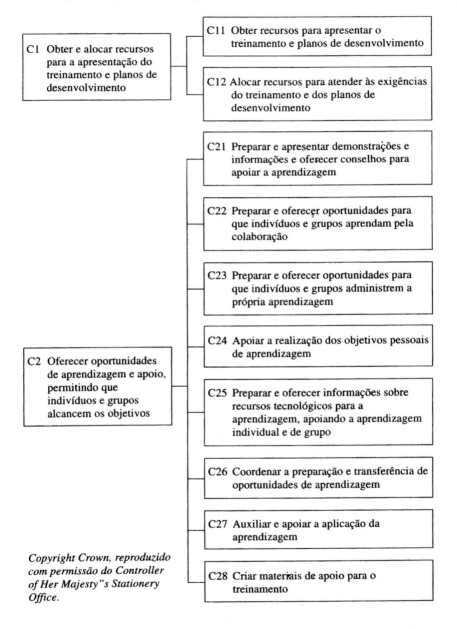

C1 Obter e alocar recursos para a apresentação do treinamento e planos de desenvolvimento

C11 Obter recursos para apresentar o treinamento e planos de desenvolvimento

C12 Alocar recursos para atender às exigências do treinamento e dos planos de desenvolvimento

C2 Oferecer oportunidades de aprendizagem e apoio, permitindo que indivíduos e grupos alcancem os objetivos

C21 Preparar e apresentar demonstrações e informações e oferecer conselhos para apoiar a aprendizagem

C22 Preparar e oferecer oportunidades para que indivíduos e grupos aprendam pela colaboração

C23 Preparar e oferecer oportunidades para que indivíduos e grupos administrem a própria aprendizagem

C24 Apoiar a realização dos objetivos pessoais de aprendizagem

C25 Preparar e oferecer informações sobre recursos tecnológicos para a aprendizagem, apoiando a aprendizagem individual e de grupo

C26 Coordenar a preparação e transferência de oportunidades de aprendizagem

C27 Auxiliar e apoiar a aplicação da aprendizagem

C28 Criar materiais de apoio para o treinamento

*Copyright Crown, reproduzido com permissão do Controller of Her Majesty"s Stationery Office.*

# APOIO AO TREINAMENTO

## Usando diferentes recursos

Este apêndice é uma consulta rápida aos recursos de aprendizagem que podem ser utilizados para complementar o treinamento ao vivo. Alguns materiais de aprendizagem são óbvios e familiares outros, como a aprendizagem por computador, são mais recentes e sua quantidade é desconhecida.

Cada um desses recursos apresenta a matéria de maneiras diferentes e o seu sucesso depende, até certo ponto, das estratégias de aprendizagem do usuário. Um instrutor tem pelo menos três vantagens sobre esses recursos de aprendizagem: ele pode usá-los adequadamente para maximizar os seus efeitos e minimizar suas desvantagens; ele pode ensinar as habilidades de aprender a aprender, para que os treinandos aproveitem melhor os recursos; é receptivo e flexível, possuindo as habilidades humanas de criar *rapport* e oferecer um apoio sensível, e as habilidades de apresentação para tornar o material atraente, divertido, uma aventura. Muitos desses recursos podem ser usados após o treinamento, transferindo efetivamente a aprendizagem para o local de trabalho. Eles são uma referência e um recurso para o instrutor fora da sala de treinamento.

## Livros

Existem livros baratos e disponíveis sobre qualquer assunto, mas toda a motivação deve vir do usuário. Os livros não são interativos, eles não reagem àquilo que o leitor faz. Eles se limitam às palavras escritas e imagens imóveis e não são bons para a aprendizagem de habilidades físicas.

Num curso, os panfletos e apostilas são úteis para proporcionar um registro que os treinandos podem levar consigo e estudar. Quanto maiores as habilidades de escrita do instrutor, mais úteis serão os livros, apostilas e materiais escritos em geral. Escrever de maneira clara e simples é uma outra habilidade do instrutor competente. A qualidade do material escrito é parte da qualidade geral do treinamento (por isso nós incluímos um apêndice sobre material escrito para o treinamento, veja página 265).

## Áudio

As palavras faladas transmitem mais informações e têm mais impacto do que a palavra escrita. As pesquisas mostram que nos lembramos duas vezes mais daquilo que ouvimos do que daquilo que lemos. Entretanto, os áudios são lentos e a maioria das pessoas lê mais rápido do que a velocidade da gravação.

## Material visual

Mapas, diagramas, transparências, modelos tridimensionais e *slides*, embora estáticos, podem reter e transferir muitas informações com rapidez e já estão bem integrados ao treinamento. No treinamento, uma imagem vale mais do que mil palavras e um vídeo vale dez mil.

Os videoteipes podem ter muito mais impacto e sua variedade e qualidade aumentaram enormemente. Existem empresas que oferecem vídeos de treinamento e outras criam seus próprios vídeos.

## Treinamento baseado no computador

Muitas ferramentas de treinamento baseiam-se no computador e estão cada vez mais sofisticadas. Faremos um esboço de algumas possibilidades atuais. A área está se desenvolvendo com muita rapidez. É bom preparar as pessoas para mudanças, usando a própria tecnologia que está gerando essas mudanças.

Já há algum tempo, a aprendizagem por computador faz parte do treinamento e da educação, e o simulador de vôo é um exemplo clássico. A maior parte de suas aplicações é realizada pelo ubíquo PC. À medida que a nova tecnologia e o conseqüente treinamento aumentam, estão sendo exploradas maneiras para utilizar o próprio computador para treinar o usuário a operá-lo. A ajuda interativa pode vir nos programas ou com o apoio de um *software* extra. O vídeo interativo e a multimídia interativa combinam as vantagens do treinamento por computador com imagens e sons. Os sistemas especializados têm um conhecimento básico e um conjunto de regras sobre a maneira de utilizá-lo e são úteis para o diagnóstico, avaliação e tomada de decisões.

Os programas para a aprendizagem generativa estão começando a se tornar acessíveis e os autores estão envolvidos em diferentes projetos nessa área.

## Redes neurais

A rede neural computadorizada está começando a criar sistemas que podem aprender e reagir ao *feedback*. Por sua vez, os computadores convencionais precisam ser programados com uma série de instruções passo-a-passo que são sempre seguidas pelo computador.

A computação neural oferece possibilidades de programas inteligentes que podem monitorar as respostas do aluno e direcioná-lo para as informações relevantes. O programa também pode explicar o raciocínio por trás das etapas. Ele age como um sistema especializado inteligente. Diversas universidades, assim como muitas empresas, estão pesquisando essas possibilidades.

O futuro da aprendizagem por computador é, provavelmente, o que está sendo chamado de Sistema Eletrônico de Apoio ao Desempenho, no qual os empregadores teriam acesso imediato e individualizado a uma série de informações, orientações, conselhos, dados e assistência, permitindo que eles realizem seu trabalho de maneira mais eficiente com um mínimo de distração. Literalmente, eles teriam a informação "na ponta dos dedos". Isso, provavelmente, funcionaria como um quadro de avisos organizacional. Já existem quadros de avisos em rede internacional, como a Compuserve, que permitem aos usuários o acesso a informações sobre quase todos os assuntos, inclusive PNL.

A realidade virtual já está conosco e é uma simulação por computador que nos faz sentir como se estivéssemos realmente dentro dela, como um simulador de vôo, que abrange todos ou quase todos os nossos sentidos. No momento, isso é feito pelo uso de luvas especiais e fones de ouvido. Essa área nos revela uma perspectiva futura do treinamento e aprendizagem virtual com sofisticadas simulações interativas.

**Memorização da matéria**

Todos esses recursos para o treinamento oferecem informações e idéias estimulantes para o aluno. Os livros oferecem apenas palavras, e a memorização é bem menor quando são apresentadas apenas palavras. A memorização é melhor quando as palavras estão ligadas a uma trilha sonora, mas o aluno ainda precisa visualizar. Televisão, vídeos ou filmes, com imagens e som, proporcionam uma memorização ainda melhor. A memorização e a aprendizagem são maiores na experiência direta, e esse é o território do treinamento experimental.

# HABILIDADES NA ESCRITA PARA MATERIAL ESCRITO NO TREINAMENTO

Boas apostilas explicativas e material escrito melhoram o curso de treinamento e dão uma metamensagem sobre todo o treinamento. Eles ficam com os treinandos e irão mostrá-los para os outros. Você desejará certificar-se de que eles sejam representativos da qualidade do seu treinamento. Essas orientações aplicam-se a simulações por escrito, material de apoio e exercícios no computador ou no papel.
- Primeiramente, conheça os seus objetivos. Quais são os objetivos da matéria? O que você deseja que os treinandos aprendam com ela? Por exemplo:
  - revisão de pontos-chave
  - material extra de apoio
  - listas de referência
  - instruções
  - lição de casa
  - exemplos documentados
- Eis algumas orientações úteis para sua matéria escrita:
  a) Use diferentes palavras sensoriais — visuais, auditivas e cinestésicas — para que o leitor possa ver, ouvir e perceber o que você está dizendo.
  b) As perguntas são úteis para envolver o leitor, não são?
  c) Escreva de modo que o leitor sinta que está lendo as palavras de uma pessoa real.
  d) Fale com o leitor de igual para igual, explique em vez de discursar.
  e) Use a segunda pessoa quando escrever. Se eu usar a primeira pessoa minha tendência é me colocar em posição de autoridade, não é?
- Torne a matéria visualmente interessante, bem como informativa.
- Escreva com clareza e simplicidade, a não ser que você queira ser deliberadamente ambíguo para oferecer diferentes possibilidades.
- Use uma pontuação simples.
- Seja gramaticalmente correto quando escrever, tendo em mente o uso geral. A gramática e a pontuação ruins dão uma mensagem negativa sobre a matéria.
- Se você usar instruções, estruture-as positivamente, isto é, explique o que fazer, não o que não fazer. Por exemplo: "Não aceite uma classificação até

saber o nome do cliente" está expresso negativamente. "Obtenha o nome do cliente antes de classificá-lo" é mais positivo e mais claro.
* Use exemplos sempre que possível.
* Se a matéria for longa (mais do que mil palavras), informe no início aquilo que ela contém e faça um resumo no final.
* Se você quer ter uma idéia da clareza daquilo que escreve, pode recorrer àquilo que, apropriadamente, é chamado de *"Fog Index"* (Índice de clareza).
* Para calcular o *Fog Index* de qualquer matéria escrita, faça o seguinte:
  * Primeiramente, considere uma seção que contenha de cem a trezentas palavras.
  * Conte o número médio de palavras por frase. Vamos chamá-lo de número "A".
  * Existem algumas exceções que você não vai contar:
  a) Não conte os nomes próprios (em outras palavras, quaisquer nomes começando com letra maiúscula).
  b) Considere as palavras compostas (hifenizadas) como uma só palavra se cada parte tiver duas sílabas ou menos.
* A seguir, conte o número de palavras de três sílabas ou mais em cem palavras. Vamos chamar esse número de "B". Não considere palavras que tenham três sílabas por modificação da linguagem (por exemplo, tempos de verbos ou plural). Por exemplo: "medindo" não seria considerada, pois sua terceira sílaba é devida apenas ao tempo do verbo.

O *Fog Index* = número médio de palavras por frase somado ao número de palavras de três sílabas ou mais por cem palavras, multiplicado por dois quintos.

*Fog Index:* A + B x 0.4

Uma escrita razoavelmente clara tem um *Fog Index* entre 9 e 12.
Vise um índice entre 7 e 10.
Por exemplo, este Apêndice tem 572 palavras e 47 frases. Uma média de 12 palavras por frase.
Ele tem 54 palavras de três ou mais sílabas.
O *Fog Index* é 12 + 10 multiplicado por 0.4 = 8.8.

Leia a matéria um dia após a sua preparação, sob o ponto de vista dos treinandos. Ela está clara? Ela alcança os objetivos? Revise-a até ficar satisfeito.

# BIBLIOGRAFIA

ALEXANDER, F. M. *The use of self.* Centerline Press, 1986.
ANDREAS, STEVE & CONNIRAE. *Heart of the mind.* Real People Press, 1989.
BANDLER, Richard & GRINDER, John. *Frogs into princes.* Real People Press, 1979. (Edição brasileira: *Sapos em príncipes.* São Paulo, Summus, 1982.)
BATESON, Gregory. *Steps to an ecology of mind.* Ballantine, 1972.
BEER, Stafford. *Diagnosing the system.* Wiley, 1985.
BELBIN, R. *Management teams*: Why they succeed or fail. Heinemann, 1981.
BENDELL, KELLY, MERRY & SIMMS. *Quality measuring and monitoring.* Random House, 1993.
BENTLEY, Trevor. *The business of training.* McGraw-Hill, 1991.
BLANCHARD, Kenneth & Johnson, Spencer. *One minute manager.* Fontana, 1983.
BOND, Tim. *Games for social and life skills.* Stanley Thornes, 1990.
BRAMLEY, Peter. *Evaluating training effectiveness.* McGraw-Hill, 1991.
BRANDES, Donna & PHILIPS, Howard. *The gamester's handbook.* Stanley Thornes, 1977.
BRANDES, Donna. *Gamester's handbook 2.* Stanley Thornes, 1982.
BRITTAN, A. & MAYNARD, M. *Sexism, racism and oppression.* Blackwell, 1984.
BUZAN, Tony. *Use both sides of your brain.* E. P. Dutton, 1985.
_____. *The mind map book: radiant thinking.* BBC Publications, 1993.
CHECKLAND, Peter. *Soft systems methodology.* John Wiley, 1989.
COOPER, Susan & HEENAN, Cathy. *Preparing, designing, leading workshops.* Van Nostrand Reinhold, 1980.
COVEY, Stephen. *Seven habits of highly effective people.* Simon and Schuster, 1989.
DECKER, Bert. *You've got to believed to be heard.* St. Martin's Press, 1992.
DEMING, dr. W. *Out of the crisis.* Cambridge University Press, 1992.
DILTS, Robert & EPSTEIN, Todd, *NLP in training groups.* Dynamic Learning Publications, 1989.
DILTS, Robert. *The spelling strategy.* Dynamic Learning Publications, 1989.
_____. *Changing beliefs systems with NLP.* Meta Publications, 1990.
FLETCHER, Shirley. *NVQs standards and competence.* Kogan Page, 1991.
EITINGTON, Julius, *The winning trainer.* Gulf, 1984.
GALLWEY, T. *The inner game of tennis.* Random House, 1974.
GELB, Michael. *Present yourself.* Aurum Press, 1988.
HANDY, Charles. *The age of unreason.* Business Books, 1989.

HERON, John. *The facilitators handbook*. Kogan Page, 1989.
ISHIKAWA, K. *Quality circles activities*. Union of Japanese Scientists and Engineers, 1968.
KARASIK, Paul. *How to make it big in the seminar business*. McGraw-Hill, 1992.
KOLB, D. *Experiential learning*. Prentice-Hall, 1984.
KUBISTANT, T. *Performing your best*. Human Kinetics, 1986.
LABORDE, Genie. *Influencing with integrity*. Syntony Publishing Company, 1984.
LEEDS, Dorothy. *Power speak*. Piatkus, 1988.
LEIGH, David. *A practical approach to group training*. Kogan Page, 1991.
MASLOW, Abraham. *Towards a psychology of being*. Van Nostrand, 1968.
MEHRABIAN, A. *Silent messages*. Wadsworth, 1971.
_____ & Ferris, R. Inference of Attitudes from Non-Verbal Communication in Two Channels. *Journal of Counselling Psychology*. v. 31, 1967.
MINSKY, Marvin. *The society of mind*. Simon and Schuster, 1988.
MINTZBERG, Henry. *Mintzberg on management*. Free Press, 1989.
MUNSON, Laurence. *How to conduct training seminars*. McGraw-Hill, 1984.
NATIONAL STANDARDS FOR TRAINING AND DEVELOPMENT. *Crown Copyright 1992* (Cambertown Ltd, Commercial Road, Gold Thorp Industrial Estate, Gold Thorp, Nr Rotherham, S63 9BL).
NEAVE, Henry. *The Deming dimension*. SPC Press, 1990.
O'CONNOR, Joseph. *Not pulling strings*. Lambent Books, 1987.
_____ & Seymour, John. *Introducing Neuro Linguistic Programming*. Aquarian, 1993. (Edição brasileira: *Introdução à programação neurolinguística*. São Paulo, Summus, 1995.)
OLIVER, M. *The politics of disablement*. Macmillan, 1990.
PARSLOE, Eric. *Coaching, mentoring and assessing*. Kogan Page, 1992.
PETERS, T. & WATERMAN, R. *In search of excellence*. Harper and Row, 1982.
PETERS, Tom. *Liberation Management*. Macmillan, 1992.
PHILLIPS, Keri & SHAW, Patricia. *A consultancy approach for trainers*. Gower, 1989.
PIMENTAL, Ken & TEIXEIRA, Kevin. *Virtual reality*. McGraw-Hill, 1993.
PONT, Tony. *Developing effective training skills*. McGraw-Hill, 1991.
POWELL, L. S. *Guide to the use of visual aids*. BACIE, 1978.
RACKHAM, N. & Morgan, T. *Behavioural analysis in training*. McGraw-Hill, 1977.
ROGERS, Carl. *Freedom to learn*. Merrill, 1983.
ROBBINS, Anthony. *Unlimited power*. Simon and Schuster, 1986.
_____. *Awaken the giant within*. Simon and Schuster, 1992.
SCANNELL, Edward & NEWSTROM, John. *More games trainers play*. McGraw-Hill, 1980.
SEMLER, Ricardo. *Maverick!*. Century, 1993.
SENGE, Peter. *The fifth discipline*. Century, 1990.
SKINNER, B. F. *Beyond freedom and dignity*. Knopf, 1971.
STEWART, A. & V. *Business applications of repertory grids*. McGraw-Hill, 1981.
THOMPSON, Neil. *Anti-discriminatory practice*. Macmillan, 1993.
TRACEY, Brian. *Maximum achievement*. Simon and Schuster, 1993.
TRUELOVE, Steve (Ed.). *Handbook of training and development*. Blackwell, 1992.

# leia também

## INTRODUÇÃO À PROGRAMAÇÃO NEUROLINGÜÍSTICA
### COMO ENTENDER E INFLUENCIAR AS PESSOAS
*Joseph O'Connor e John Seymour*

A programação neurolingüística procura entender por que determinadas pessoas aparentemente demonstram maior capacidade do que outras, descrevendo seus mecanismos de modo que outros possam utilizá-los. Este livro mostra técnicas essenciais para o desenvolvimento pessoal e a boa qualidade no campo do aconselhamento, educação e negócios.
REF. 10471                 ISBN 85-323-0471-0

## O MÉTODO EMPRINT
### UM GUIA PARA REPRODUZIR A COMPETÊNCIA
*Leslie Cameron-Bandler, David Gordon e Michael Lebeau*

Um livro de programação neurolingüística destinado a abrir caminhos para se obter novas habilidades, talentos e aptidões. Um método para transformar possibilidades em realizações mediante a aquisição de novos padrões mentais de auto-ajuda.
REF. 10396                 ISBN 85-323-0396-X

## MODERNAS TÉCNICAS DE PERSUASÃO
### A VANTAGEM OCULTA EM VENDAS
*Donald J. Moine e John H. Herd*

O processo de vendas é muito mais do que um processo racional, já que o emocional é básico para uma boa venda. O treino especial, ou a verdadeira "mágica de vendas" descrita neste livro, possibilitará ao vendedor uma maior interação com o cliente e, como resultado, um grande sucesso de vendas.
REF. 10324                 ISBN 85-323-0324-2

## TREINANDO COM A PNL
### RECURSOS DE PROGRAMAÇÃO NEUROLINGÜÍSTICA
### PARA ADMINISTRADORES, INSTRUTORES E COMUNICADORES
*Joseph O'Connor e John Seymour*

As rápidas mudanças da tecnologia e do desenvol-vimento organizacional indicam que 75% das pessoas que hoje trabalham precisarão de treinamento nos próximos dez anos. Os programas de treinamento são uma das formas mais eficientes para o aprendizado de novas habilidades e conhecimentos necessários no futuro. A PNL oferece instrumentos para desenvolver e modelar estas habilidades.
REF. 10483                 ISBN 85-323-0483-4

28. *Ida Rolf fala sobre Rolfing e a realidade física* — Rosemary Feitis (org.)
29. *Terapia familiar breve* — Steve de Shazer.
30. *Corpo virtual — reflexões sobre a clínica psicoterápica* — Carlos R. Briganti.
31. *Terapia familiar e de casal* — Vera L. Lamanno Calil.
32. *Usando sua mente — as coisas que você não sabe que não sabe* — Richard Bandler.
33. *Wilhelm Reich e a orgonomia* — Ola Raknes.
34. *Tocar — o significado humano da pele* — Ashley Montagu.
35. *Vida e movimento* — Moshe Feldenkrais.
36. *O corpo revela — um guia para a leitura corporal* — Ron Kurtz e Hector Prestera.
37. *Corpo sofrido e mal-amado — as experiências da mulher com o próprio corpo* — Lucy Penna.
38. *Sol da Terra — o uso do barro em psicoterapia* — Álvaro de Pinheiro Gouvêa.
39. *O corpo onírico — o papel do corpo no revelar do si-mesmo* — Arnold Mindell.
40. *A terapia mais breve possível — avanços em práticas psicanalíticas* — Sophia Rozzanna Caracushansky.
41. *Trabalhando com o corpo onírico* — Arnold Mindell.
42. *Terapia de vida passada* — Livio Tulio Pincherle (org.).
43. *O caminho do rio — a ciência do processo do corpo onírico* — Arnold Mindell.
44. *Terapia não-convencional — as técnicas psiquiátricas de Milton H. Erickson* — Jay Haley.
45. *O fio das palavras — um estudo de psicoterapia existencial* — Luiz A.G. Cancello.
46. *O corpo onírico nos relacionamentos* — Arnold Mindell.
47. *Padrões de distresse — agressões emocionais e forma humana* — Stanley Keleman.
48. *Imagens do self — o processo terapêutico na caixa-de-areia* — Estelle L. Weinrib.
49. *Um e um são três — o casal se auto-revela* — Philippe Caillé
50. *Narciso, a bruxa, o terapeuta elefante e outras histórias psi* — Paulo Barros
51. *O dilema da psicologia — o olhar de um psicólogo sobre sua complicada profissão* — Lawrence LeShan
52. *Trabalho corporal intuitivo — uma abordagem Reichiana* — Loil Neidhoefer
53. *Cem anos de psicoterapia... — e o mundo está cada vez pior* — James Hillman e Michael Ventura.
54. *Saúde e plenitude: um caminho para o ser* — Roberto Crema.
55. *Arteterapia para famílias — abordagens integrativas* — Shirley Riley e Cathy A. Malchiodi.
56. *Luto — estudos sobre a perda na vida adulta* — Colin Murray Parkes.
57. *O despertar do tigre — curando o trauma* — Peter A. Levine com Ann Frederick.
58. *Dor — um estudo multidisciplinar* — Maria Margarida M. J. de Carvalho (org.).
59. *Terapia familiar em transformação* — Mony Elkaïm (org.).
60. *Luto materno e psicoterapia breve* — Neli Klix Freitas.
61. *A busca da elegância em psicoterapia — uma abordagem gestáltica com casais, famílias e sistemas íntimos* — Joseph C. Zinker.
62. *Percursos em arteterapia — arteterapia gestáltica, arte em psicoterapia, supervisão em arteterapia* — Selma Ciornai (org.).
63. *Percursos em arteterapia — ateliê terapêutico, arteterapia no trabalho comunitário, trabalho plástico e linguagem expressiva, arteterapia e história da arte* — Selma Ciornai (org.)
64. *Percursos em arteterapia — arteterapia e educação, arteterapia e saúde* — Selma Ciornai (org.)

**IMPRESSO NA**
**sumago** gráfica editorial ltda
rua itauna, 789   vila maria
**02111-031**   são paulo   sp
telefax 11 **6955 5636**
**sumago**@terra.com.br